dtv

Auf den ersten Blick scheint es ein Mordfall zu sein wie jeder andere: In der Tiefgarage eines Hochhauses haben zwei Jungen eine tote Frau in einem grünen Sommerkleid entdeckt. Für Kriminalhauptkommissar Polonius Fischer, einen ehemaligen Mönch, gibt es jedoch keine Routine. Nach einer Glaubenskrise hat er das Kloster verlassen, die Zweifel haben indes seinen Blick für die Abgründe der menschlichen Seele geschärft. Die Tote ist schnell identifiziert, aber wer hat sie umgebracht? Und wo ist ihre kleine Tochter? Fischers Mordkommission – von Spöttern liebevoll »die zwölf Apostel« genannt – sucht lange nach Hinweisen, denn in der unpersönlichen Atmosphäre des Wohnsilos hat natürlich niemand etwas bemerkt. Bis der Zufall endlich zu einer heißen Spur führt. Doch dann geschieht ein weiteres Verbrechen. An einem Seeufer findet man die Leiche einer ehemaligen Nonne …

»Ein innovativer Krimi, der antiquierten Staub aufwirbeln wird, vermutlich auch auf mancher Kirchenbank. Ein Volltreffer, direkt ins Wespennest! Das ist anspruchsvolle Unterhaltung auf hohem sprachlichem Niveau, zum Nachdenken und Diskutieren geradezu provozierend.« (Bernd Neumann in www.krimi-couch.de)

Friedrich Ani, 1959 geboren, lebt in München. Er arbeitete als Reporter und Hörfunkautor. Neben dem Staatlichen Förderpreis für Literatur des Bayerischen Kultusministeriums erhielt er den Radio Bremen Krimipreis und zweimal den Deutschen Krimipreis für seine Romane um den Ermittler Tabor Süden. ›Idylle der Hyänen‹ wurde mit dem Tukan-Preis der Stadt München für den besten Roman des Jahres 2006 ausgezeichnet.

Friedrich Ani

Idylle der Hyänen

Roman

Deutscher Taschenbuch Verlag

Von Friedrich Ani
ist im Deutschen Taschenbuch Verlag erschienen:
Wer lebt, stirbt (20988)

Ungekürzte Ausgabe
Oktober 2007
Deutscher Taschenbuch Verlag GmbH & Co. KG,
München
www.dtv.de
Lizenzausgabe mit Genehmigung des Paul Zsolnay Verlags
© 2006 Paul Zsolnay Verlag, Wien
Umschlagkonzept: Balk & Brumshagen
Umschlaggestaltung: Stephanie Weischer
unter Verwendung eines Fotos von Corbis/Pascal Deloche/Godong
Satz: Satz für Satz. Barbara Reischmann, Leutkirch
Druck und Bindung: Druckerei C. H. Beck, Nördlingen
Gedruckt auf säurefreiem, chlorfrei gebleichtem Papier
Printed in Germany · ISBN 978-3-423-21028-7

IDYLLE, *Idyll (griechisch eidyllion, »kleines Bild«), lyrisch-dramatische oder lyrisch-epische Dichtung, die ländliche Einfachheit, einen idealen unschuldsvollen Zustand vorführt.*

HYÄNEN *(Hyaenidae, syn. Tüpfelhyäne, Tigerwolf), Zehengänger, Allesfresser, leben in Höhlen und geben in erregtem Zustand Schnattergeräusche von sich. Keine natürlichen Feinde, außer dem Menschen.*

Prolog

Bestimmt hatte sie einmal an Gott geglaubt. Aber wann? Vor dem Tod ihrer Mutter. Wirklich?

Sie schaute sich um. Die beiden Männer starrten wieder zu ihr her, das machte ihr nichts aus. Kurz vor zehn Uhr nachts war sie die einzige Frau in dem Café; die Sprache der Glotzer, die sich laut, mit langen Pausen dazwischen, unterhielten, kannte sie nicht. Serbokroatisch vielleicht. Seit fast zwei Stunden saß sie hier und trank Wodka. Draußen regnete es; ihr Cape hatte sie nicht ausgezogen, weil sie bald wieder gehen wollte. Als der Kellner – oder der Wirt – ihr das erste Glas hinstellte, sagte er etwas über ihre Kleidung; sie hatte nicht hingehört und ihn angelächelt, zu lange vermutlich, denn er meinte, das Rot ihres Mantels passe perfekt zu ihren Haaren; da hörte sie sofort zu lächeln auf, nickte und sah aus dem Fenster und kehrte zu ihrer Furcht zurück.

Daß man den Augenblick, wenn man wahrhaftig glaubt, vergessen kann! dachte sie.

Früher hatte sie regelmäßig den Gottesdienst besucht, ja; sie betete, ja; sie ging zur Beichte und empfing den Leib Christi, ja; und wenn ihr Vater schimpfte, sie würde vor lauter katholischem Gehabe das Familiengeschäft vernachlässigen, ermahnte sie ihn zu mehr Respekt vor dem Herrn. Ja.

Und doch: War ihr Verhalten wahrhaftig gewesen?

Nein.

Nein.

In den letzten Monaten in ihrer Zelle und auf ihrer Flucht und während des kurzen Zusammenseins mit dem Mann, der die meiste Zeit unter seinem Bett verbrachte, hatte sie begriffen: Niemals in den neun Jahren vor dem Tod ihrer Mutter und niemals in den zwanzig Jahren danach und niemals in den vier Jahren als Schwester Irmengard war sie mit vollkommener, reiner Überzeugung auf die Knie gesunken und hatte ihre Zweifel abgeworfen.

»Noch einen Wodka!« sagte sie zur Theke hin.

Die beiden Männer an der Wand unterbrachen ihr Gespräch. Sie drehte den Kopf zu ihnen, und innerhalb einer Sekunde verwandelte sich der Blick des einen Mannes in das verachtende Schauen ihres Vaters. Vor Schreck stieß sie das leere kleine Glas um. Anstatt es wieder hinzustellen, faltete sie die Hände und drückte die Fingerkuppen auf die Haut, bis die Verkrampfung ihr weh tat und der Kellner das neue, bis zum Rand gefüllte Glas brachte.

»Danke«, sagte sie.

Die Hände im Schoß aneinandergepreßt, wartete sie darauf, daß er ging.

Wäre der Mann, der unter seinem Bett hauste, in diesem Moment draußen vorbeigegangen, hätte sie an die Scheibe geklopft und ihn hereingewinkt.

»Ich möchte bezahlen«, sagte sie.

»Wir machen erst um drei zu.«

»So spät«, sagte sie.

Ihre Fingernägel gruben sich in die Haut; sie schloß die Augen und hielt die Luft an. Kaum hatte der Kellner sich abgewandt, trank sie das Glas in einem Zug aus.

Manchmal, als Mädchen, hatte sie über die Flamme einer Kerze gestrichen, dann die Hand an ihre Wange gehalten und dem Schmerz nachgespürt, der, wie sie glaubte, von Gott gesandt sei. Daß Gott existierte, stand ja fest. Sie war doch nicht verrückt geworden!

Jetzt bemerkte sie die Stille im Café.

Die Männer schwiegen, die Musik hatte aufgehört. Sie schaute auf die Straße, durch die graue Gardine. Unter Regenschirmen hasteten Leute vorüber; das blaue Licht einer Nachtbar fiel auf den glänzenden schwarzen Bürgersteig.

Je länger sie hinsah, desto schwindliger wurde ihr; oder sie spürte den Wodka; drei Gläser hatte sie getrunken, oder vier? Mit dem Mann unter dem Bett hatte sie mehr getrunken, jede Nacht, im Zimmer des Ost-West-Hotels, wo er sich eingemietet hatte, um zu verrotten. Deswegen hatte sie zugeschlagen: weil er sie anekelte.

»Noch einen, bitte!«

Der Kellner saß hinter dem Tresen und las Zeitung. Wie mein Vater, dachte sie. Als er mit dem Getränk kam, fragte sie ihn, ob er der Wirt sei.

»Nein, der Bruder des Wirts. Warten Sie auf jemand?«

»Ja.«

»Auf Ihren Freund?«

»Ja.«

»Möchten Sie essen?«

»Nein.«

»Frischer Eintopf, hausgemacht, kann ich empfehlen.«

»Gut.«

»Ein Erfrischungsgetränk dazu?«

»Nein.«

»Ich geb Ihnen ein Bier aus.«

Beim Essen überlegte sie, warum sie dreiunddreißig Jahre alt werden mußte, um zu begreifen, daß sie nie an Gott geglaubt hatte. Sie hatte ihn immer nur angebetet. Eine Zeitlang hatte sie ihn angehimmelt. Das war vielleicht normal, wenn man beschlossen hatte, ins Kloster zu gehen. Nein, das ist nicht normal, dachte sie und trank das kalte Bier.

Aber irgendwann mußte es doch möglich gewesen sein zu glauben!

»Hat's geschmeckt?«

»Ja. Wie spät ist es?«

»Zehn nach halb elf.«

»Ich muß los.«

In fünfundzwanzig Minuten fuhr der letzte Zug in ihr Dorf.

»Der geht aufs Haus.«

Sie trank den Wodka, bevor sie sich bedankte.

»Ihr Freund ist nicht gekommen.«

Sie bezahlte. Das wenige Geld, das sie besaß, hatte ihr der Mann im Hotel beim Abschied in die Tasche gesteckt. Gestern. Danach war sie zum Bahnhof gegangen und von dort wieder weg; die Nacht hatte sie in einer lausigen Pension in der Nähe, nicht weit vom Ost-West-Hotel verbracht. Ebensogut hätte sie zu dem Mann zurückkehren können. Er hatte sie verprügelt; dann hatten sie sich wieder unters Bett gelegt und waren still gewesen. Sie schliefen nicht miteinander; die ganze Zeit, während sie bei ihm war, hatte er sie nicht bedrängt oder berührt; außer als er sie schlug.

Bis zum Bahnhof brauchte sie fünf Minuten, bis zu seinem Hotel wären es zehn gewesen.

Auf der Straße, die schwarze Reisetasche neben sich auf dem nassen Asphalt, schwankte sie. Sie legte den Kopf in den Nacken.

»Schaust mich auch an, Gott?«

Sie kippte gegen die Hauswand und konnte sich gerade noch mit einer Hand abstützen, stolperte beinah über ihre Tasche.

Nach einem Blick in die Richtung, die sie einschlagen mußte, nahm sie die Tasche, ging zwei Schritte und stellte die Tasche wieder ab. Ihre Hände zitterten, sie fror, obwohl es nicht kalt war. Als sie bemerkte, daß es zu regnen aufgehört hatte, zog sie den Kopf ein, als würde jeden Moment Hagel auf sie niederprasseln.

Ohne die Tasche zu nehmen, huschte sie in den Eingang neben einem Waffengeschäft. Sie vergrub die gefalteten Hände unter dem Cape und schlug die Knie aneinander, atmete mit aufgerissenem Mund. Ihr Herz, so schien ihr, schlug über sie hinaus.

Sie dachte, sie würde sich vor etwas fürchten, das sie kannte.

Aber sie fürchtete sich vor etwas, das sie nicht kannte.

Ihr Gott, dem zu dienen ihr nicht geglückt war, dessen Existenz sie jedoch nicht bestritt, hatte begonnen, ihre Stunden zu zählen. Es waren noch vierundzwanzig.

ERSTER TEIL

Mutter

I

Die Erzählung des Tatorts

Bevor er, reglos im Türrahmen stehend, mit seinem Rundblick begann, die Hände in den Hosentaschen, um Fingerabdrücke zu vermeiden, scheinbar unberührt vom Chaos der Gegenstände und dem Anblick eines Toten, konzentrierte er sich auf Geräusche und Gerüche und auf nichts sonst. Dabei ertrug er die Ausdünstungen eines Leichnams ebenso gleichmütig wie das Gemurmel seiner Kollegen. Ein Geruch, ein Geräusch oder die Stille waren für ihn die einzigen unbestechlichen Zeugen einer Gegenwart, die er noch wahrnehmen, deren völlige Auflösung er aber nicht verhindern konnte.

Die Erzählung des Tatorts erschien Polonius Fischer immer wie eine Art pragmatischer Lüge.

Das ärgerte ihn.

Nicht das ursprüngliche Leben, worauf sein Vorgesetzter und die meisten seiner Kollegen ihre ersten Analysen gründeten, lag mitsamt seinen geheimen Zeichen und Botschaften vor ihm, sondern die neue, klinisch saubere Wirklichkeit des Todes. Die Dinge starrten ihn ebenso kalt an wie die erloschenen Augen des Opfers.

Wenn er – Hauptkommissar im Kommissariat 111, zuständig für vorsätzliche Tötungs- und Todesfolgendelikte und gefährliche Körperverletzung mit Schußwaffe – an einem bestimmten Ort auftauchte, hatte alles, was bisher dort gewesen war, zu sein aufgehört. Polonius Fischer weigerte sich, einem Tatort zu glauben. Er glaubte nicht an einen magischen Realismus, in dem das Profil des Täters zu erkennen sei; er glaubte nicht an ein Profil.

Von den Mördern und Totschlägern, die er in den vierzehn Jahren bei der Mordkommission vernommen und überführt hatte, entsprach kein einziger einem vorher angefertigten Profil. Nach Fischers Meinung mangelte es ihnen überhaupt daran: Durchschnittlich bis zur Unkenntlichkeit, hatten die Täter ihren Alltag durchpflügt, bis ihnen jemand in die Quere kam und in ihren mickrigen Furchen herumtrampelte; dann schlugen oder stachen sie zu oder benutzten eine Schußwaffe, und wenn man sie fragte, warum, starrten sie an die Decke wie ein Toter oder stammelten Zeug. Motive waren beweis- und belegbar, und nach dem Abschluß der Ermittlungen übergab Fischer der Staatsanwaltschaft eine Akte, deren fundierte Aussagen zwangsläufig zu einer Anklageerhebung führten.

Fischer nahm sich Zeit. Gemäß einer Anordnung von Silvester Weningstedt, dem Leiter der Mordkommission, mußte jeder Ermittler zehn Minuten allein und stumm am Tatort verweilen, sich Notizen machen oder nur schauen; später, im Büro, verglichen sie ihre Beobachtungen und erstellten gemeinsam einen Tatortsbefundbericht.

Manchmal mußte Polonius Fischer den Rücken krümmen, den Hut abnehmen und den Kopf einziehen, damit er unter einen Türstock paßte; der Kommissar war einen Meter zweiundneunzig groß.

Diesmal brauchte er sich nicht zu bücken. Der Raum vor ihm war mehr als zwei Meter hoch und fensterlos, umgeben von drei Betonwänden und einem Gitter aus zwei aufklappbaren Metalltüren. Die Fläche diente als Stellplatz in einer für etwa dreihundert Fahrzeuge angelegten Tiefgarage.

»Schick dich, P-F!« rief jemand hinter ihm.

In der linken Ecke des Stellplatzes waren drei Autoreifen in schmutziggrauen Plastikhüllen gestapelt, daneben standen ein altes Regal und ein Schrank aus hellem, dünnem Holz, an der rechten Wand ein weißer Farbeimer, ein Besen und eine hüfthohe Steinamphore; an der linken Wand lehnten ein Paar Skier und zwei Stöcke. Ein von den Kriminalisten der Spurensicherung aufgestellter Halogenscheinwerfer erhellte jeden Zentimeter des Raums, in dessen Mitte eine unbekleidete tote Frau unter einer Kunststoffplane lag. Bis vor einer Stunde hatte sie ein grünes Sommerkleid, eine dunkelblaue Jeansjacke und Sandaletten getragen, dann hatten die Ermittler die Leiche behutsam aus dem Schrank gehoben, eine Decke ausgebreitet, die Tote auf den Boden gelegt und unter Aufsicht des Gerichtsmediziners entkleidet. Und auf dessen Augenscheinbericht warteten die Fahnder ungeduldig.

»Kannst du bitte endlich kommen?« rief Weningstedt, der auf einem Stuhl hinter dem wackligen Campingtisch Platz genommen hatte. Liz Sinkel, Walter Gabler, Georg Ohnmus und Dr. Justus Dornkamm, der Pathologe, standen um ihn herum und redeten leise miteinander. Zwischen ihnen und Fischer hallte das Stimmengewirr der Spurensicherer durch die Tiefgarage; ständig quietschte eine der beiden Eisentüren, die zu den Treppenhäusern führten, Mieter oder sonstige Schaulustige versuchten einen Blick auf das Geschehen im gleißenden Licht zu werfen und wurden von Streifenpolizisten zurückgewiesen und gleichzeitig aufgefordert, sich für Fragen zur Verfügung zu halten.

Nachdem Weningstedt gesehen hatte, daß der Keller zu einem Wohnkomplex gehörte, der sich aus drei ineinander übergehenden, acht- bis zehnstöckigen Blocks zusammensetzte, hatte er seine komplette Mannschaft angefordert. So warteten nicht nur Sinkel, Gabler und Ohnmus auf die Aussagen des Gerichtsmediziners, sondern auch deren sechs Kollegen, die während der vergangenen halben Stunde die Wohnanlage inspiziert und erste Vernehmungen durchgeführt hatten.

Endlich wandte Polonius Fischer den Blick vom hell erleuchteten Stellplatz ab.

Einige der Mieter, die sich an den Wänden neben den Eisentüren und zwischen den geparkten Autos drängten, hielten im Sprechen inne und blickten zu dem großgewachsenen, breitschultrigen Polizisten, dessen Silhouette vor dem weißleuchtenden Hintergrund dunkel und wuchtig wirkte.

Fischer trug ein schwarzes Sakko aus Schurwolle, ein ultramarinblaues Baumwollhemd mit einer karmesinroten Krawatte und eine anthrazitfarbene Stoffhose mit Bügelfalten. Seine schwarzen Haare hatte er streng nach hinten gekämmt, seine schwarzen Augen färbten sich manchmal zu Braun, und seine stark gekrümmte, kantige Nase schien – egal, aus welcher Entfernung man sie begutachtete – darauf zu lauern, einem ungebetenen Nahkömmling einen Hieb zu versetzen; dieser Zinken, darüber herrschte im Kommissariat 111 Einigkeit, verdiente den Ausdruck Adlernase nicht, es handelte sich eindeutig um eine Geiernase. Die hohen Wangenknochen verliehen Fischers schmalem Gesicht etwas Angriffslustiges. Oft, wenn er unruhig den Oberkörper bewegte und komplizierten Gedanken nachhing, entblößte er die Zähne und warf den Kopf hin und her.

So wie jetzt. Erwartungsvoll verfolgten die Leute in der Tiefgarage seinen Gang durch die Reihen der Männer und Frauen in den weißen Schutzanzügen. Am Campingtisch angelangt, flüsterte er seinem Chef etwas zu, worauf Weningstedt nickte. Dann trat Fischer einen Schritt nach vorn, verschränkte die Hände hinter dem Rücken, hob die Schultern und ließ seinen ruhigen, keinen Widerspruch duldenden Blick schweifen.

»Gehen Sie bitte alle wieder nach oben!« sagte er mit lauter Stimme. »Falls Sie einen Sonntagsausflug geplant haben, wären wir Ihnen dankbar, wenn Sie ihn ausfallen lassen könnten.«

Streifenpolizisten zogen die schweren Eisentüren auf. Fischer bemerkte die beiden Vierzehnjährigen, die die Leiche gefunden hatten; unschlüssig standen sie abseits und schauten erwartungsvoll zu ihm. »Bleib du bei ihnen«, sagte er zu seiner Kollegin Esther Barbarov, die gemeinsam mit Oberkommissar Micha Schell die Jugendlichen vorher ausführlich befragt hatte.

Unwillig verließen die Zuschauer die Tiefgarage.

»Noch etwas!« rief Fischer. »Wir wären Ihnen dankbar, wenn Sie bei keinem Fernsehsender und keiner Zeitung anrufen würden. Heute abend findet sowieso eine Pressekonferenz statt.«

Er rechnete mit maximal einer halben Stunde, bis der erste Reporter auftauchte.

Nachdem Esther Barbarov mit den beiden Schülern die Garage verlassen hatte und die Ermittler unter sich waren, nahm Silvester Weningstedt seine Brille ab, legte die Fotos, die er vom Tisch genommen hatte, wieder hin und nickte dem Arzt zu.

»Befinden wir uns am Haupttatort?«

»Was vermuten Sie?«

Wenn Dr. Justus Dornkamm anfing, Gegenfragen zu stellen, bedeutete das, er hatte entweder ausnahmsweise sehr viel Zeit oder ausnahmsweise sehr schlechte Laune. »Wir haben den Schrank, den Auffindungsort der toten Frau, wir haben den Stellplatz als Ort, wo der Schrank steht, wir haben die Tiefgarage, und wir haben diesen wohnlichen Bunker über uns.« Er sah Weningstedt an. »Nein, im Moment deutet nichts darauf hin, daß die Frau hier unten gestorben ist. Im Moment sieht es so aus, als hätten Sie eine Menge Arbeit vor sich.«

»Mehr als Sie?« fragte Weningstedt. Wenn er sich unbeobachtet fühlte, massierte er unter dem Jackett seine linke Brustseite und atmete so geräuschlos wie möglich tief ein und aus.

»Zur Todeszeit«, sagte Dr. Dornkamm. »Die Muskeln sind nicht mehr erregbar, auch nicht am Augenlid, das Reizgerät zeigt keine Reaktion. Somit können wir ungefähr elf Stunden überspringen.« Er schlug eine Seite seines Schreibblocks um. Die übrigen Details in diesem Abschnitt seiner Untersuchungen halfen den Kriminalisten nicht weiter, sie würden sie später auch in seinem schriftlichen Bericht nur überfliegen.

Eine der Eisentüren quietschte. Ein Streifenpolizist streckte den Kopf herein. »Entschuldigung, da sind zwei Fotografen im Hof, was sollen wir mit denen machen?«

»Den Zugang verwehren«, sagte Fischer. »Und bevor die Fernsehreporter auftauchen, müssen wir den Eingangsbereich sichern.«

Das hatten sie bisher nicht getan, weil sie nicht noch mehr Nachbarn anlocken wollten.

»Wir sollten nicht länger damit warten«, sagte Weningstedt leise.

»Sperren Sie den Hof vor dem Eingang ab und bitten Sie zwei Ihrer Kollegen, hinter dem Haus aufzupassen!« rief Fischer, den Weningstedt noch von zu Hause aus als Sachbearbeiter eingeteilt hatte, dem Polizisten zu.

Vielleicht war es das Bild der in einem verstaubten Schrank liegenden toten Frau gewesen, das den Ersten Kriminalhauptkommissar wie selbstverständlich an Polonius Fischer als verantwortlichen Ermittler hatte denken lassen. Obwohl zu diesem Zeitpunkt noch nicht feststand, ob es sich überhaupt um eine Straftat handelte und nicht um einen Suizid – was Weningstedt aufgrund seiner Erfahrungen mit Selbstmördern und deren oft bizarren Methoden nicht ausschloß –, war er instinktiv einer Ahnung gefolgt und hatte den Mann mit dem Fall betraut, den er für den vorurteilsfreiesten Menschen hielt, dem er je begegnet war. Falls Umstände, die Weningstedts Gesundheit betrafen, ihn eines Tages zwangen, bestimmte Maßnahmen zu ergreifen, dann würde er sich – trotz ihrer eher von respektvoller Distanz als von Kumpelhaftigkeit geprägten Freundschaft – wahrscheinlich zuerst seinem Kollegen Fischer anvertrauen und nicht seiner Ehefrau, mit der er im vergangenen Jahr Silberhochzeit gefeiert hatte.

»Und was haben die Messungen ergeben, Herr Doktor?« Die Frage hatte Silvester Weningstedt nur gestellt, um sich zu zwingen, die Hand unter dem Sakko hervorzuziehen und wahllos eines der Fotos vom Tisch zu nehmen.

»Sie haben gesehen, was die Frau anhatte«, sagte Dr. Dornkamm. »Und hier unten haben wir knapp fünfzehn Grad, die Leiche ist relativ zügig ausgekühlt. Nach meinen Messungen können wir zu den bestehenden elf Stunden nach Todeseintritt definitiv dreizehn dazuzählen. Stimmt was nicht?«

Einen Moment lang wußte niemand, wen er meinte.

Dann fragte Weningstedt: »Warum?«

»Weil Sie das Foto so intensiv anschauen. Zu den äußerlichen Auffälligkeiten komme ich sofort.«

»Natürlich«, sagte Weningstedt, legte das Foto hin und bat den Arzt mit einer Geste fortzufahren. Als er Fischers Blick bemerkte, senkte er wie schuldbewußt den Kopf. Fischer verzog den Mund und wiegte den Kopf, was den Pathologen irritierte; aber er kannte Fischers Eigenarten und widmete sich wieder seinem Block.

»Die Totenstarre«, begann Dr. Dornkamm, »hat bereits begonnen, sich zu lösen, wir hatten wenig Schwierigkeiten, die Frau aus dem Schrank zu hieven. Ohne mich festlegen zu wollen und zu können, addiere ich, unter uns und ohne Zeugen, zu den vierundzwanzig Stunden zwölf hinzu. Drucktests bestätigen meine Vermutung, die Totenflecke verblassen komplett. Wir bewegen uns also in einem Zeitraum von mehr als dreißig bis fünfunddreißig Stunden nach Todeseintritt.«

»Und die Frau ist nicht hier unten gestorben«, sagte Liz

Sinkel. Die Oberkommissarin war mit zweiunddreißig Jahren die Jüngste in der Abteilung.

»Sieht nicht danach aus«, sagte Dr. Dornkamm. »Das hat weniger mit dem zu tun, was ich gerade erklärt hab. Übrigens wurde die Frau, da kann ich mich schon jetzt festlegen, nach ihrem Tod bewegt, und zwar nicht erst von uns.«

»Vom Täter«, sagte Liz. »Er hat sie transportiert. Wir sind also nicht am Haupttatort.« Sie sah ihren Chef an, der den Kopf gesenkt hielt und seltsam schief auf dem Klappstuhl saß.

»Vergessen Sie nicht«, sagte Dr. Dornkamm, »wir sind spät dran, wir haben die ersten zwölf Stunden, in denen wir mit den zuverlässigsten Untersuchungsergebnissen rechnen können, weit überschritten. Trotzdem: Bis auf drei bis fünf Stunden plus-minus müßten wir es immer noch schaffen. Die Frau ist, das haben Sie vorhin selber sehen können, stranguliert worden. Ob sie bei Bewußtsein war, kann ich noch nicht sagen. Eine Selbsttötung schließen wir jetzt erst mal, unter uns und ohne Zeugen, aus. Im Schrank hat sie sich nicht erhängt, das ist beweisbar. Und was auch beweisbar ist, schon jetzt: Sie hat auf jeden Fall gelebt, als sie stranguliert wurde. Es gibt Blutspuren am Ohr, das können Sie auf den Fotos erkennen, es gibt Unterblutungen in den Augen, in der Haut, vielleicht finden wir auch noch Speichel- oder Tränenreste, die Strangmarke im Nacken ist unübersehbar. Und auch wenn Ihre Kollegen das Strangwerkzeug noch nicht gefunden haben: Meinem ersten Eindruck nach müßte es ein einfaches Seil sein, eine Kordel, ein Haushaltsgegenstand, zweifach um den Hals gewunden. Außerdem, wie Sie gesehen haben, wurde die Frau an den Händen gefesselt, offensichtlich nur an den Händen, nicht an den Füßen.«

»Könnte es sein, daß die Frau erdrosselt wurde?« fragte Liz Sinkel. Wie schon oft wunderte sie sich über die Stummheit ihrer Kollegen; auch wenn ihr Weningstedt bei ihrem ersten

Fall im Kommissariat III eingeschärft hatte, es sei unnötig, zeitverzögernd und altklug, einen Gerichtsmediziner zu unterbrechen, bestand sie auf ihrem Fragerecht als aktive Ermittlerin.

»Nein«, sagte Dr. Dornkamm und blätterte in seinem Block. »Ihr Gesicht ist nicht aufgedunsen, keine spezifischen Verfärbungen, keine Würgemale, die Blutungen in den Augen sind nicht so zu deuten. Auch keine Anzeichen von Faustschlägen und anderen harten Schlägen. Nein, die Frau starb durch Erhängen, und wenn wir die Mikrofasern an den Händen ausgewertet haben, lichtet sich weiterer Nebel.«

»In der Tiefgarage ist sie nicht erhängt worden«, sagte Liz. »Das steht also fest.«

»Natürlich«, sagte Weningstedt, hob den Kopf und warf seiner Kollegin einen Blick zu, den zu deuten sie sich weigerte. »Ist da ein Haken an der Decke, gibt es Reste von abgebröckeltem Verputz irgendwo? Sie ist hierhergebracht worden. Wie spät ist es?«

Liz sah auf ihre Uhr, sagte aber nichts.

»Vierzehn Uhr siebenundzwanzig«, sagte Hauptkommissar Neidhard Moll, der direkt neben dem Arzt stand.

»Dann wurde sie irgendwann Freitag nacht hier abgelegt.«

Sekunden vergingen in Schweigen. Die Schutzanzüge der Spurensicherer raschelten, dann verstummte auch dieses Geräusch. Alle Bewegungen waren zum Stillstand gekommen.

Der Gerichtsarzt sah hinüber zum hell erleuchteten Raum mit der Plane in der Mitte und dem Schrank mit den geöffneten Türen und dachte, daß der Antikmarkt auf dem Nockherberg seit zweieinhalb Stunden ohne ihn stattfand.

»Nudis verbis«, sagte er, »die Frau wurde gefesselt, aufgehängt, abgehängt, weggebracht und in einem Schrank deponiert. Und wenn ich mich bei den Verletzungen an den unteren Schienbeinen nicht täusche, dann sind das Anschlagspuren;

die Frau hat mit den Beinen während ihres Sterbens um sich geschlagen, gegen einen Schrank, einen Tisch, etwas Kantiges. Das dürfte vor ungefähr sechsunddreißig Stunden passiert, aber nicht länger als achtundvierzig Stunden her sein.«

»Danke«, sagte Weningstedt, in Gedanken versunken.

Nach einer Weile, während alle, wie auf einen gemeinsamen Impuls hin, zum erleuchteten Stellplatz blickten, sagte Polonius Fischer: »Warum im Schrank?«

»Um sie zu verstecken«, sagte Liz. Die Schnelligkeit ihrer Bemerkung überraschte sie selbst. Aber was sollte ihr dieser Nebentatort sonst erzählen?

»Ja«, sagte Fischer. »Aber warum in einem Schrank? Warum nicht im Wald, oder sonstwo?«

»Vielleicht war ihm der Weg dahin zu weit, zu riskant«, sagte Gabler, der älteste Kommissar in der Abteilung.

»Gehen wir von einem oder von mehreren Tätern aus?« fragte Hauptkommissar Ohnmus.

»Auf Wiedersehen zusammen«, sagte Dr. Justus Dornkamm.

Weningstedt erhob sich und streckte den Arm aus. Die Hand des Pathologen kam ihm noch kälter vor als seine eigene.

Kompliziert gestaltete sich anfangs die Sache mit dem Kind. Und wegen des Kindes nahm er doch alles auf sich, die Geheimniskrämerei, die Ungewißheit, ob sein Plan, die Frau in die Wohnung zu locken, überhaupt funktionierte. Wohnung oder Absteige, dachte er, dürfte für sie keinen Unterschied machen. Außerdem kannte sie ihn. Sie schlief mit ihm, sie war es gewesen, die ihn in eine Pension mitgenommen hatte, weil sie sich nicht zu Hause treffen konnten, nicht bei ihr wegen des Kindes, nicht bei ihm wegen seiner Frau. Nun würde er ihr mitteilen, er habe ein neues Liebesnest für sie entdeckt, unweit ihrer Wohnungen und doch anonym. Sie müßten nicht länger bis ans andere Ende der Stadt in ein heruntergekommenes Hotel fahren, in dem die meisten Zimmer stundenweise vermietet wurden und ein unangenehmer Geruch durch die Flure zog. Und er würde ihr die Wahrheit sagen: daß die Wohnung einem Freund gehöre, der die meiste Zeit des Jahres verreist sei; niemand würde etwas merken, in dem Block lebten Hunderte Mieter, die wenigsten kannten einander. Da kannst du verrecken, und niemand spannt was! hatte sein Freund einmal zu ihm gesagt und ihn ermuntert, so viele Frauen, wie er nur schaffte, mitzubringen und die Bude wackeln zu lassen. Gut, daß sein Freund nicht die mindeste Ahnung hatte, worum es wirklich ging.

Das Kind.

Zuerst hatte er überlegt, sich nur mit der Frau zu beschäftigen; sie allein trug die Schuld. Und obwohl das Ausmaß dieser Schuld eine Möglichkeit der Reue im Grunde ausschloß, wollte er, gemäß seiner Christenpflicht, eine um Vergebung flehende Verbrecherin nicht verdammen, sondern sie anhören und eine angemessene Strafe verhängen.

Er mußte das Kind befreien. Es reichte nicht, die Frau zu bestrafen; er durfte deren Opfer nicht sich selbst überlassen. Wer ein siebenjähriges Kind so behandelte wie die Frau, und zwar seit Jahren, unbehelligt am hellichten Tag vor den Augen der Leute, ungeniert und ohne eine Spur von Bedenken, der mußte zur Rechenschaft gezogen werden.

Mit ihr zu schlafen war einfach gewesen. Es fiel ihm leicht, in sie einzudringen und Lust zu empfinden, sogar mehrmals hintereinander. Die Frau war fast vierzig Jahre jünger als seine Ehefrau, sie streckte sich ihm entgegen, und was er mit ihr anstellen wollte, erlaubte sie ihm. Das war das.

Und das war vorbei. Schon seit Beginn des Jahres. Sie hatte nichts bemerkt und glaubte immer noch, er käme zu ihr, weil er sie begehrte und seine alte Frau nicht mehr ertrug. Daß er ihr, im Größenwahn des Anfangs, von seiner Frau und ihren inneren Gewohnheiten erzählt hatte, verzieh er sich bis heute nicht; sie hatte ihn ausgehorcht und dabei mit ihren Fingern an ihm herumgeknetet, und deshalb hatte er für Sekunden seine Frau verraten. Auch dafür würde sie um Vergebung bitten müssen, die Kindesschänderin.

Seit Januar hatte er die Begegnungen mit ihr nur noch absolviert. Etwas wesentlich Bedeutenderes als seine sexuelle Befriedigung trieb ihn zu ihr, ließ ihn ausharren und die Worte aussprechen, die sie hören wollte, damit sie in Ekstase geriet. Seine Fragen nach dem Kind beantwortete sie arglos. Er gab ihr recht, wenn sie ihre Erziehungsmethoden schilderte, er feuerte sie an, aufrichtig zu sein, und sie redete drauf los. Dann packte er sie, und je fester er sie packte, desto hämischer klangen ihre Geschichten über das Kind; er zerrte an ihr und schlug sie auch einmal, da warnte sie ihn mit erhobenem Zeigefinger, so etwas nie wieder zu tun.

Sie verprügelte ihr Kind nicht. Nein. Das hatte sie ihm erzählt. Und das Kind hatte es ihm auch erzählt, als er es einmal von der Schule abgeholt und begleitet hatte; er hatte im Auto gewartet und gebetet, die Mutter möge nicht auftauchen. Das Beten hatte geholfen.

Nein, sie schlug das Kind nicht. Sie band es fest oder sperrte es im Zimmer ein oder sprach einen Monat lang kein Wort mit ihm. Keine Wunden, keine Striemen, keine Anzeichen von Gewalt. Das ist schlau, hatte er zu ihr gesagt, und sie: Ich weiß.

Ich weiß. Er hörte ihre Stimme, wenn er daran dachte.

Seit Januar dachte er jeden Tag daran.

Ich weiß.

Sie wußte, was sie tat.

Beiläufig wie jemand, der gerade einen Artikel über die Prügelstrafe in der Zeitung las, hatte er eines Abends seine

Frau nach ihrer Meinung gefragt. Und sie hatte gemeint, die Kinder hätten Glück, daß sie heute lebten und nicht vor hundert Jahren; damals seien sie der reinen Willkür von Eltern und Lehrern unterworfen gewesen. Ihre eigene Mutter habe später oft davon gesprochen, wie sehr sie unter der Brutalität in der Schule, aber auch unter der ihres Vaters gelitten habe, und ihre Mutter habe sie nie verteidigt oder beschützt.

Warum, fragte er weiter, gibt es keine Gesetzgebung, die das gewöhnliche, scheinbar normale Mißhandeln von Kindern durch Erziehungsberechtigte verbietet? Warum können Eltern, die solche Verbrechen an ihren Kindern begehen, nicht eingesperrt werden wie andere Verbrecher?

Weil die Familie ein geschützter Raum ist, sagte seine Frau und fügte hinzu: Du darfst nicht so hart urteilen, eine Ohrfeige oder eine Maßregelung ist kein Verbrechen! Gib mir lieber Feuer!

Und er hatte ihr Feuer gegeben, und sie hatten geraucht und waren ins Bett gegangen. Wie immer legte er den Arm um sie, bis sie eingeschlafen war, dann stand er auf, setzte sich in die Küche und feilte an seinem Plan.

Ein paar Utensilien mußte er besorgen, ein paar Handgriffe an sich selbst ausprobieren; kurz überlegte er, ob er die Schnüre schon zu ihrem nächsten Treffen mitnehmen und probehalber in ihr Spiel einbauen sollte. Nein. Es mußte eine Überraschung sein. Er hielt inne und versuchte sich den Moment vorzustellen, wenn er vor ihr die Tür aufsperrte, sie hereinließ, die Tür von innen verriegelte, die Frau ins Wohnzimmer bat, ihr aus der Jacke half und dann ihren Kopf packte. Und dann. Und dann käme es darauf an, den Plan exakt und sorgfältig auszuführen, bis zum Ende. Was wäre das Ende?

Und da kam – das sah er in einem fast undurchdringlichen, aber betörenden Nebel vor sich – eine Gestalt auf ihn zu, mittelgroß und entschlossenen Schrittes, die Schultern hochgezogen, unbeirrt. Er konnte das Gesicht nicht erkennen, er starrte auf die wabernde Wand. Doch das Gesicht blieb im Nebel verschwommen, und er wußte: So endet mein Plan, so könnte er enden.

Der da kam, mit kaltem Atem und nach innen gewandtem Blick, das war er selbst, er, der eine Schwelle überschritten hatte, die zu betreten er sich niemals zugetraut hätte. Nun ging er sogar darüber hinaus; und ging weiter; und bereute nichts, bedauerte vielmehr sein langes Zögern; wußte jetzt und mußte fast darüber lachen, was es hieß, das Leben in die eigenen Hände zu nehmen. Da lag es: das vollkommene Leben in seinen Händen.

An diesem Höhengrad seiner Vorstellung erfaßte ihn jedesmal ein Schrecken, dem er nicht gewachsen war. Und er scheuchte die Bilder aus sich heraus, indem er augenblicklich das Dampfbad verließ, gegen jede Gewohnheit mit eiskaltem Wasser duschte und anschließend im Café nebenan einen doppelten braunen Tequila trank.

Das Ende würde dem Kind gehören, ihm allein, für alle Zukunft. Nie mehr würde das Kind in das Verlies seiner Mutter zurückkehren müssen. Er würde es begleiten, wenigstens ein Stück zu Beginn der neuen Zeit, er würde es abholen und an einen erlösenden Ort bringen.

Als er die Frau anrief und ihr den neuen Treffpunkt vorschlug, sagte sie sofort ja.

2

Die Sonne, der See, alle Zeit

Vom Fenster im Treppenhaus blickten sie hinunter auf ein Dach aus Regenschirmen. Im Hintergrund versperrten die Kastenwagen der Fernsehsender die Straße, Fotografen und Kameraleute bildeten die erste Reihe vor der Absperrung, gierig auf Bilder der Wohnanlage mit der plattenbauartigen Fassade und den braunen, schmutzigen Betonbalkonen.

Eine Weile beobachtete Polonius Fischer die immer gleichen Rituale, das aufgeregte Fuchteln der Journalisten und ihr zwischen gestelzter Freundlichkeit und grober Aufdringlichkeit wechselndes Beharren auf Informationen, und etwas abseits Schaulustige, die gegenüber Reportern behaupteten, etwas gesehen zu haben.

Dann griff Fischer nach der Hand seiner Kollegin und ging mit ihr durch den Flur im vierten Stock.

Esther Barbarov hatte Liz gleich am ersten Tag in der Mordkommission gesteckt, daß manche Angewohnheiten Fischers nichts zu bedeuten hätten, sie solle ihn einfach gewähren lassen und sich nicht weiter wundern, denn die Grenze zu ihrem persönlichen Raum würde er nie überschreiten. Bevor sie fragen konnte, was Esther mit »persönlichem Raum« meinte, hatte Weningstedt die Gruppe zu einer Besprechung gerufen.

Vor einer der Wohnungen blieb Fischer stehen.

»Achte auf die Hände«, sagte er, wie schon im Parterre.

»Mach ich«, sagte Liz und zog ihre Hand aus seiner; er reagierte nicht darauf.

Bis jetzt hatten sie fünf Männer und zwei Frauen befragt.

Bei den übrigen Wohnungen waren die Türen verschlossen geblieben, was bedeutete, die Mieter waren entweder verreist oder unten vor dem Haus oder hatten keine Lust zu öffnen. Letzteres war nach Fischers Einschätzung in mindestens zwei Fällen der Grund für ihr vergebliches Klingeln gewesen; auch Liz hatte sich eingebildet, gedämpfte Schritte und das Klacken einer Klinke gehört zu haben.

»Darf ich dich schnell was fragen?«

»Auch mit Bedacht«, sagte Fischer.

Wie schon öfter, wenn er etwas erwiderte, empfand sie eine Unsicherheit, die nicht, wie sie vermutete, von seinen Worten herrührte, sondern von der Selbstverständlichkeit, mit der er anscheinend alles, was sie sagte und tat, von vornherein wertschätzte und nie abwegig oder unpassend fand. Manchmal kam es ihr vor, als lebe Fischer in einem von ihm selbst geschaffenen Koordinatensystem, das es ihm auf geheimnisvolle Weise ermöglichte, die Welt mit einer besonderen Art von Bescheidenheit zu betrachten. Dabei war er – das hatte sie irritiert zur Kenntnis nehmen müssen – alles andere als ein gutmütiger Menschenversteher, im Gegenteil: Sie hatte Vernehmungsprotokolle von ihm gelesen, in denen er Zeugen beschimpft und wegen ihres Verhaltens fast beleidigt hatte. Zwei Monate in der Mordkommission, dachte sie dann, waren zuwenig, um diesen Mann mitsamt seiner ungewöhnlichen Vergangenheit verstehen zu lernen.

»Warum hast du mich an der Hand gehalten?«

Er drückte auf den Klingelschalter. »Nimm's nicht allzu persönlich.«

Diesen Satz von ihm kannte sie aus anderen, dramatischeren Zusammenhängen.

»Okay«, sagte Liz Sinkel. »Und warum?«

Er sah sie an. Hinter der Tür waren Schritte zu hören. »Vergiß die Hände nicht!« sagte er. Die Tür wurde geöffnet.

Ein Mann in einem weißen Hemd und mit nackten Beinen stand vor ihnen. Fischer zeigte seinen Dienstausweis.

»Hab ich mir gedacht«, sagte der Mann. »Jossi Brug, kommen Sie, ich zieh mir schnell eine Hose an.« Er war barfuß, winkte die beiden herein und verschwand in einem Zimmer.

Die Wohnung bestand aus zwei Zimmern, einer engen Küche und einem Bad; durch die Fenster drang wenig Licht.

Im Wohnzimmer stellte Fischer sich vor den laufenden Fernseher und verschränkte die Hände hinter dem Rücken. Ein Kommentator lobte die Kondition einer Tennisspielerin; mit seiner mächtigen Statur verdeckte Fischer das Bild des kleinen Geräts, und Liz hörte das harte Ploppen des Filzballs und das angestrengte Stöhnen zweier Frauen.

»Fast hätten Sie mich nicht mehr erwischt«, sagte der Mann, der jetzt eine graue Hose und staubige Schuhe trug. »Es geht um die Leiche.«

Liz zeigte ihm das Polaroidfoto, das sie schon den sieben anderen Bewohnern vorgelegt hatte. »Haben Sie die Frau schon mal gesehen?«

Er räusperte sich, betrachtete das Foto und schüttelte den Kopf. »Eher nicht.«

»Also nein«, sagte Liz.

»Ja.«

»Wie lang wohnen Sie schon in dem Haus?« fragte Fischer.

»Acht, neun Jahre, aber ich kenn niemand hier.«

»Haben Sie ein Auto?« fragte Fischer.

»Brauch ich nicht, ich fahr mit der U-Bahn, ich arbeit in der Partnach-Stuben am Partnachplatz am Harras, da steig ich direkt aus.«

»Gehört zu Ihrer Wohnung ein Stellplatz in der Tiefgarage?«

»Nein. Muß man extra anmieten. Stimmt das, daß die Leiche in einem Schrank gelegen ist?«

»Woher wissen Sie das?« Liz steckte das Foto ein und sah sich um.

»Der Rieber-Klaus hat bei mir geklingelt und mir erzählt, was da unten los ist.«

Mit einem Ruck drehte Fischer sich um und schaltete den Fernseher aus. »Sie kennen also doch jemanden im Haus.«

»Der Rieber wohnt auf demselben Stockwerk, vorn, haben Sie noch nicht mit ihm gesprochen?«

»Er hat nicht aufgemacht«, sagte Fischer.

Brug schniefte, warf Liz einen Blick zu, steckte die rechte Hand in die Hosentasche.

»Schlägt er seine Frau?« fragte Fischer.

»Scheiße!« stieß Brug hervor. Es war offensichtlich, daß er seine Reaktion lieber verborgen hätte.

»Hier riecht's nach Essen«, sagte Liz. »Haben Sie heut mittag gekocht, Herr Brug?«

Er brauchte einige Sekunden, bis er aus seinen Gedanken zurückkehrte. »Ja, Schnitzel und Reis, warum? Ich kann ganz gut kochen.«

»Kennen Sie noch jemanden außer Klaus Rieber?« sagte Fischer.

»Nein. Flüchtig. Den Franz aus dem siebten. Aber der ist eh nie da. Ich kenn ihn auch nicht richtig. Er war mal zufällig in der Stuben, und da haben wir festgestellt, daß wir beide hier wohnen. Und wir sind sogar fast zur gleichen Zeit eingezogen. Wie gesagt, er ist eh nie da.«

»Wo ist er denn?« fragte Fischer.

»Entschuldigung«, sagte Liz. »Darf ich Ihre Toilette benutzen?«

Einen Moment schien Brug zu zögern. »Schräg gegenüber, saubere Handtücher liegen im Regal.«

Nachdem Liz die Tür hinter sich abgesperrt hatte, neigte Brug den Kopf, als horche er, was in seinem Bad vor sich ging, und zeigte auf die Couch. »Ich setz mich schnell, wenn's recht ist. In spätestens zehn Minuten muß ich los, sonst muckt die Alte wieder auf.«

»Ihre Chefin.«

»So wie die sich aufführt, hast du manchmal das Gefühl, die will demnächst Bundeskanzlerin werden«, sagte Brug und ließ sich auf die Couch fallen. »Aber ich kann nichts sagen, sie kümmert sich um ihre Leut, vor allem in der Küche, das ist ja das wichtigste, wir sind ja eigentlich ein Speiselokal.«

»Wieso ›eigentlich‹?«

»Man könnt meinen, wir sind eine Bierkneipe, wegen der acht Tische, die wir haben, ungedeckt, sieht karg aus, ist aber gemütlich. Und preiswert. Und ein sehr gutes Essen.«

»Wie heißt der Franz mit Familiennamen?«

»Wohlfahrt heißt der.«

Als er den Schlüssel in der Badezimmertür hörte, drehte Brug den Kopf und wartete, bis Liz herauskam. Sie blieb in der Tür zum Wohnzimmer stehen.

»Er wohnt im siebten Stock«, sagte Fischer.

»Genau.«

»Wen kennen Sie noch aus dem Haus?«

»Niemand. Von den Türken eh nicht. Ich hab keinen Kontakt mit niemand. Jetzt würd ich gern gehen. Geht das?«

Vor der Wohnungstür gab der Kellner Fischer und Liz die Hand. »Wird das Haus observiert?«

»Warum?« fragte Liz.

»Wegen dem Täter. Daß Sie Verdächtige beobachten rund um die Uhr.«

»Danke für Ihre Offenheit«, sagte Fischer.

Brug steckte die Hände in die Taschen seiner Cordjacke, sah Liz in die Augen, als versuche er ihre Gedanken zu erraten, wandte sich mit einem Ruck ab und hielt einen Moment inne, bevor er sich auf den Weg zum Lift machte.

»Er hat sich mit dem Zeigefinger am Daumen gekratzt«, sagte Liz Sinkel. »An beiden Händen, und er hat die Hände, als er auf der Couch saß, unter seinen Oberschenkeln versteckt. Aber sie sahen sauber aus, und sie waren auch nicht feucht von Schweiß. Ich glaube, er hat Schiß gehabt, daß ich im Badschrank seine Cremes und Gummihandschuhe und Klammern und all das Zeug find, mit dem er sich oder andere amüsiert.«

»Gut, daß du nicht nachgeschaut hast«, sagte Fischer.

Vor der Tür neben Brugs Wohnung blieben sie stehen; hier hatten sie schon einmal vergeblich geklingelt.

»Sonst hätt ich womöglich auch noch den umfunktionierten Verbandskasten mit dem Untersuchungsbesteck entdeckt«, sagte Liz. »Und mich gefragt, wer die asiatisch aussehende, extrem unbekleidete Frau auf dem Foto ist, das er in den Deckel des Kastens geklebt hat.«

»Neugier ist eben eine deiner fehlenden Eigenschaften.« Auf Fischers Klingeln hin blieb es zunächst still in der Wohnung; dann wurde leise eine Klinke gedrückt, wie vorhin, dann war es wieder still. Fischer klopfte an die Tür, nannte seinen Namen und seine Funktion. Er wartete, klopfte erneut. Als die Tür einen Spaltbreit geöffnet wurde, sah er im Halbdunkel die Gestalt einer Frau; im ersten Moment dachte er, sie trage einen Regenmantel, bevor er erkannte, daß es ein graues Hauskleid mit Knöpfen war, das an ihr herunterhing. Keine Lampe brannte. Die Frau wankte und nahm die Hand nicht von der Klinke.

»Frau Rieber?« sagte Fischer.

Sie nickte, oder ihr Kopf zuckte; bei jedem Luftholen kam ein heiseres, gebrochenes Rasseln aus ihrem Mund.

»Brauchen Sie Hilfe?«

»Nein«, sagte sie mit rissiger Stimme. »Mein Mann ist unten, wenn Sie den suchen.«

»Dürfen wir reinkommen?« sagte Liz. Aber Frau Rieber verstand die Frage nicht, denn gleichzeitig sagte der Kommissar: »Kennen Sie einen Mieter mit dem Namen Franz Wohlfahrt?«

Offenbar fiel es ihr schwer, den Kopf zu schütteln; sie ruckte mit dem Oberkörper, und ihr Kleid knisterte.

»Wir möchten Ihnen gern ein Foto zeigen, Frau Rieber.« Liz gab ihr das Polaroid. »Lassen Sie sich Zeit.«

Wortlos verschwand Frau Rieber im Zimmer.

»Warum willst du nicht reingehen?«

»Was willst du da drin?« fragte Fischer.

»Die Frau ist völlig fertig, wahrscheinlich hat ihr Mann sie wieder verprügelt.«

»Woher willst du das wissen?«

»Ich weiß es nicht. Sie sieht übel aus, sie stinkt, sie hat eine Fahne, und sie zittert.«

»Und dann kommt ihr Mann und wirft uns raus.«

»Kann ich mir nicht vorstellen, daß dich einer wo rauswirft. Wieso willst du der Frau nicht helfen?«

»Sprich nicht so laut.«

»Entschuldigung.«

»Hältst du es für möglich, daß die Frau etwas mit der unbekannten Toten zu tun hat?«

»Weiß ich nicht.«

»Und der Kellner?«

»Eher nicht.«

»Grüß Gott allerseits, wollen Sie zu mir?«

Der Mann, der auf sie zukam, hatte eine Videokamera in der Hand; er war Anfang Vierzig, gedrungen und hatte seine dunkelblonden Haare zu einem Zopf zusammengebunden; das einzige markante Merkmal in seinem runden, bleichen Gesicht war eine ungefähr drei Zentimeter lange Narbe auf der linken Wange. Fischer zeigte ihm seinen Dienstausweis.

»Herr Rieber?«

»Klaus Rieber. Sie checken die Mieter, hab ich schon gehört. Wer ist die Tote?«

»Ihre Frau sieht sich gerade ein Foto von ihr an.«

»Meine Frau? Ist die schon wach? Am Sonntag pennt die meistens den ganzen Tag, sie malocht in einem Waschsalon, zwölf Stunden. Ist schon hart.«

»Haben Sie einen Stellplatz in der Tiefgarage?« sagte Liz.

»Hab ich, bin ich verdächtig?«

»Waren Sie unten mit den anderen?« sagte Fischer.

»Sicher.« Rieber stieß die Tür zu seiner Wohnung auf. »Anja! Wo bleibst?«

Als hätte sie nur auf seinen Zuruf gewartet, trat sie aus dem dämmrigen Zimmer und streckte den Arm aus, schüttelte kurz den Kopf und sah ebenso gleichgültig wie erschöpft ihren Mann an. Rieber nahm ihr das Foto aus der Hand und ging zum Fenster im Hausflur.

»So sieht die aus! Aha. Ich kenn die nicht. Und die ist also in unserer Tiefgarage aufgehängt worden.«

»Wissen Sie, wem der Stellplatz gehört, auf dem wir die Frau gefunden haben?« Noch am Nachmittag, hoffte Fischer, würde die Hausverwaltung seinem Kollegen Moll die genaue Aufteilung des Kellers zufaxen.

»Wir sind uns nicht sicher«, sagte Rieber. »Wahrscheinlich dem Wohlfahrt, der hat aber nie ein Auto da stehen. Der Stellplatz ist unbenutzt seit Jahren.«

»Wen meinen Sie mit ›wir‹, Herr Rieber?«

»Die anderen Mieter. Das ist ja das entscheidende: Wem gehört der Platz? Ihre Kollegen fragen jeden von uns danach.«

»Schauen Sie sich das Foto der Frau bitte noch einmal an.«

Liz bemerkte, daß Anja Rieber nicht mehr im Flur stand.

»Nie gesehen, wohnt die im Haus?«

»Das wissen wir noch nicht«, sagte Fischer.

»Ist Ihre Frau krank?« fragte Liz.

»Ach was«, sagte Rieber und wog die Kamera in seiner Hand. »Die macht sich da kaputt in dem Laden. Da können Sie hinreden wie an eine taube Kuh, da bewegt sich nichts.«

»Welchen Beruf haben Sie?« fragte Liz.

»Ich bin gelernter Radio- und Fernsehtechniker. Der Betrieb, wo ich war, hat dichtgemacht, die Leute gehen halt lieber in den Großmarkt. Mit dem Geld von meiner Frau und vom Staat kommen wir grad so hin.«

Er warf einen letzten Blick auf das Foto.

Wenig später stiegen Polonius Fischer und Liz Sinkel die Treppe zum siebten Stock hinauf. Auf der letzten Stufe griff sie nach seinem Arm. »Anhalten!« Sie schnappte nach Luft und hustete. »Wieso sind wir nicht zu der Frau rein?«

»Sie war verschlafen und angetrunken, sonst nichts.«

»Bist du ein Hellseher?« sagte Liz laut. »Man konnt überhaupt nichts Genaues erkennen da drin! Und wenn der Mann auf sie losgegangen ist?«

»Wieso denn?«

»Wieso? Wieso redst du so? Wieso bist du so kaltherzig?«

»Wie lange bist du bei uns?« fragte Fischer.

»Zwei Monate, das weißt du doch! Man muß doch ein Mitgefühl mit der Frau haben!«

»Setz dich.«

»Was?«

Er setzte sich auf die oberste Stufe und lehnte sich ans Metallgeländer mit dem blauen Plastiklauf.

»Setz dich«, wiederholte er.

»Nein! Wieso hast du kein Mitgefühl mit der Frau?«

Fischer beugte sich nach vorn, zog sein Jackett aus und legte es sich über die Knie. Im Treppenhaus war es kühl. »Wir haben in der Wohnung nichts zu suchen. Die Zustände in dieser Ehe gehen uns, zumindest heute, nichts an, genausowenig wie die Dinge, die der Kellner in seinem Badezimmer aufbewahrt. Wir führen Befragungen durch, weil wir eine Spur finden müssen, die zum Leben der toten Frau aus dem Schrank zurückführt, wir haben keine Zeit, Mitleid zu verteilen.«

Liz merkte nicht, daß ihr der Mund halb offenstand. Sie starrte Fischer an, stumm vor Wut und vor Schreck. Als sie sich wieder gefaßt hatte und etwas erwidern wollte, sagte er: »Verschwende dich nicht, Liz.«

»Das ist doch meine Sache, wenn ich mich verschwende und wegen was! Das geht dich doch nichts an! Ich hab gedacht, du bist sowas wie ein ...« Ein Sekundengrinsen verzerrte ihren Mund. »Wie ein gottesfürchtiger Mensch, einer, der die Menschen liebt und der lieber einmal zuviel als ...«

Er stand auf.

»Du arbeitest zum erstenmal mit mir im Team, du mußt dich noch an mich gewöhnen.«

»Muß ich gar nicht! Wieso hast du mich überhaupt ausgewählt? Du bist doch sonst immer mit Esther zusammen, wollt sie dich nicht mehr?«

»Sie hat zu tun, wie du weißt, sie ist bei den Jugendlichen, die die Leiche gefunden haben.«

»Und wieso ich? Wieso nicht Gesa oder Walter oder Emanuel?«

»Möchtest du ausgetauscht werden?«

»Ja!« sagte sie und wandte ihm den Rücken zu. Einen Schritt von ihm wegzugehen, schaffte sie aber nicht, und weil sie nicht verstand, wieso, drehte sie sich zornig zu ihm um. »Kein Wunder, daß die dich im Kloster rausgeschmissen haben!«

»Wie du weißt, habe ich freiwillig den Habit abgelegt.«

»Was abgelegt? Ich find, so kann man nicht reagieren als Polizist, auch nicht, wenn man wegen einer anderen Sache im Einsatz ist. Ich bin da, um den Leuten beizustehen, wenn sie Hilfe brauchen, und zwar immer!«

»Ich auch.«

»Und warum tust du dann nichts?« Liz blickte zum Fenster. »Bevor ich ins Hundertelfer gekommen bin, hieß es überall, du wärst ein außergewöhnlicher Kriminalist, ein besonderer Vernehmer, der eine Menge Privilegien hat.«

»Drei.«

»Was?«

»Wir haben uns auf drei Ausnahmen für mich geeinigt: Erstens, ich führe meine protokollierten Gespräche allein durch, und zwar, zweitens, in einem eigens für mich reservierten Raum, und drittens: Ich bin nicht gezwungen, bei Ermittlungen vor Ort einen Kollegen oder eine Kollegin mitzunehmen.«

»Versteh ich«, sagte Liz und sah weiter zum Fenster. »Und warum bin ich dann hier? Warum machst du die Tour nicht allein? Dann kämst du schneller voran, dann würd dich niemand mit seinem Mitleidsgefasel aufhalten.«

Fischer senkte den Kopf und verharrte. Dann stand er auf, zupfte Fusseln von seinem Sakko und zog es an. »Ich sage dir, warum ich die Tour nicht allein machen wollte.«

Und dabei war er überzeugt gewesen, daß er das Thema gegenüber niemandem ansprechen würde, wie jedes Jahr an diesem Tag.

»Ich wollte mich heute nicht nur auf meine Intuition und Konzentration verlassen.« Er zögerte. »Heute ist der vierzigste Todestag meiner Mutter.«

Liz wandte sich vom Fenster ab und kam näher.

»Eine Wiederholung«, sagte Fischer. »Wie ein Film, der jedes Jahr an einem bestimmten Tag läuft, und in manchen Jahren auch noch an anderen Tagen. Der See, die Sonne, Mutters Haare, ihre Arme, ihr grüner Badeanzug, so grün wie das Kleid der toten Frau im Keller. Ich schau hin und sehe meine Mutter da liegen. Du wirst mitgekriegt haben, daß ich von gewissen Methoden der Tatortanalyse nicht viel halte, das macht mich zu einem Außenseiter unter den Kollegen. Aber daß ich meine Mutter da liegen sehen muß, ausgerechnet heute, das brauche ich nicht. Mir genügt meine Erinnerung, und die dauert jetzt schon, auf den Tag genau, vierzig Jahre.«

»Aber du bist doch noch nicht mal fünfzig«, sagte Liz.

»Übermorgen werde ich einundfünfzig«, sagte Fischer und nahm ihre Hand, und Liz hielt die seine fest.

3

Liz und die Wörter

Nach einem Brand im Münchner Polizeipräsidium, ausgelöst durch einen heißgelaufenen Laptop, den Hauptkommissar Georg Ohnmus in eine Plastiktüte gepackt hatte, weil er ihn mit nach Hause nehmen wollte, dann aber vergessen hatte, mußten die Räume des Kommissariats 111 monatelang renoviert werden. Aus einem Grund, der nie ganz geklärt wurde – Ohnmus behauptete, er habe das Gerät ausgeschaltet –, hatte sich das Plastik erhitzt; von dem mit Papieren übersäten Schreibtisch hatten die Flammen auf die Lamellenvorhänge und weiter auf die alten Holzschränke und Regale übergegriffen. Wahrscheinlich hatte Ohnmus – oder jemand anderes, nachdem der Kommissar das Dezernat verlassen hatte – ein schweres Buch auf die defekte, nicht mehr einrastende Abdekkung des Laptops gelegt, wodurch der Einschaltknopf gedrückt wurde; ein entsprechender Test bestätigte später diese Vermutung.

Um ihre Arbeit so schnell wie möglich fortsetzen zu können, beschloß Polizeipräsident Dr. Veit Linhard in Absprache mit dem Innenminister, die Mordkommission vorübergehend außerhalb des Hauptgebäudes an der Löwengrube unterzubringen. Durch seine guten Kontakte ins Rathaus erfuhr Linhard von einem Anwesen in der Burgstraße, das der Stadt gehörte und aufgrund einer festgefahrenen Diskussion über die Art der künftigen Nutzung seit zwei Jahren leerstand. Es handelte sich um das aus dem sechzehnten Jahrhundert stammende, an der ältesten Stadtmauer gelegene ehemalige herzogliche Falkenhaus, dessen Eingang, von einem schmiedeeisernen Tor verdeckt, in einer abschüssigen Gewölbegasse lag. Ein mittelalterliches Gebäude, das eine Zeitlang als Braustätte und seit Anfang des neunzehnten Jahrhunderts als Verarbeitungsort für das bei Hofjagden erlegte Wild gedient hatte, ergänzte das historische Ensemble. In diesem Hofzerwirkgewölbe fanden regelmäßig kulturelle Veranstaltungen statt, von deren Dezibelintensität auch die benachbarte Mordkommission ein Lied singen konnte.

»Warum rufst du nicht endlich deinen Freund an, den Oberbürgermeister, und beschwerst dich im Namen von uns allen über den Krach?« sagte Ohnmus.

»Er ist nicht mein Freund«, sagte Silvester Weningstedt, die Hand unter dem Sakko.

»In meinem Namen beschwerst du dich aber nicht!« sagte Liz Sinkel. Sie hatte sich gegenüber von Fischer gesetzt, um ihn besser beobachten zu können.

»Ich beschwer mich bei niemandem. Was ist jetzt mit der Namensliste?«

»Gleich.« Hauptkommissar Neidhard Moll saß am Kopfende des vier Meter langen englischen Tisches aus Kirschbaumholz und sortierte Blätter.

»Steht im Protokoll etwas Neues über die Auffindung der Leiche?« fragte Weningstedt. Wenn er seiner Frau von dem unangenehmen Zerren in der Brust erzählte, würde sie ihm seine Handschellen anlegen und ihn zu Dr. Meisner schleifen, und Gabi würde ihm die Elektroden auf die Brust pappen, und das EKG würde keine besorgniserregenden Ergebnisse liefern, wie so oft, auch wenn Gabi den Vorgang wiederholte, nachdem er fünfmal im Treppenhaus auf und ab gelaufen war.

Esther Barbarov und Micha Schell hatten noch keine Zeit gehabt, ihren Bericht auf orthographische Fehler hin zu korrigieren und zu vervielfältigen. Zwei Stunden hatte die offizielle

Vernehmung der jungen Zeugen in der Burgstraße gedauert, weil die Vierzehnjährigen lieber das alte Haus auskundschaften wollten, als Fragen zu beantworten. »Coole Hütte«, meinte der eine am Ende. »Absolut spacy«, urteilte der andere. Und als sie endlich redeten, verstand man kein Wort, weil sie sich ständig gegenseitig unterbrachen.

»Sie haben Fußball gespielt, das wißt ihr«, sagte Hauptkommissarin Barbarov. »Das machen sie gelegentlich da unten, wenn's regnet, ist natürlich nicht erlaubt. Der Ball knallte gegen das Metallgitter, und die eine Hälfte der Tür sprang auf.«

»Der Riegel des Schlosses ist vom Haken gesprungen«, ergänzte Oberkommissar Schell. »Es war nicht abgesperrt, jemand hat den Riegel einfach drübergeschoben.«

»Die Jungs sind dann hin und wollten die Tür wieder zumachen und weiterspielen. Dann wurden sie neugierig.«

Unter den Blicken von Liz Sinkel beugte sich Fischer vor, die Hände gefaltet auf dem Tisch. »Das bedeutet, die Tür ist zum erstenmal aufgegangen, als der Ball dagegenflog.«

»So lautet ihre Aussage.«

»Sie werden aber schon öfter dagegengeschossen haben.«

»Klar«, sagte Schell. »Das ist das ideale Tor.«

»Bisher war das Schloß also abgesperrt«, sagte Fischer.

»Wir haben die Jungs gefragt, sie wissen es nicht.« Schell suchte eine bestimmte Stelle auf dem Papier, das er vor sich liegen hatte. »Nein, sie haben beide bestätigt, daß sie das Schloß nie näher untersucht haben. Die Wahrscheinlichkeit ist hoch, daß bisher immer abgesperrt war.«

»Und der Täter hat das Schloß geknackt.« Fischer sah zu Liz hinüber. Vor Schreck wandte sie den Kopf ab, und Fischer lächelte.

»Oder er hatte einen Schlüssel«, sagte Weningstedt.

Neidhard Moll räusperte sich, bevor er sprach. Das tat er

immer. »Die Liste der befragten Bewohner ist noch unvollständig. Die Namen, die ihr von den Klingelschildern abgeschrieben habt, habe ich inzwischen überprüft, zwei waren Treffer: Einbrüche, Körperverletzung. Walter und ich fahren nach unserer Besprechung noch mal hin. Dreizehn Zuordnungen fehlen mir noch, die Namen stehen zwar unten an der Klingel, aber nicht an den Wohnungstüren, darunter vier Frauen. Wir können also immer noch nicht ausschließen, daß die Tote auch in dem Haus gelebt hat, obwohl keiner der Mieter sie gekannt hat. Bei der Hausverwaltung habe ich niemanden erreicht, die muß uns morgen früh sagen, zu welcher Wohnung der Stellplatz gehört, dann können wir den ersten Nagel ins Brett schlagen. Der Name Franz Wohlfahrt …« – er nickte Fischer zu – »… taucht bei uns nicht auf. Er wohnt tatsächlich in dem Haus, das hab ich pro forma überprüft, ihr habt ihn nicht angetroffen, also kann die Aussage des Mieters …« Er suchte in seinen Papieren.

»Brug, Jossi«, sagte Liz.

»Danke. Seine Aussage kann demnach stimmen, daß Wohlfahrt verreist ist, wohin, wissen wir noch nicht. Aber, wie gesagt, wir haben noch ein paar andere Unbekannte auf der Liste.« Unvermittelt sah er auf seine Uhr. »Die Zeitungen sind seit drei Stunden raus.«

Gegen neunzehn Uhr erschienen die Abendausgaben von drei Münchner Tageszeitungen; die Lokalseiten brachten ein Foto der Toten mit einem Zeugenaufruf der Kripo.

»Keine Tasche, kein Hinweis auf ihre Identität«, sagte Georg Ohnmus. Er neigte dazu, sich auf Stichwörter zu konzentrieren, zumindest in Dienstbesprechungen; bei langen Sätzen – so redete er sich ein – gehe ihm der Atem aus. »Versteck im Schrank. Alles geplant.«

»Schonschon«, sagte Liz Sinkel. Mit großer Anstrengung gelang es ihr, Fischer nicht anzusehen und nur die übrigen

Kollegen im Blick zu behalten. »Warum hat er dann das Schloß nicht verriegelt? Sprechen wir überhaupt von einem männlichen Täter?«

»Ja«, sagte Fischer.

Mit zerfurchter Stirn sah Liz ihren Chef an.

»Intuition«, sagte Fischer. »Wir gehen davon aus, daß die Frau erhängt wurde.« Nach einer kurzen Pause sagte er: »Ja?«

Zwanghaft starrte sie auf seine rote Krawatte. Er lächelte über ihren Blick hinweg. »Laut Dr. Dornkamm«, sagte sie.

»Wir schließen nichts aus, aber ich gehe von einem oder mehreren männlichen Tätern aus. Und Georg hat recht: Es war eine geplante Tat. Jemand wußte, daß es diesen verriegelten Stellplatz gibt, jemand hatte Zugang zum Schlüssel, oder er hat das Schloß aufgebrochen, wir wissen es nicht; das Schloß, das an dem Riegel hing, ist verschwunden. Die Tote wurde in den Keller transportiert. Wie? Für die Zufahrt von der Straße braucht man einen Wohnungsschlüssel, jeder paßt. Hörst du mir zu, Liz?«

Sie zupfte an dem blauen Silikonband an ihrem Handgelenk. »Ja«, sagte sie. Sie hatte an ihren Freund denken müssen, und die Gedanken, die ihr lästig waren, hörten nicht auf. »Ja«, wiederholte sie und dachte: Du hast mich betrogen, und du denkst, wenn du mir so ein dämliches Band schenkst, merk ich's nicht!

»Stunde Null«, sagte Fischer. »Hatten wir schon lange nicht mehr. Wir wissen nichts. Die Frau ist uns vollkommen unbekannt. Sie ist der Kern, das Zentrum der Dunkelheit. Wir wissen, wie die Frau gestorben ist, sogar wann, ungefähr, vor eineinhalb Tagen. An den Rändern der Dunkelheit erkennen wir nicht den geringsten Schimmer. Dr. Dornkamm hat vermutlich recht: Wir haben einen langen Weg vor uns.«

Im Gegensatz zu Georg Ohnmus bevorzugte Polonius Fischer das langsame, ausholende Sprechen; er strapazierte die

Geduld seiner Kollegen, indem er absichtlich die Dauer ihrer Zusammenkünfte verlängerte. So war es ihm im Verlauf vieler Jahre gelungen, ihnen seine Methoden und Strategien nahezubringen.

»Wieweit stimmen die Aussagen, die wir bisher zusammengetragen haben, mit unseren Erkenntnissen überein? Darauf können wir noch keine Antwort geben. Der Fundort der Leiche ist nicht der Haupttatort, wir beschäftigen uns also mit mehreren Tatorten. Einen Durchsuchungsbeschluß für sämtliche Wohnungen werden wir nicht bekommen. Außerdem muß die Frau nicht im Haus getötet worden sein.«

In einem der vier Zimmer klingelte ein Telefon. Walter Gabler stand auf und ging hinaus.

»Um Dr. Dornkamm zu zitieren«, sagte Fischer – eine Redensart, die auch seine Kollegen gern benutzten –, »unter uns und ohne Zeugen: Ich halte es nicht für wahrscheinlich, daß die Leiche von außerhalb in die Tiefgarage transportiert worden ist.«

»Warum?« fragte Liz Sinkel. Einer der Gründe, weshalb Fischer die Nähe der jungen Oberkommissarin suchte, war ihre kindliche Warum-Besessenheit; die Einschätzung einiger Kollegen, Liz würde bei allem berechtigten Ehrgeiz gelegentlich die Grenze zur Naivität überschreiten, teilte er nicht; ihn zwang Liz Sinkels unbefangenes Auftreten zu größtmöglicher Genauigkeit und Wachsamkeit.

»Was könnte einen Täter dazu bringen, sein Verbrechen auf eine solch aufwendige und riskante Weise zu verschleiern? Er hat die Frau erhängt, er muß die Leiche vom Tatort A wegschaffen, er kann sie irgendwo hinbringen, wieso ausgerechnet in einen Wohnblock, in dem etwa dreihundert potentielle Zeugen auf ihn warten? In eine Tiefgarage, wo er jeden Moment mit einem ankommenden oder abfahrenden Auto rechnen muß? Oder mit spielenden Kindern? Abgesehen davon kennt er sich aus. Wir können nicht allen Ernstes annehmen, daß der Täter auf der Suche nach einem Versteck war.« Er sah Liz an. »Wie lange würde der Weg von draußen dauern? Er kommt an, hält vor dem verschlossenen Tor – vielleicht war es offen, und er fährt einfach rein, sehr viel Zufall –, er muß warten, holt den Schlüssel heraus, sperrt auf, fährt die Rampe hinunter, parkt vor dem Gitter. Er steigt aus, knackt das Schloß, schleppt die Tote vom Kofferraum zum Schrank, legt sie ab, öffnet den Schrank, legt sie hinein, was nicht einfach ist, er muß sie so drapieren, daß sie nicht herauskippt. Dann macht er den Schrank zu, schließt das Gitter, fährt weg. Fünf Minuten, keine Sekunde weniger, eher zehn Minuten. Man trägt keinen toten Menschen einfach so durch die Gegend. Hältst du das für möglich?«

»Warum nicht?«

Gabler kam mit einem Zettel, den er während des Telefonats beschrieben hatte, an den Tisch zurück und setzte sich.

»Ich halte die Variante für abwegig«, sagte Neidhard Moll. »Der Täter weiß, daß wir die Identität der Frau schnell ermitteln werden und nicht nur ...«

»Na und?« sagte Liz. Einen Kollegen zu unterbrechen, hatte sie bisher noch nicht gewagt; es kam überhaupt selten vor, daß die Kommissare sich gegenseitig ins Wort fielen. Bevor Moll seine Irritation formulieren konnte, sagte Liz: »Entschuldigung. Ich find, wir sollten gar nichts ausschließen. Abwegig wär so ein Verhalten auf jeden Fall, aber Abwegigkeit ist doch normal bei den Leuten, mit denen wir es zu tun haben.«

Anstatt seine Überlegungen weiter auszuführen, sah Moll zu Gabler hinüber.

»Eine Frau hat angerufen«, sagte Gabler. »Eine Chinesin, sie ist die Wirtin des *Blue Dragon*, das ist ein Lokal in der Landwehrstraße. Sie hat die Zeitung gesehen und das Foto der Frau, sie glaubt, sie erkannt zu haben, sie weiß nicht, wie sie heißt, aber die Frau war ein paarmal mit einem Mann bei ihr zum Essen, vor zwei oder drei Monaten.«

»Vor zwei oder drei Monaten?« sagte Silvester Weningstedt. »Ist da so wenig los, daß sie sich an einzelne Gäste erinnern kann?«

»Scheint so.«

»Wir fahren heute noch hin«, sagte Fischer. »Kann sie den Mann beschreiben?«

»Vage.«

»Die Frau aber schon.«

»Sie hat sie wiedererkannt, aber nicht hundertprozentig.«

Ob die Wirtin die Frau aus dem Gedächtnis hätte beschreiben können, war eine andere Sache. Fischers Archiv aus aberwitzigen Personenbeschreibungen von Zeugen, die auf ihre Beobachtungsgabe einen Eid schwören würden, quoll über.

»Vielleicht ist der erste Nagel in Reichweite«, sagte Fischer.

»Hoffen wir's«, sagte Moll. »Zurück zur Handlungsweise des Täters. Daß er von außen kam, erscheint mir nicht nur abwegig, sondern absurd, viel zu riskant, selbst wenn er mitten in der Nacht die Leiche transportiert. In so einem Hochhaus muß man ständig damit rechnen, daß einem jemand über den Weg läuft. Dieses Risiko geht niemand ein, der eine Leiche verstecken will.«

»Schonschon«, sagte Liz. Sie verstummte sofort wieder.

»Ja?« sagte Moll.

»Das trifft auf einen Täter aus dem Haus genauso zu. Er muß die Leiche unter denselben Bedingungen zum Schrank bringen, ihm kann genausogut jemand begegnen.«

»Das stimmt«, sagte Esther Barbarov. »Trotzdem sollten wir uns auf das Wahrscheinliche konzentrieren und das Mögliche zurückstellen.«

Fischers Handy vibrierte und begann schnarrend *Bad Bad Leroy Brown* zu spielen.

»Ändere doch endlich diese Melodie!« sagte Weningstedt.

Fischer nickte. Er führte ein kurzes Gespräch mit einem Kollegen vom Landeskriminalamt, dem er Daten über das Aussehen, das ungefähre Alter, das ungefähre Gewicht und die Kleidung der Toten übermittelt hatte. »Offenbar ist die Frau nicht als vermißt gemeldet, er hat sicherheitshalber beim BKA nachgefragt.«

Ein Magen knurrte.

Es war acht Minuten vor zweiundzwanzig Uhr. Nebenan klingelte erneut Gablers Telefon.

Die Anruferin behauptete, den Namen der in der Zeitung abgebildeten toten Frau zu kennen.

Micha und Esther brachen sofort auf. Weningstedt beendete die Besprechung und bot an, die Nachtschicht zu übernehmen; die übrigen Kollegen sollten nach Hause gehen und ein paar Stunden schlafen.

»Ich nicht«, sagte Walter Gabler.

»Du erst recht«, sagte Fischer. »Ich fahre zu der Chinesin und komm dann hierher zurück. Dann bis morgen um sieben.«

Nachdem alle gegangen waren, herrschte Stille. Eine Minute lang. Dann tauchte Liz wieder auf.

»Ich begleite dich.«

Auf dem Weg durch die Fußgängerzone stellte Fischer eine Sinkel-Frage: »Warum?«

»Weil du heut nicht allein sein willst.«

»Und warum noch?«

Liz schwieg.

»Was ist das eigentlich für ein Band an deinem Handgelenk?«

Abrupt blieb sie stehen, zerrte das Band vom Arm und stopfte es in die Hosentasche.

»Willst du meine Hand nehmen?«

»Nein«, sagte Fischer.

»Hab ich mir gedacht.«

Aus der Schwemme der Augustiner-Gaststätte wankten zwei Männer, wunderten sich beiläufig über den verschwundenen Regen und übten, jeder für sich und nicht völlig vergeblich, den aufrechten Gang.

»Das ist Frau.« Su Chen, die Wirtin, strich mit dem Handrükken über das Foto in der Zeitung. »Saß da.« Sie zeigte zum Tisch vor dem Aquarium. Dort löffelte jetzt, vornübergebeugt, die Ellbogen auf dem Tisch, ein junger Mann in einer gefütterten Windjacke eine Suppe. »Mit Mann. Sagt wenig.«

»Sie haben wenig gesprochen«, sagte Fischer.

Frau Chen nickte. Hinter dem Tresen beim Eingang stand ein Chinese und kassierte ab, bevor die Gäste das Lokal verließen. Außer den Kommissaren war der Suppenschlürfer der einzige Gast.

»Wenig gesprochen«, wiederholte die Wirtin. Wieder blickte sie auf die Fotografie. »Gleich erkannt, ziemlich sicher.«

»Wie alt war der Mann?« fragte Liz.

»Nicht alt, vierzig, fünfundvierzig. Nicht groß wie Sie.« Sie sah Fischer an und lächelte.

»Waren die beiden ein Paar?« fragte Fischer. »Haben sie sich an der Hand gehalten, geküßt?«

»Hab nicht beobachtet, wenig gesprochen.«

»Was haben sie gegessen?« Einerseits verging Liz von den Schlürfgeräuschen des jungen Mannes fast der Appetit, andererseits hätte sie dem Kerl die Suppe am liebsten unter dem Löffel weggerissen und die Schale leer gegessen; es war *ihr* Magen gewesen, der sich am Ende der Dienstbesprechung eingemischt hatte.

»Suppe«, sagte Frau Chen. »Suppe und Huhn, immer Suppe und Huhn, ja.«

Auf einem unlinierten Block machte Fischer sich Notizen. »Und sie waren öfter bei Ihnen?«

»Paarmal, ja. Nachmittag, immer Nachmittag.«

»Vor zwei bis drei Monaten.«

»Ja, zwei Monate.«

»Trug die Frau dieselbe Kleidung wie auf dem Foto?«

»Weiß nicht.«

»Und der Mann?«

»Weiß auch nicht. Einmal grüne Hose.«

»Einmal grüne Hose?« sagte Fischer.

»Grüne Hose, ja.« Su Chen lächelte wieder und sah zu dem Mann hinter der Theke, dessen Gesicht keinerlei Regung zeigte. »Ist Mann Mörder?«

»Das wissen wir nicht.« Anders als seine Kollegen gab Fischer gegenüber Zeugen, die er befragte, nie ausweichende Antworten oder wechselte zu einem anderen Thema; er fand, ein offenes Visier ermögliche ihm einen klareren Blick.

»Kommt wieder, der Mann?«

»Das ist möglich. Haben die beiden Deutsch gesprochen?«

Sein Handy spielte *Bad Bad Leroy Brown*. Erschrocken hielt sich Frau Chen die Hand vor den Mund.

Fischers Gespräch dauerte zwei Minuten. Derweil stand der Mann am Aquarium auf, ging, ohne den Blick zu heben, am Tisch der Wirtin vorbei und bezahlte wortlos sein Essen; an der Tür zog er sich die graue Trainingshose hoch und spuckte, bevor er das Lokal verließ, auf den Bürgersteig.

»Versuchen Sie sich den Begleiter der Frau vorzustellen«, sagte Fischer. »Er trug eine grüne Hose, was noch? Eine Jacke? Welche Farbe?«

Nach einem vergeblichen Blick zu ihrem Kollegen, gegen dessen Miene jedes Pokerface wie eine verräterische Grimasse wirkte, seufzte Su Chen. »Braun oder schwarz, weiß nicht. Bitte. Hab nur Frau gesehen.«

»Warum?« fragte Liz.

»Starkes Parfüm«, sagte die Wirtin. »Sehr gut, und schöne Lippen, große Lippen, rot, hübsche Frau, lacht viel. Möchten Sie essen? Suppe, geht auf Haus.«

»Danke, das ist nicht nötig«, sagte Fischer. »Bestell dir was, ich lade dich ein.«

»Könnt ich eine Wan-Tan-Suppe bekommen, bitte?«

»Wan-Tan-Suppe, und Sie bitte?«

»Haben Sie Sommerrollen?«

Su Chen lachte. »Nein, nur Frühlingsrollen. Sommerrollen in Vietnam-Lokal, wir haben Frühlingsrollen.«

»Die nehme ich. Fällt Ihnen zu dem Mann noch etwas ein? Es ist sehr wichtig.«

»Wichtig, ja. Nein. Ich glaub, schwarze Haare.«

»Hatte er einen Bart?« fragte Liz.

»Bart? Nein. Wenig Bart. Stoppeln.« Sie zeigte auf Fischers Gesicht.

»War er unrasiert, so wie ich?«

Su Chen schüttelte heftig den Kopf. »Sie nicht unrasiert! Sieht gut aus, so. Mann hatte längeren Bart, etwas länger, keinen großen Bart. Jetzt essen.« Sie nickte ihnen zu und verschwand in der Tür zur Küche.

Fischer wartete einen Moment. »Esther hat angerufen, wir wissen, wie die Frau heißt: Nele Schubart. Sie arbeitet in der Parfümabteilung eines Kaufhauses, eine Kollegin hat sie auf dem Foto erkannt. Und sie wohnt am Nothkaufplatz, das ist in Hadern.«

»Ist das weit weg von dem Haus, wo ihre Leiche lag?«

»Nicht weit genug.«

»Was meinst du damit?«

»Die Frau wurde nicht professionell ermordet. Ein Routinier hätte ihre Leiche woandershin gebracht, weit außerhalb ihres persönlichen Umfelds.«

»Ein Routinier. Du benutzt manchmal Ausdrücke!« Es fiel Liz schwer, sich nicht nur auf das Grollen ihres Magens zu konzentrieren. »Und was ist das Gegenteil von einem Routinier?«

»Ein Kind.«

»Bitte?«

»Allgemein gesprochen«, sagte Fischer. Liz blinzelte nervös, sie sah blaß aus, mitgenommen. »Nur ein Kind ist kein routinierter Mensch, aber das wollte ich nicht sagen. Sondern: Wir bewegen uns auf einen Privatverbrecher zu, oder auf mehrere Privatverbrecher.«

»Schon wieder so ein Wort!« Liz hörte Geräusche in der Küche und konnte nicht verhindern, angespannt zu der schmalen Durchreiche zu starren. »Entschuldige. Seit heut früh hab ich nichts mehr gegessen, ich glaub, mir ist schwindlig.«

»Wir hätten gern zwei große Gläser Mineralwasser«, sagte Fischer zum Tresen hin. Gleichgültig klappte der Chinese sein Buch zu.

»Gute Idee«, sagte Liz. Die aufgeschlagene Zeitung mit dem Foto der Toten lag vor ihr. »Privatverbrecher also. Klingt nach Privatvergnügen.«

»Jeder von uns versucht die Wörter zu benutzen, mit denen er das Unsagbare am besten ausdrücken kann«, sagte Fischer.

»Wörter für das Unsagbare? Was ist an einem Mord unsagbar?«

»Daß er geschehen ist und auf welche Weise.«

»Das kann ich doch sagen«, sagte sie. Dann sagte sie nichts mehr. Der Chinese stellte die Gläser auf den Tisch und eilte in seine Festung zurück. Su Chen brachte das Essen. Liz tunkte den rotweißen Plastiklöffel in die Schale und verbrannte sich die Zunge. Fischer träufelte Sojasauce über seine Röllchen, versuchte den ersten Bissen mit Messer und Gabel zu nehmen und aß dann mit der Hand weiter.

»Bitte guten Appetit«, sagte die Wirtin. Hinter dem Tresen flüsterte sie mit ihrem Kollegen, und aus den Augenwinkeln bemerkte Fischer, wie sie unauffällig seinen Arm streichelte.

»Über diese Dinge sprechen wir ein andermal«, sagte Fischer.

Liz wischte sich den Mund ab.

»Das Zweitwichtigste habe ich dir noch nicht erzählt.« Sie trank einen Schluck Mineralwasser und hielt das Glas mit beiden Händen fest.

»Nele Schubart, die tote Frau, hat eine Tochter. Die Zeugin sagt, das Mädchen ist sieben oder acht.«

»Wo ist das Mädchen?«

»Esther und Micha sind auf dem Weg zum Nothkaufplatz.«

»O Gott.« Liz stellte das Glas hin. »Und so einen nennst du Privatverbrecher? Hängt die Mutter auf, verschleppt ihr Kind. Oder glaubst du, die sitzt daheim ganz still und wartet eineinhalb Tage, daß jemand zur Tür reinkommt?«

»Nein.«

»Nein. Und was machen wir jetzt?«

»Du gehst nach Hause, und ich gehe zurück ins Büro.«

»Ich geh nicht nach Hause, wieso fahren wir nicht zu der Wohnung?«

»Weil Esther und Micha schon dort sind.«

»Und wenn das Mädchen auch tot ist?« Liz hatte immer noch Hunger, aber keine Lust mehr zu essen.

Fischer winkte der Wirtin und legte einen Geldschein auf den Tisch.

Als sie draußen an der Kreuzung standen und es wieder anfing zu nieseln, war Liz froh, sofort ein freies Taxi zu erwischen und nicht mehr sprechen zu müssen. Manchmal überfiel sie eine solche Müdigkeit, daß sie dachte, ihr Beruf, ihr Leben überhaupt seien eine Bürde, die nur aus Versehen auf ihr abgeladen worden sei; dann schleppte sie sich jeden Morgen noch gebeugter als sonst durch die Burgstraße.

»Bis um sieben«, sagte Fischer und schlug behutsam die hintere Wagentür zu. Als das Taxi vor Liz' Wohnung in der Kreillerstraße im Stadtteil Berg am Laim hielt, mußte der Fahrer die Kommissarin wecken.

Zur gleichen Zeit durchquerte Fischer zum zweitenmal an diesem Abend die Fußgängerzone. Er dachte an die grüne Hose des Mannes, die die chinesische Wirtin erwähnt hatte, und an ein Gesicht, das unrasiert war.

4

Die Wirklichkeit der Zeitungen
und Tiefgaragen

Sie hatte keine große Angst; im Auto roch es nach Orangen, und es war warm. Sie waren über die Grenze gefahren, aber sie wußte nicht, was das bedeutete; sie hatte gar nichts bemerkt, keinen Huckel, keinen Buckel, und dann hat der Mann gesagt: Jetzt sind wir über der Grenze. Zweimal hat er das gesagt.

Und dann ist wieder nichts passiert, sie fuhren einfach weiter; weiter geradeaus. Aber vorher hatte sie sich im Kofferraum verstecken müssen, zur Vorsicht, damit uns niemand aufhält, hat der Mann gesagt, der das Auto fährt.

Er hatte sie von zu Hause abgeholt und ihr so was Großes versprochen, was sie sich nicht vorstellen kann, obwohl sie es sich schon oft vorgestellt hat. Sagte der Mann. Das war verwirrend, aber nicht schlimm.

Im Kofferraum hat sie Angst gehabt, die ist dann weggegangen; dann hat der Mann den Deckel schon wieder aufgemacht und sie aussteigen lassen, auf einem Rastplatz; dann haben sie gerastet. Sie hat ihm erzählt, daß sie noch nie in ihrem Leben gerastet hat, und ihn gefragt, ob das nur Erwachsene dürfen; nein, hat er geantwortet, das dürfen Kinder auch, und da hat sie in den Apfel gebissen und Toni auch ein Stück abgegeben, weil der auch noch nie gerastet hat.

Bevor sie fertig gegessen hatte, mußte sie schon wieder einsteigen, gern wäre sie noch geblieben und hätte den vorbeisausenden Autos zugesehen und gewartet, welcher riesige Bus als nächstes auf den Parkplatz, der eigentlich ein Rastplatz ist, einfährt und welche Menschen aussteigen, alte oder kleine mit

Fotoapparaten. Der Mann sagte, wir müssen weiter, sonst verlieren wir zuviel Zeit. Das hat sie nicht verstanden: Kann man Zeit verlieren wie ein Geldstück? Und ist man dann arm, wenn man seine Zeit verloren hat, muß man dann betteln gehen? Ja, sagte der Mann, dann muß man betteln gehen um Zeit.

Aus dem Gasthaus brachte er Orangen mit, und so hat sie die Sache mit der Zeit wieder vergessen.

Toni mag gern Orangen; er ißt auch die Schale. Iß, sagt sie und hält ihm ein Stück Schale hin. Eigentlich heißt Toni Rudi, aber dann hat ihre Mama erzählt, der echte Rudi weit oben im Norden ist tot umgefallen, er hat einen Herzkasperl gekriegt, weil die Flugzeuge am Himmel so laut waren, das hat er nicht ausgehalten, da ist er lieber gestorben. Und weil sie keinen toten Rudi haben wollte, hat sie ihn umgetauft in Toni, jetzt ist er wieder lebendig. Das hat sie alles dem Mann auf der langen Reise von zu Hause bis über die Grenze erzählt.

Und er hat zugehört.

Jetzt wartet sie auf ihn. Vielleicht ruft er ihre Mama an, um ihr zu sagen, daß sie gut über die Grenze gekommen sind, ohne Huckel und Buckel; er hat nämlich gesagt, ihre Mama ist die ganzen Ferien unterwegs und deswegen ist *er* jetzt für ihre Erlösung zuständig. Was das ist, wollte sie wissen, und er hat gesagt: was Großes, Schönes, und sie durfte nicht weiter fragen. Daß sie ihre Mama allein gelassen hat, findet sie nicht richtig, aber der Mann, den sie schon oft gesehen hat, hat ihr erklärt, daß sie keine Zeit verlieren dürfen, sonst bekommt sie keine Erlösung; außerdem würde er sie bald wieder nach Hause bringen. Das hat er ihr versprochen.

Das hat er mir versprochen, stimmt's, Toni?

Sie kaute auf dem Stück Orangenschale, das Toni nicht wollte, weil er müde ist, noch müder als sie. Sie darf nicht einschlafen, weil der Mann gleich wiederkommt und Kekse und Gummibärchen und eine Sonnenbrille für sie mitbringt; eine echte Sonnenbrille, hat er gesagt, und sie hat noch nie eine Sonnenbrille aufgehabt, das sieht doof aus, sagt ihre Mama. Mit einer Sonnenbrille, dachte Katinka und schaukelte sanft ihren Stoffelch, ist das Rasten doppelt interessant.

Gehen war seine liebste Art, Wege zurückzulegen. Innerhalb der Stadt nutzte er jede Gelegenheit dazu, und er kam nie zu spät. Er kannte seinen Schritt und seine Kondition, und er achtete darauf, den Rhythmus zu halten, obwohl er sich nicht schnell bewegte, nicht einmal zügig. Mit seinen langen Beinen und seinem stämmigen, vorwärts treibenden Körper hätte er ohne Not den Weg vom Hauptbahnhof bis zum Kommissariat – eine Strecke von etwa zwei Kilometern – in zehn Minuten schaffen können, aber er dachte nicht daran.

Wenn er es eilig hatte, benutzte er seinen klapprigen grünen Mitsubishi ohne Zentralverriegelung, aber mit Klimaanlage. Polonius Fischer lehnte Eile ab, er schätzte Pünktlichkeit, etwas, das sein früheres Leben geprägt hatte, etwas, dem er sich nie beugen wollte und das ihn wie eine Heimsuchung verfolgte und ihn zwang, auch andere Leute unter diese ihn beherrschende Knute zu bringen; gleichwohl verlor er nie ein Wort über jemanden, der zu spät kam; vermutlich war er sogar neidisch.

In der Nacht von Sonntag auf Montag, vom neunundzwanzigsten auf den dreißigsten August, ließ er sich viel Zeit. Vage neugierig, sah er in die beleuchteten Schaufenster der Fußgängerzone, überlegte, ob er in einem Lokal ein schnelles Helles trinken sollte, um seinen von den Frühlingsrollen fettgetränkten Magen zu trösten.

Er ging weiter, mit gleichmäßig fließenden Bewegungen; die meisten Fußgänger, die ihm entgegenkamen, warfen ihm einen Blick zu; unabsichtlich verbreitete er, der Großgewachsene, eine Aura von Stolz und Lässigkeit.

Allmählich hatte der Strom seiner Gedanken sich seinem Gehen angepaßt. Fischer dachte an die grüne Hose, an das unrasierte Gesicht, an die gut duftende Frau, die Parfümverkäuferin vom Nothkaufplatz, an eine Suppe, an ein Hühnergericht, an den Tisch vor dem Aquarium. Er stellte sich das bescheidene, schlecht beleuchtete Restaurant vor, in dem er mit Liz gesessen hatte und das für ein Liebespaar als ideale Nische taugte. Ob die beiden etwas anderes hätten sein können als ein Liebespaar? Nein.

Er dachte an den ausrangierten Schrank, den jemand statt eines Autos in der Tiefgarage abgestellt und in dem jemand anderes eine Leiche versteckt hatte. Er dachte an die Reporter und das Foto, über das die Wirtin des *Blue Dragon* mit ihrer schmalen, bleichen Hand gestrichen hatte.

Und er dachte an das, was er Liz über die Routiniers und die Privatverbrecher erzählt hatte, und hielt inne.

Die Schlagzeilen, dachte er unter den Arkaden eines Bekleidungsgeschäfts, würden mit den morgigen Ausgaben der Zeitungen und Fernsehmagazine beendet sein. Etwas Spektakuläreres als eine tote Frau in einem Schrank in einer Tiefgarage in einem schäbigen Hochhaus würden die Sensationsfanatiker nicht mehr geboten bekommen.

Daran hatte Polonius Fischer keinen Zweifel: Das große Geschehen war vorüber, von nun an schrumpfte das Unsagbare auf Wörtergröße. Und sie würden keinen Satz offen enden lassen, er und seine zehn Kolleginnen und Kollegen vom Hundertelfer, sie würden den oder die Verbrecher finden und so lange befragen, bis die Akten für eine Anklage ausreichten; sie würden Antworten erhalten, die am Ende der Gerichtsverhandlung niemanden mehr interessierten. Vielleicht trumpften sie mit einem Geständnis auf, umschlossen von einer unzerschlagbaren Beweiskette, und ersparten sich so ein letztes öffentliches Aufbäumen aus Spekulationen, Unterstellungen,

Vorwürfen und moralischen Anklagen. Der Schrank aus der Tiefgarage würde zerlegt und zersägt werden, und vielleicht klaute jemand ein Brett als Souvenir.

Beim Weitergehen dachte Fischer an das Mädchen, das in einer Hochhaussiedlung verhungert war, weil seine Eltern es so wollten. Sie wurden verurteilt und eingesperrt, und neue Mieter zogen in die Wohnung; das war normal. Das Unsagbare blieb drei Millimeter groß zurück, man konnte es lesen und aussprechen. Es klang wahrlich unsäglich.

Eine kalte, saubere, vordergründige, gleichgültige, gewöhnliche Großstadt, dachte Fischer beim Gehen, Hunderttausende Bewohner an der Armutsgrenze, Tausende ohne festen Wohnsitz, Zehntausende ohne Arbeit; und der Alltag; und die Wirklichkeit der Zeitungen und Tiefgaragen.

Eigentlich müßten sie maßlos enttäuscht sein, die Spanner an den Zäunen seines polizeilichen Geheges: In den folgenden Tagen würde er ihnen die Geschichte eines oder mehrerer unauffälliger Menschen präsentieren, deren einzige über ihre eigene durchschnittliche Welt hinausragende Tat längst geschehen und von den dafür zuständigen Sprachrohren der Außenwelt ausgeschlachtet worden war. Das, was ihn, Fischer, an einem solchen schon wieder in die allgemeine Laune hinabgleitenden Menschen festhalten ließ, betraf einzig seine Gottesfürchtigkeit und Glaubensbesessenheit, und beides gehörte allenfalls in eine abseits gelegene Zelle, aber keinesfalls in den Ballsaal des täglichen Boulevards.

Bevor er die letzten Meter zu seinem Büro hinter sich brachte, mußte er dringend mit jemand Bestimmtem sprechen.

Er bückte sich und warf nacheinander einen Blick in jedes der vier wartenden Taxis; dann holte er sein Handy aus der Tasche, stellte sich in den Durchgang unter dem alten Rathausturm und tippte eine Nummer.

Er erwischte sie an der Südseite des Hauptbahnhofs. Sie hätten sich begegnen können, wenn Fischer vom *Blue Dragon* aus nicht in Richtung Innenstadt gegangen wäre, sondern einen Schlenker gemacht hätte, um in der Halle bei den Gleisen noch ein Bier zu trinken. Dort kaufte sie nachts immer ihre Zeitung.

»Ich habe dran gedacht.«

»Wie geht's dir?« fragte sie. »Ich hab den Bericht gelesen, wieder so ein abartiger Mord.«

»Artige Morde gibt es nicht.«

»Das weiß ich. Wie geht's dir?«

»Wir kennen inzwischen den Namen der Toten, wir sind unterwegs.«

»Wie geht's dir?«

»Und dir?«

»Ich hatte heut einen Gast, eine Frau, die bei einer dieser großen Fernsehillustrierten arbeitet, in Hamburg, sie war wegen der Pressevorführung eines Spielfilms hier. Sie sagte, sie planen einen Ableger, eine Extrazeitschrift nur für Spielfilme, Interviews und die Präsentation von DVDs; ein konkretes Konzept existiert schon, und sie suchen Mitarbeiter. Sie hat mir ihre Karte gegeben.«

»Willst du doch wieder schreiben?«

»Ich weiß nicht. Sie hat so viel erzählt auf dem Weg zum Flughafen. Scheint ein gutes Arbeitsklima zu sein, und von den Kolleginnen sind die meisten über Vierzig. Das hat sie ausdrücklich betont.«

»Du hast doch nicht einmal einen Fernseher«, sagte Fischer.

»Dann komm ich halt zu dir zum Schauen.«

»Müßtest du wegen so eines Jobs nicht nach Hamburg ziehen?«

»Ich bewerb mich eh nicht.« Sie setzte sich in ihr Taxi und

fuhr im ersten Gang einen Meter weiter; vor ihr warteten fünf Kollegen auf Fahrgäste. Sie stieg aus und lehnte sich wie vorher an die Tür. Die Luft war mild, und wenn der Nieselregen aussetzte, roch es nach Asphalt.

Ann-Kristin Seliger fuhr am liebsten nachts. Tagsüber zu schlafen bedeutete, daß sie weniger Zeit hatte, darüber nachzudenken, warum sie von einem bestimmten Moment an keinen Job als Journalistin mehr gefunden hatte und ihr Status als feste-freie Mitarbeiterin nichts mehr wert gewesen war. Schlafen half. Und nachts fremde Leute durch die Stadt zu kutschieren half noch mehr. Sie verdiente knapp tausend Euro im Monat und hatte weniger Zeit zu jammern als die Hundertschaften ihrer ehemaligen Kollegen, die Mitte der Neunziger entlassen worden waren und von denen die wenigsten ihr Auskommen bei anderen Medien gefunden hatten; die meisten hatten erst einmal ihre Zukunft unter einer Lawine von Klagen begraben und waren später, von sich selbst gedemütigt, als billige Hilfsarbeiter auf ihre alte Bühne zurückgekehrt, zufrieden damit, wenigstens am Rand dazuzugehören.

Für Ann-Kristin hieß Taxifahren vor allem: für sich sein und allein verantwortlich, eine Dienstleisterin, die niemand herumkommandierte und die auf niemandes Wohlwollen und niemandes vertrauliches Getätschel angewiesen war. Sie steuerte ein Auto, und sie steuerte es gut, sie kannte sich mit den Straßen und den wichtigen Gebäuden aus, sie hatte mit Menschen zu tun, aber nicht zu lange und zu persönlich. Sie brauchte nicht vor dem Telefon zu sitzen und auf die Gnade einer Stimme zu warten. Und sie mußte nicht erst einen Liter Weißwein trinken, um eine Unterhaltung führen zu können. Sie übte zwar ihren gelernten Beruf nicht mehr aus – als junge Frau war sie Redakteurin gewesen und hatte fast doppelt soviel verdient wie ein Kommissar bei der Mordkommission –, aber sie hatte sich, nachdem sie freiwillig ihre Festanstellung

gekündigt hatte, um sich abseits der monotonen, phantasie-
hemmenden Alltagsbürokratie ganz dem Schreiben widmen
zu können, niemals vor einem Auftraggeber erniedrigt, nicht
als Frau und nicht als Journalistin und erst recht nicht als
Blondine mit hübscher Figur und als Schreiberin mit besonderen Fähigkeiten.

Ganz gleich, ob sie ihren Beruf je wieder ausüben würde,
und abgesehen davon, daß sie sich im Stillen doch manchmal
Vorwürfe wegen ihrer kompromißlosen, unverspielten, kon-
trollierten Art gegenüber Vorgesetzten machte: Der Aufwand
und die Niederlagen und der Müll am Wegesrand – das alles
war es wegen einer einzigen Begegnung wert gewesen, wegen
eines einzigen Termins, eines einzigen Interviews.

Ihre letzte große Reportage hatte sie in das Büro eines Mannes geführt, der erst seit kurzem an seinem Schreibtisch saß.
Mit neunzehn Jahren hatte er eine Ausbildung absolviert und
eine Zeitlang in seinem Beruf gearbeitet, bevor er von einem
Tag auf den anderen seine Dienstuniform ablegte und gegen
einen Habit tauschte, den er dann neun Jahre lang trug. Nach
dieser Zeit kehrte er – abermals zur vollkommenen Überraschung der ihm Nahestehenden – seiner Zelle den Rücken und
erweiterte seine frühere Ausbildung, bis er eine Stelle in jener
Abteilung bekam, die er schon als Neunzehnjähriger heimlich
angestrebt hatte. Polonius Fischer, aufgestiegen zum Hauptkommissar im Kommissariat 111, sorgte schon mit seinem
ersten Mordfall, dessen Aufklärung er als Sachbearbeiter ver-
antwortete, für Aufsehen, nicht nur, weil er den Haupt-
verdächtigen innerhalb weniger Tage überführte, sondern vor
allem, weil er sich mit dem Täter in eine Zelle des Untersu-
chungsgefängnisses hatte sperren lassen; dort legte der Mann,
aufgewühlt von der Nähe des ehemaligen Mönchs, eine Art
Lebensbeichte ab. Darüber hinaus hatte Fischer bei seiner Ein-
stellung in den Mittleren Dienst auf einem eigenen Verneh-

mungsraum bestanden, eine absurd anmutende Forderung, die ihm der Polizeipräsident jedoch erfüllte, wobei diese Entscheidung im Kollegenkreis ein jahrelang anhaltendes Rätselraten über die Gründe auslöste. Fischer bekam eine Kammer mit einem winzigen Fenster zugeteilt, knapp acht Quadratmeter groß, die Platz für einen viereckigen Tisch mit zwei Stühlen und einen Bistrotisch in der Ecke bot, an dem die Protokollantin saß; an der Wand hingen ein Kruzifix, das Fischer abnahm, wenn Zeugen es wünschten, und ein Haken für seinen grauen Stetson, den er zwischen November und April fast täglich trug, und seinen Mantel. Bei seinen Kollegen hieß das Zimmer nur »das PF«, so wie er selbst von ihnen gewöhnlich »P-F« genannt wurde.

Über diesen Mann hatte Ann-Kristin Seliger ihre letzte Seite-Drei-Reportage geschrieben.

So hatte ihre Liebe angefangen, und sie dauerte nun beinah dreizehn Jahre.

»Freust du dich auf deinen Geburtstag?« fragte sie.

»Wie immer«, sagte Fischer.

»Erinner mich ja nicht daran, daß ich nächstes Jahr fünfzig werd. Du hast diese Grenze ja schon überschritten.«

»Danke.«

»Ein Wunder!« sagte Ann-Kristin. »Ein Zug mit Leuten, die noch Geld übrig haben, ist gekommen. Ich muß los, mein Herzensriese.«

»Bleib wachsam«, sagte Fischer.

Jedesmal, wenn sie darauf zu sprechen kamen und sie ihn bat, sich keine Sorgen zu machen, weil sie nachts unterwegs war, versprach er, in Zukunft ruhiger zu bleiben. Aber diese Zukunft begann nie.

In jedem der fünf Räume brannte eine Schreibtischlampe, vom Flur fiel das milchige Licht der Deckenbeleuchtung herein; auf dem niedrigen Aktenschrank in Weningstedts Büro flackerte im Windhauch, der durch das gekippte Fenster kam, eine nach Orangen duftende Kerze.

Bei der Sanierung des Gebäudes waren die Wohnungen im dritten Stock miteinander verbunden worden; anstelle der einen Küche entstand ein weiteres Zimmer, dafür erhielt die andere Küche Anschlüsse für Wasch- und Spülmaschinen. Während der Arbeitszeiten blieb die Tür zum Treppenhaus offen, da auch die eine der beiden Wohnungen im zweiten Stock zur Mordkommission gehörte; dort hatte Valerie Roland, die Sekretärin und Protokollantin, ihren Arbeitsplatz, direkt gegenüber dem »PF«. Ob darunter jemand einziehen würde, solange die Kripo in den oberen Stockwerken residierte, bezweifelte nicht nur der Oberbürgermeister. Im Parterre befand sich ein Trachtenmodengeschäft, dessen Inhaberin den Kontakt mit der Staatsgewalt auf das nötigste Grüß Gott beschränkte.

»Hörst du was?« fragte Weningstedt.

Fischer horchte.

»Seit einer halben Stunde: Stille. Ist der Krach in letzter Zeit eigentlich noch schlimmer geworden, oder werd ich im Alter empfindlicher?«

»Die Nachbarn haben einen Brief ans Rathaus geschrieben«, sagte Fischer. »Sie wollen die Veranstaltungen im Zerwirkgebäude verbieten lassen.«

»Woher weißt du das?«

»Stand in der Zeitung.«

»Hab ich nicht gelesen.«

Wie auch? Weningstedt hatte eine in den Augen seiner Kollegen unverständliche Angewohnheit: Er las keine Tageszeitungen. Montags kaufte er sich ein Nachrichtenmagazin, das genügte ihm für die Woche; wenn es nicht anders ging, holte er sich aktuelle Informationen aus dem Internet oder setzte sich vor den Fernseher, was ihm, wie er betonte, sehr schwerfiel; sein

Bedürfnis nach einer geräuschlosen Umgebung, besonders in der Freizeit, verlangte seiner sprechfreudigen, leidenschaftlich Einladungen organisierenden und spielfilmbegeisterten Ehefrau ein Höchstmaß an Geduld und Verständnis ab.

»Warum haben die uns nicht gefragt, ob wir auch unterschreiben wollen?« fragte Weningstedt.

»Hättest du das getan?«

Weningstedt trank schwarzen Tee aus einer Tasse, in die er tagsüber schwarzen Kaffee goß. »Jetzt ist es ja still. Hier ist das Haus.«

Vor ihm lag ausgebreitet ein Stadtplan, dessen Farben glänzten. Bei jeder Ermittlung, die nicht innerhalb der ersten zwölf Stunden auf eine konkrete Festnahme zulief, benutzten sie einen neuen Plan, und Valerie Roland achtete darauf, daß immer mindestens zwei vorrätig im Schrank lagen; eine Marotte, ein Ritual, ein buchhalterischer Posten, den Polizeipräsident Linhard schon vor Jahren persönlich beanstandet hatte; ohne Erfolg; zunächst. Dann, an einem adventlichen Dezembertag, erhielt Valerie aus dem Präsidium die schriftliche Mitteilung, die sieben Euro pro Stadtplan seien auf der Ausgabenliste von nun an ersatzlos zu streichen, die vom Innenministerium geforderten und allgemein bekannten Einsparungen beträfen sämtliche Abteilungen der Polizei, auch das ohnehin schon unter privilegierten Bedingungen arbeitende Kommissariat 111. Seitdem ging Weningstedt einmal im Vierteljahr mit einem aus eigener Tasche bezahlten Hartplastiksparschwein von Schreibtisch zu Schreibtisch und bat um einen Obolus; so herrschte nie ein Mangel an druckfrischen Stadtplänen.

»Hier verläuft die U-Bahn.« Weningstedt folgte mit dem Zeigefinger der dünnen blauen Linie. »Wenn sie an dieser Haltestelle einsteigt, die liegt dem Nothkaufplatz am nächsten, und zwei Stationen fährt, braucht sie nur noch die Heiglhofstraße runterzulaufen bis Nummer 62. Oder sie steigt eine Sta-

tion später aus, beim Klinikum, und überquert die Sauer-
bruchstraße. Alles keine Entfernungen. Vorausgesetzt, sie hat
in dem Haus jemanden getroffen und die Tat wurde dort ver-
übt.«

»Wo ist das Kind in der Zeit?« fragte Fischer.

Noch bevor Fischer wieder im Kommissariat eingetroffen
war, hatte Micha Schell angerufen und einen ersten Lagebe-
richt geliefert. Demnach hielt sich das Mädchen nicht in der
Wohnung seiner Mutter auf – Schell hatte den Schlüsseldienst
zum Öffnen der Tür bestellt – und auch sonst nirgends in dem
Vierparteienhaus, weder bei dem Ehepaar, das auf demselben
Stockwerk wohnte und sich nicht erinnern konnte, wann es
Mutter und Tochter zuletzt gesehen hatte, noch bei anderen
Mietern, die nicht einmal die Namen ihrer unmittelbaren
Nachbarn kannten. Esther Barbarov und Sigi Nick hatten
auch den Keller und den kleinen Garten durchsucht und an-
schließend die mit Bäumen und Sträuchern bepflanzte, drei-
hundert Meter lange und zehn Meter breite Grünfläche in der
Mitte des Nothkaufplatzes umrundet. Nach Meinung der beiden Fahnder wirkte die aus Wohn-, Schlaf- und einem kleinen
Kinderzimmer sowie einer engen Küche und einem Bad mit
Toilette bestehende Wohnung aufgeräumt und »absolut be-
lebt«, was hieß: Nichts deutete auf einen vorbereiteten oder
überraschenden Aufbruch hin. Im Kühlschrank befanden sich
Lebensmittel, deren Verfallsdatum noch lange nicht abgelaufen war, darunter zwei Tetrapaks mit frischer Milch und eine
halbvolle Flasche Multivitaminsaft. Die Bettdecke im Schlafzimmer war ein Stück zurückgeschlagen, auf einem Stuhl lagen T-Shirts und ein Kleid, »ordentlich und unordentlich zu-
gleich, also ganz normal«, wie Schell sich ausdrückte. Das
Kinderzimmer dagegen machte auf ihn einen »schwer geputz-
ten« Eindruck; nicht das geringste kindhafte Chaos, brav saßen in einem Regal mehrere Puppen in weißen und rosafarbe-

nen Kleidchen nebeneinander, auf der mit bunten Blumen verzierten Bettdecke hockte ein zotteliger brauner Bär mit großen Augen, an ihm lehnte ein kleiner, dünner Bär mit einer roten Schleife um den Hals. Unter dem Tisch stand ein pinkfarbener Schulranzen, auf dem Tisch lagen ein zugeklappter unbenutzter Malblock, daneben ein Blechkasten mit sauber gespitzten Buntstiften; an die Wand über dem Bett waren Zeichnungen gepinnt: viel Blau und Grün, Wasser, eine Sonne, Wiesen, krakelige Skizzen, die auf den ersten Blick schwer zu deuten waren. »Keine Spielsachen, Musikinstrumente, Zeug, das rumliegt?« hatte Weningstedt gefragt, und Schell hatte erwidert: »Ein Schrank mit Anziehsachen, akkurat eingeordnet, sonst nichts.« Diese Beschreibungen beunruhigten den Kommissariatsleiter.

»In dem Kinderzimmer könnte man vom Boden essen, so sauber ist es, wie Micha erzählt hat.« Ohne auf Fischers Frage nach dem Verbleib des Kindes einzugehen, wiederholte Weningstedt den Satz, den er zu seinem Kollegen am Telefon gesagt hatte: »So viel Sorgfalt macht mich besorgt.«

»Wurden Mutter und Tochter von zu Hause abgeholt?«

»Unwissen«, sagte Weningstedt.

»Dann haben Mutter und Tochter das Haus gemeinsam verlassen.«

»Unwissen.«

»Jetzt habe ich den Namen des Mädchens vergessen.«

»Ich auch«, sagte Weningstedt. Der Block war unter den Stadtplan gerutscht. »Katinka. Sieben Jahre alt, angeblich. Im Schulranzen sind Hefte, auf denen 2b steht.«

»Katinka Schubart. Wo ist der Vater?«

»Die Nachbarn sagen, Nele Schubart war nie verheiratet, zu dem Vater habe sie keinen Kontakt, sie kennen ihn jedenfalls nicht. Sie ist allein mit dem Kind in das Haus gezogen, vor drei oder vier Jahren.«

»In welche Schule geht das Mädchen?«

»Den Stempeln in den Büchern zufolge, die Micha im Schulranzen fand, in die Grundschule Guardinistraße.«

Fischer rollte mit dem Drehstuhl um den Schreibtisch herum und kam gegenüber seinem Chef zum Stehen. Weningstedt sah ihn an und nickte. Dann überlegte er, wie spät es inzwischen war, aber er wollte nicht auf die Uhr sehen, er wollte jetzt einige Minuten still dasitzen, in Fischers Nähe, in seiner Obhut, im Orangenduft der Kerze, den er unauffällig einsog.

»Wonach riecht's hier?«

»Komm erst mal rein.« Als sie an ihm vorbeiging, roch er ihr Parfüm, das er kannte; so wie er ihre Bewegungen kannte. Er sah ihr hinterher und schloß die Tür.

»Von außen sehen die Wohnungen gar nicht so hell aus«, sagte sie.

»Willst du ein Glas Wein?«

Sie zog ihre Jeansjacke aus und warf sie über einen Gartenstuhl aus Holz, der mitten im Zimmer stand. Er hatte erwartet, sie würde deswegen eine Bemerkung machen, aber sie ging zum Fenster und strich sich, während sie hinaussah, mit beiden Händen über den Hintern.

»Was macht Katinka?« fragte er.

»Sie ist zu Hause und spielt.«

»Gefällt ihr der Elch immer noch?«

»Sie hält ihn jede Nacht im Arm, ihre zwei Bären sind schon beleidigt.«

Sie drehte sich um und streifte ihr grünes Kleid von den Schultern.

5

Kind im Rücken schwierig

Als sie auf dem Stuhl stand, mit der Schlinge um den Hals, und weinte, trug sie immer noch den rosafarbenen Slip; ihr Kleid lag auf dem Boden, daneben ihre Jeansjacke, die sie vom Stuhl hatte nehmen müssen. Ihre Hände waren hinter dem Rücken mit einer Schnur gefesselt; und weil sie geschrien hatte, nur kurz, hatte er ihr einen Tennisball in den Mund gestopft und ein Paketband darübergeklebt; jetzt hatte sie Angst zu ersticken, wenn sie nicht schnell genug durch die Nase atmete. Der Stuhl wackelte.

»Steig rauf!« befahl er.

Er stand hinter ihr.

Wenn sie sich zu ihm umdrehte, würde der Stuhl kippen. Wieso mußte sie auf die Lehnen steigen, rechts und links? Wieso sind. Wieso hat. Warum. Das Seil schnitt ihr in den Hals. Was.

»Du sollst raufsteigen!«

Warum. Wie. Hilf. Ihr Blick. Verschwommen. Sie schämte sich. Sie schaute auf einen Schrank mit Glastüren, Geschirr und Gläsern. Vielleicht ein Erbstück. Wem gehörte die Wohnung? Ihr fiel der Name nicht mehr ein; sie hatte an der Tür geklingelt, und sofort war der Summer ertönt; im Treppenhaus roch es nach Abfall, nach verfaultem Obst, bis oben roch es so, bis in die Wohnung.

Den Haken an der Decke hatte sie nicht bemerkt, auch den Stuhl nicht, der mitten im Zimmer stand. Seine Hand. Sie traute sich nicht hinzusehen. Sie mußte hinsehen. Mit einer Hand umklammerte er ihren linken Knöchel, mit der anderen hielt er sich an ihrem rechten Unterschenkel fest. Sie schnaubte in Panik. Sie sah, wie er ihren Bauch anstarrte, der sich wölbte und senkte, schnell. Sie versuchte den linken Fuß so fest wie möglich auf die waagrechten Holzstreben des Stuhls zu pressen, auf denen normalerweise das Kissen lag, er hatte es auf den Boden geworfen, bevor er ihr die Schlinge um den Hals legte, flink und geschickt; sie hatte an ein Spiel gedacht.

Und dann die Frage, die er ihr ins Gesicht schrie. Die unaufhörliche Frage: WAS TUST DU MIT KATINKA? WAS TUST DU MIT KATINKA? Sein Atem prallte gegen ihr Gesicht. WAS TUST DU MIT KATINKA?

Was denn? flüsterte sie. Da hatte er ihr schon die Arme auf den Rücken gedreht und die Hände gefesselt. Dann fiel ihr ein zu schreien; heraus kam ein mickriger Laut. Er brüllte, sie solle das Maul halten. Und weil sie noch einmal einen Laut von sich gab, hielt er auf einmal den gelben Ball in der Hand. Und vor Schreck öffnete sie den Mund. Und er schlug den Ball zwischen ihre Zähne, umklammerte ihren Kiefer und ließ sie los. Daran erinnerte sie sich nachher, als sie schon auf dem Stuhl stand. Er hatte sie losgelassen und sich gebückt und von einer Rolle graues Klebeband abgerissen. Sie hatte ihm zugesehen, den Ball im Mund. Dann hatte er das Band über den Ball geklebt. Dann hatte er sie gepackt und auf den Stuhl gestellt, wie eine Puppe. Wie Katinka ihren Bären auf den Boden stellte, wenn sie mit ihm schimpfte, oder den Elch, um ihn zu streicheln.

WAS TUST DU MIT KATINKA?

Er. Nicht. Laut. Ihr Fuß.

Ihr Fuß stand auf der Lehne, seine Hand umklammerte ihren Knöchel.

»Und jetzt den anderen Fuß«, sagte er.

Sie schüttelte den Kopf und hörte sofort damit auf. Das Seil schnitt tiefer in ihren Hals. Wenn der Stuhl umkippte, würde sie sich erhängen. Er packte ihren rechten Knöchel und zog das Bein nach außen, zur Lehne hin. Der Stuhl war ein Klappstuhl aus Holz, aber er hatte keinen festen Stand, vielleicht von der Sonne verzogen.

»Ich halt dich fest«, sagte er.

Das stimmte. Er hielt sie an den Beinen fest. Damit sie nicht umkippte, so krumm, wie sie dastand.

»Und hopp!« sagte er.

Er setzte ihren Fuß auf die Lehne und schaute zu ihr hinauf und starrte ihren rosafarbenen Slip an und ihren Busen; und wieder den Slip und wieder den Busen. Dann blickte er zum Haken an der Decke, an dem das Seil verknotet war, und in ihr nasses Gesicht; lange; eine Minute. Dann ließ er sie los.

Sie stand auf den gebogenen Stuhllehnen, den Kopf eine Handbreit unter der Decke, die Schlinge fest um ihren Hals gezurrt. Und er setzte sich auf den Stuhl, zwischen ihre Beine, und lehnte sich zurück, die Hände flach auf den Oberschenkeln.

»Was tust du mit Katinka?« sagte er mit leiser Stimme.

Alle kamen pünktlich. Innerhalb von fünfzehn Minuten trafen Neidhard Moll, Esther Barbarov, Gesa Mehling, Liz Sinkel, Micha Schell, Georg Ohnmus, Walter Gabler, Emanuel Feldkirch und Sigi Nick im Haus ein. Sie wurden von Valerie Roland begrüßt, die bereits zwanzig Minuten vor sieben Uhr erschienen war, um in Ruhe die Berichte, die Polonius Fischer in der Nacht getippt hatte, sowie die Faxe der Spurensicherung zu kopieren und zu verteilen, ebenso die sechs Tageszeitungen, von denen das Kommissariat drei abonniert hatte. Die übrigen drei, die die Abteilung nicht über das Präsidium abrechnen konnte, brachte Valerie jeden Morgen mit; auch für diese Ausgaben gab es in Weningstedts Büro ein Hartplastikschwein.

Nachdem Oberkommissar Micha Schell, der Kaffeebeauftragte für den Monat August, die Tassen verteilt hatte, begann am langen Tisch die erste Besprechung, während einen Stock tiefer die Sekretärin einen Anruf nach dem anderen entgegennahm.

»Fingerspuren en masse«, sagte Silvester Weningstedt und sah von den zwei kopierten Faxblättern auf. »Leider verläuft die Abgleichung bisher negativ, das kann sich noch ändern. Du hast vermutlich recht, P-F, Profis sind nicht beteiligt.«

Sowohl Weningstedt als auch Fischer hatten vor dem Eintreffen ihrer Kollegen eine kalte Dusche genommen – in den Büroräumen standen ihnen zwei Badezimmer zur Verfügung – und für ein paar Minuten sämtliche Fenster geöffnet; von draußen wehte Blütenduft herein, der Himmel war bewölkt, aber es regnete nicht mehr. Im Gegensatz zu Fischer hatte Weningstedt seine Krawatte noch nicht wieder umgebunden.

Neidhard Moll stellte die Kaffeetasse hin und räusperte sich. »Über die Zahl der Täter können die Kollegen noch keine Angaben machen.«

»Ja«, sagte Walter Gabler. »Aber am Schrank haben sie dieselben Spuren wie am Gitter gefunden, keine sonstigen frischen Abdrücke, das deutet auf einen einzigen Täter hin.«

»Warum?« fragte Liz, die, wie Fischer bei der Begrüßung aufgefallen war, nicht mehr das blaue Band am Handgelenk trug. »Der zweite Täter könnte Handschuhe getragen haben.«

»Warum?« fragte Fischer zurück.

»Vielleicht weil er bei uns registriert ist.«

Das Telefon klingelte. Valerie stellte einen Anruf aus dem Pathologischen Institut durch, und Weningstedt schaltete die Mithöranlage ein.

»Moin, moin«, sagte Dr. Justus Dornkamm. »Nudis verbis: eine Paketschnur, doppelt um den Hals geschlungen, kein Strick, kein Seil, eine simple Paketschnur. Nicht gerissen. Und sie lag direkt auf der Haut auf, kein Versuch, die Tat zu ka-schieren. Eingedenk der Größe und des Gewichts der Frau war die Schnur nicht länger als zehn Zentimeter; die Frau hing frei in der Luft, schlug mit den Beinen an einen Gegenstand, das haben wir schon in der Tiefgarage festgestellt. Kein Zwei-fel an vitalem Erhängen. Fremde Haare auf der Haut, die DNA wird gerade ermittelt. Sind brauchbare Fingerspuren gefunden worden?«

»Ja«, sagte Weningstedt. »Aber sie sind nicht im Compu-ter.«

»Täter ohne Handschuhe? Kann ich bestätigen: Kratzspu-ren an der Schulter, am Hals, unter den Achseln, eindeutig Fingernägel. Der Täter hat die tote Frau abgehängt und getra-gen, geschleppt. Ist die Kleidung schon analysiert?«

»Nein.«

»Außerdem Spuren von Filz im Mund, möglicherweise ein Ball, er war mit einem Klebeband fixiert, eindeutige Spuren im Gesicht, am Mund, auf den Wangen. Die Frau war an den Händen gefesselt, das haben Sie im Keller sehen können, und zwar am Rücken, dieselbe Paketschnur, vermute ich, Sie wer-den es bald von Ihren Kollegen erfahren. Todeszeit: fünfund-dreißig bis vierzig Stunden vor der Auffindung, das heißt Frei-tag abend.«

»Können Sie etwas über die Art der Schlinge aussagen?« fragte Weningstedt.

»Eine einfache Schlinge, vielleicht eine Lassoschlinge, die kann jeder.«

»Dr. Dornkamm?«

»Ja?«

»Ist es sicher, daß die Frau erhängt wurde?« fragte Liz Sin-kel. »Könnte sie sich nicht selbst getötet haben?«

»Sie war gefesselt. Es gibt keinen Grund und keinen Hin-weis darauf, daß sie erst nach ihrem Tod gefesselt wurde. Ich habe keine Mikrofaser an ihren Händen gefunden, sie hatte die Schnur definitiv nicht in der Hand. Also hat sie es nicht selber getan. Diese Frau ist ermordet worden.«

»Wäre es möglich, daß ihr Tod ein Versehen war?«

»P-F? Grüß Gott. Ihre Frage ist interessant, Sie meinen, jemand wollte der Frau Angst einjagen, indem er ihr eine Schlinge um den Hals legt und ... Das habe ich vergessen zu erwähnen, meine Zettelwirtschaft ist heute noch weit jenseits meines schlechten Rufs. Die Füße der Frau, Spuren von Verstrebungen; sie hat nicht auf einer planen Fläche gestanden, also auf einer Kiste oder etwas Ähnlichem, eher auf einem Stuhl. Unter uns und ohne Zeugen würde ich sagen: auf einem Gartenstuhl aus Holz, ich habe Partikel von brauner Farbe gefunden, Details folgen; es ist möglich, daß wir noch ein Imprägnierungsmittel herausfiltern, was wiederum für ein Gartenmöbel sprechen würde. Also, P-F, zurück zu Ihrer Frage: Jemand wollte die Frau einschüchtern, und dann hat sie sich in Panik erhängt? Es gibt keinen Hinweis, dies auszuschließen, vielmehr deuten die Abschürfungen und Verletzungen am Nacken, am Hals, an den Knöcheln darauf hin, daß eine immense Gegenwehr im Moment des Erhängens stattfand. Die Frau wurde von so heftigen Zuckungen geschüttelt, daß sie den Ball ausspuckte, sie hat sich tief in die Zunge gebissen, was mit dem Ball im Mund nicht möglich gewesen wäre. Vielleicht entspricht Ihre Vermutung der Wahrheit.«

»Trug sie eine Kapuze oder etwas, das ihr Gesicht verdeckte?« fragte Micha Schell.

»Keine Spuren«, sagte Dr. Dornkamm.

Nach dem Gespräch betrachteten die Kommissare eine Weile wortlos die Fotos vom Tatort. Dann einigten sie sich darauf, die Tochter der Toten zur Fahndung auszuschreiben, die Polizeiinspektionen der Stadt und des Landkreises zu informieren und ein Foto des Mädchens bei der Pressekonferenz am Nachmittag im Präsidium zu verteilen – sofern sie in der Wohnung ein brauchbares Bild fanden.

Wieder fuhren zunächst Esther Barbarov und Micha Schell zum Nothkaufplatz; später sollte Fischer nachkommen, der vorher eine Reihe von Gesprächen führen mußte, von denen er hoffte, sie würden nicht zu viel Zeit in Anspruch nehmen und seine Schritte vom innersten Kreis um den Fundort der Leiche zum nächsten, nach außen strebenden Ring beschleunigen.

Doch schon das erste Gespräch konfrontierte ihn mit einem alltäglichen Grauen. Gleichgültigkeit.

»Ich hab mich gemeldet, ich mach meine Aussage, fertig!« sagte Heiner Sobeck. »Muß das Ding da hängen?«

»Stört Sie das Kruzifix?«

»Ist das hier ein Beichtstuhl?«

»Nein.«

»Ich hab nichts zum Beichten, ich hab nur gesagt, daß ich die Frau aus der Zeitung kenn.«

»Die Mutter Ihrer Tochter.«

»Sagen wir so: ja, aber mehr nicht. Schreiben Sie das alles mit?« Er hatte sich zu Valerie Roland umgedreht, die mit ihrem Laptop am ovalen Bistrotisch saß.

»Ja«, sagte Fischer. »Sie haben sich bereit erklärt, als Zeuge auszusagen, und ich habe Sie belehrt, daß Sie dazu verpflichtet sind.«

»Ich laß mich ungern belehren, hab ich das schon gesagt?«

»Noch nicht«, sagte Fischer. »Wann haben Sie Frau Schubart zum letztenmal gesehen?«

»Vor vier Jahren ungefähr.«

»Wie alt war Ihre Tochter damals?«

»Keine Ahnung. Drei.«

»Und jetzt ist sie sieben.«

»Moment.« Er starrte vor sich hin, dann sagte er: »Genau. Die ist jetzt sieben. Die Zeit vergeht. Katinka. Peinlich. Ich hab zu ihr gesagt, so ein Name ist doch Wahnsinn für ein Kind. Aber.« Er machte eine wegwerfende Handbewegung. »Was geht's mich an?«

»Bezahlen Sie Unterhalt für Ihre Tochter?«

»Nein.«

»Warum nicht?«

»Geht Sie das was an? Ich hab mich freiwillig gemeldet, ich leg hier nicht meine finanziellen Verhältnisse offen. Meinen Getränkehandel führ ich steuerlich korrekt, für die Lieferungen ins Haus hab ich zwei Mitarbeiter, für die zahl ich Abgaben. Ich hab als Ich-AG angefangen, und jetzt hab ich eine Wir-AG. Wenn Sie es genau wissen wollen: Die Nele wollt mein Geld nicht. Hab ich gesagt: Ist mir recht und tschüß. Wir waren eh nicht verheiratet, sie war alleinerziehend, von Anfang an.«

»Ihre Tochter haben Sie seit damals nicht mehr gesehen.«

»Nein«, sagte Sobeck laut. Dann schaute er zu dem Kreuz in der Nische und wippte mit dem rechten Bein. »Jetzt: Sie haben mich belehrt, das ist anscheinend Ihre Pflicht, und es wird alles protokolliert, bin ich einverstanden, ich hab nichts zu vertuschen, aber Sie: Die Nele ist tot in dem Schrank gelegen, so steht's in der Zeitung, aber was nicht drin steht, ist: wie tot? Ist sie erstickt? Ist sie erschossen worden? Erwürgt? Erschlagen? Das steht nirgends. Wieso verheimlichen Sie das?«

»Wir kennen die Todesursache noch nicht«, sagte Fischer.

»Also ist sie nicht erschossen worden, das würd man ja sehen.«

»Sie ist nicht erschossen worden.«

Sobeck drehte den Kopf, warf Valerie einen Blick zu. »Sie hat immer schon die falschen Typen gekannt.«

Fischer unterließ eine Anspielung. »Können Sie mir einen Namen nennen?«

»Ich kenn doch die nicht! Die sind doch mir egal. Wir waren drei Jahre zusammen, brutto, in Wirklichkeit wahrscheinlich ein Jahr. Als die Kleine auf die Welt gekommen ist, hat Nele keine Zeit mehr gehabt, für uns, für den Sex, wir haben getrennt gewohnt, war mir recht. Später hab ich rausgekriegt, daß sie einen anderen hatte, der hat sie eingeladen, der hat Klamotten für das Kind gekauft. Hab ich sie zur Rede gestellt. Sie hat alles zugegeben. Dann hat sie sich wieder eingekriegt, und wir haben noch eine gute Zeit gehabt, im Bett und sonst auch. Außerdem war die Kleine meine Tochter. Aber ich hab mich schwergetan, das geb ich zu. Ich hab Maurer gelernt, ich war gut, aber dann hat's uns weggeschwemmt, als die Osteuropäer eingefallen sind, die haben für zehn Euro auch am Wochenende malocht. Ich nicht, ich hab ein Selbstwertgefühl. Arbeitslosengeld, nick ich ab. Aber eine Lösung ist das nicht. Also hab ich mich selbständig gemacht. Aber mit Kind im Rücken – schwierig.«

»Sie waren froh, daß Nele Schubart keinen Unterhalt von Ihnen wollte.«

»Auch. Ich hab keinen Draht zu dem Kind gefunden. Was wird jetzt aus der Kleinen? Kommt die ins Heim? Wo ist die jetzt?«

»Sie sind der Vater«, sagte Fischer. »Sie könnten sie zu sich nehmen.«

Sobeck wippte abwechselnd mit beiden Beinen. An seiner Stirn zerrten Gedanken. Er stöhnte, wischte sich übers Gesicht, dann schnellte sein Kopf in die Höhe. »Keine Chance! Ist mein Kind, ja, aber: ist auch ein fremdes Kind. Adoptiveltern: wunderbar, beste Lösung. Ich bin der Falsche, glauben Sie's mir, wenn ich so ein Kind erziehen müßt, das wär für beide ein Kreuz.« Er zeigte aufs Kruzifix und nickte.

»Was haben Sie als erstes gedacht, als Sie heute morgen den Bericht über Ihre tote Exfreundin gelesen haben?«

»Als erstes?« Er betrachtete die Innenfläche seiner rechten Hand. »Scheiße, hab ich gedacht, Scheiße, weil jetzt ruft garantiert gleich die Bullerei an. Und dann hab ich beschlossen, selber anzurufen.«

»Wegen des Selbstwertgefühls«, sagte Fischer.

»Was?«

Nachdem Sobeck den Computerausdruck durchgelesen und unterschrieben und das Kommissariat verlassen hatte, blieb Fischer noch eine Minute allein in seinem Vernehmungsraum sitzen, sah in den Flur hinaus und dachte wieder an die grüne Hose des Mannes, der mit Nele Schubart in dem chinesischen Lokal in der Nähe des Hauptbahnhofs gegessen hatte. Manchmal biß er sich an aberwitzigen Details fest.

Dann konzentrierte er sich auf seinen Montagspsalm und rezitierte ihn auswendig mit stiller Stimme.

»Hättst nicht zu murmeln brauchen«, sagte Valerie Roland, die vor der Tür gewartet hatte, bis er sich bekreuzigte. »Ekelhafter Kerl, der Sobeck. Das Mädchen kann froh sein, daß sie nicht bei ihm leben muß. Wie schaffst du das nur, bei solchen Leuten nicht aus der Haut zu fahren?«

»Wie komme ich dann wieder rein?« sagte Fischer, lächelte und stand auf.

Im Flur ertönte die Stimme von Neidhard Moll. Die Hausverwaltung hatte ihm mitgeteilt, zu welcher Wohnung der Stellplatz in der Tiefgarage gehörte.

Bis Polonius Fischer seine Arbeit fortsetzen konnte, vergingen zwei Stunden; der Mieter war nicht zu erreichen, und Liz Sinkel mußte erst mehrere Netzanbieter anrufen, um seine nicht eingetragene Handynummer zu erfahren; dieser Aufwand nahm vierzig Minuten in Anspruch, weil die Firma ein schriftliches Dokument verlangte. Also schickte Liz ein Fax mit dem offiziellen Papier des Polizeipräsidiums und der Unterschrift ihres Vorgesetzten und ließ sich mit dem Verantwortlichen verbinden. »Sie behindern die Ermittlungsarbeit der Kripo«, sagte sie und gab den Namen des Mannes in ihren Computer ein. Der Mann meinte, er folge lediglich den gesetzlichen Bestimmungen, worauf Liz ihn fragte, ob es zutreffe, daß er mit Alkohol am Steuer erwischt worden und sein Führerschein noch bis Ende des Jahres eingezogen sei. Was das eine mit dem anderen zu tun habe, wollte der Mann wissen und verlangte ihren Chef zu sprechen; bevor Liz das Gespräch an Weningstedt weiterleitete, wiederholte sie, daß die mutwillige Behinderung von Polizeiarbeit strafbar sei und sie sich wieder bei ihm melden werde. Weningstedt beendete die Diskussion innerhalb einer Minute und verlor gegenüber Liz kein Wort darüber; allerdings erstaunte ihn – nicht zum erstenmal – die Gesetzesverbissenheit der jungen Oberkommissarin. Nach ihrer Überzeugung hätte der Rechtsstaat den Strafverfolgungsbehörden die größtmöglichen Freiheiten einräumen sollen. Andererseits – und das rührte den Ersten Kriminalhauptkommissar beinah – reagierte Liz Sinkel auf die Kaltblütigkeit und Dummheit von Gewaltverbrechern nach wie vor mit geradezu kindlicher Fassungslosigkeit.

»Wir haben eine Lehrerin aus der Grundschule in der Guardinistraße ausfindig gemacht«, flüsterte sie Fischer zu, der den Telefonhörer zwischen Schulter und Wange geklemmt hatte und mit zwei Fingern seine Notizen in den Computer tippte. Er gab ihr ein Zeichen, sich auf den Stuhl vor seinem Schreibtisch zu setzen; dieser Stuhl stand immer bereit, wenn er als Sachbearbeiter für einen Fall zuständig war.

»Seit zwei Monaten?« fragte Fischer und drückte den Knopf an der Telefonanlage, so daß Liz mithören konnte. Der zweite Schreibtisch im Zimmer war verwaist; Walter Gabler, der normalerweise dort saß, befragte gemeinsam mit Gesa Mehling die ehemaligen Kollegen von Nele Schubart im Kaufhaus am Rotkreuzplatz.

»Seit dem achtundzwanzigsten Juni.«

»Und Sie fliegen regelmäßig nach Mallorca.«

»Muß ich. Wer macht sonst meinen Laden in Palma?«

»Sie haben gesagt, Sie hätten zwei Mitarbeiterinnen.«

»Mitarbeiterinnen. Ja …«

Fischer reichte Liz einen Zettel, auf den er einen Namen geschrieben hatte: »Franz Wohlfahrt«. Hatte der Unsympath aus dem vierten Stock also recht gehabt, dachte Liz. Dann nahm sie einen Kugelschreiber aus dem blauen Stifteglas und notierte auf der Rückseite des Zettels: »Frau von … anrufen!«

»Das sind zuverlässige Frauen«, sagte Wohlfahrt. »Aber manche Kunden sind gerissen, sehr ausgekocht, die handeln wie die Weltmeister, und ich verkaufe wertvollen Schmuck und Uhren, da ist mein Spielraum gering. Besser, ich bin selber vor Ort, und, wie gesagt, seit zwei Jahren leb ich praktisch auf der Insel und komm nur noch selten nach Deutschland.«

»Und Sie vermieten in der Zwischenzeit Ihre Wohnung in der Heiglhofstraße nicht unter?«

»Das darf ich gar nicht. Ich bin ein normaler Mieter, wenn das rauskäme, flieg ich, und das möcht ich nicht riskieren.«

»Sie haben mir erzählt, Sie haben eine Ausbildung als Juwelier abgeschlossen«, sagte Fischer. »Und dann führten Sie fünfzehn Jahre mit einem Kompagnon ein Schmuckgeschäft in Schwabing, offenbar erfolgreich. War das nicht riskant auszusteigen und auf Mallorca, wie Sie sich ausgedrückt haben, noch mal neu durchzustarten? Mit Anfang Fünfzig?«

»Eigentlich nicht.«

»Warum nicht? Hatten Sie so viel Geld gespart?«

»Nein.«

Während Wohlfahrt schwieg, hielt Fischer den Hörer zu. »Wo wohnt die Lehrerin?«

»In der Daiserstraße«, sagte Liz.

»Kann sie herkommen?«

»Sie hat ein gebrochenes Bein, der Gips ist schon runter, aber sie humpelt noch, hat sie am Telefon gesagt.«

»Ist sie die Leiterin der Grundschule?«

»Nein. Die Leiterin ist verreist, genauso wie die andere Lehrerin, die Katinka unterrichtet. Es sind große Ferien.«

»Sag ihr, ich rufe sie in zehn Minuten an.«

»Willst du einen Kaffee?«

Fischer schüttelte den Kopf. Liz ging in ihr Büro auf der anderen Seite des Flurs.

»Bleibt das vertraulich?« fragte Wohlfahrt.

»Was denn?«

»Was ich Ihnen jetzt sage.«

»Nein.«

Nach einem erneuten Schweigen sagte Wohlfahrt: »Ich hab im Lotto gewonnen. Knappe zweihunderttausend. Fünf Richtige mit Zusatzzahl. Leider war ich nicht der einzige Gewinner, und der Jackpot war auch nicht besonders voll. Ist aber auch nicht schlecht, oder, was sagen Sie?«

»Das Geld haben Sie in Ihr neues Geschäft investiert?«

»Ja, unauffällig. Sie sind der einzige Mensch, der von meinem Gewinn weiß, außer den Leuten bei der Lotterie und einem alten Freund, der total verschwiegen ist. Ich hab's niemandem erzählt, das bringt ja nichts. Mein Plan ist, noch in diesem Jahr meine Zelte endgültig abzubrechen und mich ganz auf der Insel niederzulassen. Und nach der Geschichte mit der toten Frau ... In meinem Keller!«

»Und der Schrank und die anderen Sachen gehören nicht Ihnen?« sagte Fischer.

»Ehrlich nicht! Ich war ewig nicht mehr da unten, ich hab

kein Auto in Deutschland. Das Zeug steht noch vom Vormieter da, wie gesagt.«

»Und der Mann heißt Sacher.«

»Genau, wie der Kuchen, Willi oder Wilfried oder Wilhelm, hab ich vergessen.«

»Es hilft nichts, Herr Wohlfahrt, Sie müssen herkommen.«

»Das geht nicht! Jetzt ist August, Hochsaison, ich kann unmöglich weg, ich hab Ihnen eh alles gesagt.«

»Sind Sie sicher, daß niemand einen Schlüssel zu Ihrer Wohnung hat?«

»Sie sind gut! Wer denn? Ich hab keine Pflanzen zum Gießen und Haustiere auch nicht.«

»Wann können Sie hiersein, Herr Wohlfahrt?«

»Das ist wirklich ganz schlecht, Herr Filser.«

»Fischer.«

»Entschuldigung. Wann? Sie sind gut! Und was ist, wenn das mit meinem Lottogewinn doch noch rauskommt? Ich will das nicht.«

»Warum soll das rauskommen? Wir brauchen Sie als Zeugen.«

»Was soll ich denn bezeugen? Der Schrank gehört mir nicht, und ich geh nie in die Tiefgarage, das schwör ich Ihnen!«

»Ich kann Ihnen den Flug nicht ersparen«, sagte Fischer.

»Außerdem hab ich überhaupt keine Zeit, mich um eine Buchung zu kümmern, die Maschinen sind alle voll zur Zeit.«

Es blieb Franz Wohlfahrt nichts übrig, als zu versprechen, spätestens am nächsten Nachmittag in der Burgstraße einzutreffen und sich auch den Mittwoch für weitere Befragungen freizuhalten.

Nach seinem Ferngespräch beauftragte Fischer seine Kollegin Liz mit einer Flughafenrecherche; sie sollte ausschließen, daß Wohlfahrt zwischen dem Abend des vergangenen Freitags – der vermuteten Tatzeit – und dem letzten Sonntag in der

83

Stadt gewesen und dann erst nach Mallorca geflogen war. Weil er den Juwelier zunächst nur auf dem Handy erreicht hatte, hatte Fischer sich dessen spanische Festnetznummer geben lassen, um sicherzugehen, daß Wohlfahrt sich im Moment auch tatsächlich im Ausland aufhielt.

Als Fischer an seinen Schreibtisch zurückkehrte, rief Micha Schell aus der Wohnung am Nothkaufplatz an. »Wir haben einen Kalender mit ein paar Telefonnummern gefunden, aber kein Adreßbuch. Das Kinderzimmer sieht bei Tag noch ordentlicher aus als in der Nacht, null Hinweis auf den Verbleib des Mädchens. Nachbarn sagen, sie ist still und verschlossen, angeblich sieht man sie selten draußen. Die Kollegen sind da und kleben das Schlafzimmer ab, sie hoffen, daß sie Abdrücke finden, die mit denen aus der Tiefgarage übereinstimmen.«

»Hast du die Telefonnummern schon angerufen?«

»Noch nicht«, sagte Schell. »Eine ist mir aufgefallen, sechzehnter Februar, das ist die einzige, bei der etwas dabeisteht: Ost-West.«

»Ost-West?«

»Bleib mal dran.«

Fischer legte den Hörer auf den Tisch und wartete. Außer ihm hielten sich nur noch Weningstedt, Neidhard Moll, Liz und – ein Stockwerk tiefer – Valerie Roland im Haus auf; die übrigen Kollegen würden erst zur zweiten Besprechung um dreizehn Uhr von ihren Recherchen zurückkehren.

»P-F?« Mit dem Handy seiner Kollegin Esther hatte Schell die Nummer aus Neles Kalender gewählt. »Das ist eine Pension, das Ost-West-Hotel in der Landwehrstraße. In der Gegend warst du doch heut nacht.«

»Gemeinsam mit Liz«, sagte Fischer. »Ich schicke eine Streife hin.« Dann rief er in der Zentrale der Bereitschaftspolizei an; zwei Streifenpolizisten sollten in der Burgstraße ein

Foto der Toten holen und es den Angestellten und Gästen der Pension zeigen. Falls sie die Frau schon einmal gesehen hatten, würden sie vielleicht den Mann beschreiben können, mit dem Nele Schubart im *Blue Dragon* gewesen war. Das Lokal lag nur wenige hundert Meter vom Hotel entfernt.

Endlich hatte Fischer Zeit für die Lehrerin Silvia Mangold.

Der Motor des Mopeds, dessen Fahrer sich am Straßenrand mit einer Frau unterhielt, kam ihm über die Maßen laut vor; aber er konnte auf keinen Fall zurück in sein Geschäft gehen, weil Rita eine Kundin bediente und Evelin im Werkstattbüro eine Armbanduhr reparierte. Er mußte sein Telefongespräch auf dem Bürgersteig fortsetzen, nachdem er drei Stunden vergeblich versucht hatte, seinen Freund zu erreichen.

»Und wenn deine Freundin was quatscht?« sagte Franz Wohlfahrt ins Handy und hielt sich mit dem Zeigefinger das linke Ohr zu. »Du mußt ihr einschärfen, daß sie diese Wohnung sofort vergessen soll, verstanden?«

»Sie sagt nichts! Was spinnst denn du?«

»Da ist doch bestimmt Presse überall! Eine tote Frau auf meinem Garagenplatz! Ich will meine Ruhe! Hast du deiner Gespielin was von meinem Lottogewinn erzählt?«

»Natürlich nicht. Ich denk doch nicht dauernd an deinen Lottogewinn, ist doch schon ewig her.«

»Das ist eine ganz blöde Situation für mich.«

»Das versteh ich, Franz. Wir müssen beide den Mund halten, das hat doch bisher gut geklappt.«

»Der Kommissar hat mich gefragt, ob noch jemand einen Schlüssel für meine Wohnung hat, ich hab nein gesagt.«

»Beruhig dich, Franz. Du hast nichts getan, und mich fragt keiner.«

»Dieses Moped macht mich wahnsinnig!« Er warf einen Blick in sein Geschäft: Die Kundin stand am Fenster und hielt einen Ring gegen das Licht; er winkte ihr zu, und sie schien mit dem Schmuckstück zufrieden zu sein.

»Ich muß dir was gestehen, Franz.«

»Bitte nicht.«

»Wir haben dein Bett beschmutzt. Ich hab die Bettwäsche mitgenommen und in einen Waschsalon gebracht, du kriegst sie natürlich wieder.«

»Die Bettwäsche ist mir egal! Sonst noch eine Katastrophe? Sag's mir lieber, man kann nie wissen, womöglich will die Polizei meine Wohnung durchsuchen.«

»Wieso denn?«

»Weiß ich doch nicht! Du bist dir also sicher: Du kennst die tote Frau nicht?«

»Nein.«

»Warst du unten im Keller?«

»Was soll ich da?«

»Wenn das rauskommt mit dem Lottogewinn!« sagte Wohlfahrt und streckte den Mittelfinger in die Luft, als der Mopedfahrer endlich Gas gab und verschwand, während die Frau ihm hinterherwinkte. »Dann bin ich fällig. Und wenn's ganz dumm läuft, kriegen sie mich wegen Steuerhinterziehung dran. Dieser Kommissar, hoffentlich ruft der nicht beim Finanzamt an ...«

»Dafür hat er keine Zeit, er muß den Mord aufklären.«

»Hoffentlich. Wie läuft's bei dir im Moment?«

»Viel besser als im Frühjahr.«

»Gratuliere. Und wie geht's deiner Frau?«

»Sehr gut. Ich muß wieder los, Franz.«

»Ich sag dir was, ich bin froh, daß es nicht deine Freundin war, die da in meinem Keller lag.«

Sie hatte ihren Hunger vergessen. Als der Mann, den sie Papa nennen mußte, was aber nicht schlimm war, vom Telefonieren zurückkam, hielt sie ihm das Brot mit dem Schinken und dem Salat hin und sah wieder aufs Meer hinaus, bis zum Horizont, wo schon zwei Schiffe aufgetaucht und wieder verschwunden waren; sie hatte ihnen zugewinkt, und der Papamann hatte gesagt, die Schiffe könnten sie auf die Entfernung nicht erkennen. Das stimmte nicht, woher wollte er das wissen? Er hatte eine dunkle Brille auf und schaute dauernd woandershin, als wäre ein Geist hinter ihm her.

Die Schiffe haben mein Winken genau gesehen, stimmt's, Toni?

6

Die Frau an der Grenze

»Das kann man so nicht sagen.«

»Dann sagen Sie es anders.«

»Das klingt so negativ.«

»Es waren Ihre Worte«, sagte Polonius Fischer.

»Nein«, sagte Silvia Mangold. »Ich habe davon gesprochen, daß sie oft abwesend ist, in sich versunken.«

»Sie haben gesagt, Katinka verweigert jegliche Zuwendung.«

»Ja, aber nicht im Sinne von abschotten oder aggressiver Abwehr. Sie bleibt gern für sich.«

»Und das fällt Ihnen schwer zu akzeptieren.«

»Natürlich! Einen Moment. Jetzt ist es besser. Ich muß mein Bein hochlegen, sonst hab ich wieder Schmerzen. Zum Glück ist der Gips ab. Ich bin eine absolut ministeriumsfreundliche Lehrerin, wenn ich krank werde oder mir die Haxen breche, dann nur in den Ferien, am ersten Schultag bin ich wieder fit.«

»Erinnern Sie sich an den letzten Schultag vor den Ferien?«

»Katinka war nicht da. Sie war angeblich krank, wieder mal.«

»Haben Sie mit ihrer Mutter gesprochen?«

»Nein, ich nicht. Frau Ebersfeld, die Schulleiterin, hat mit Frau Schubart telefoniert, sie hat mir nur die Meldung weitergegeben. Wir sind ja verpflichtet, zu Hause anzurufen, wenn ein Kind nicht auftaucht.«

»Und Sie sind sich sicher, daß Sie nie Verletzungen oder Wunden bemerkt haben?«

»Katinka ist immer hübsch angezogen, sie macht beim Turnen mit, sie ist körperlich vollkommen normal, nur halt still und zurückgenommen, und sie läßt sich nicht gern anfassen.«

Seit fast dreißig Minuten redete Fischer mit der Grundschullehrerin. Er hatte sich zwei Namen von Mädchen notiert, mit denen Katinka anscheinend enger befreundet war, und versucht, einen Hinweis auf das Verschwinden und einen möglichen Fluchtort der Siebenjährigen herauszuhören. Doch alles, was er erfuhr, lenkte ihn nur ab. Wenn er ehrlich zu Silvia Mangold gewesen wäre, hätte er ihr sagen müssen, daß das Gespräch für ihn keinen Sinn ergebe und ihm für Spekulationen die Zeit fehle. Mochte ja sein: Katinka war verschlossen und abweisend. Mochte ja sein: Sie sonderte sich ab. Mochte ja sein: Sie sah oft blaß und übermüdet aus, zeigte aber ansonsten keine Auffälligkeiten oder Anzeichen häuslicher Gewalt. Mochte alles sein. Was wirklich mit ihr los war, wußte die Lehrerin nicht, und auch die Schulleiterin würde es nicht wissen, und Katinkas Freundinnen würden mit der Schulter zucken und sagen, sie sei ganz normal, halt etwas verklemmt. Natürlich würde Fischer seine Kollegin Gesa Mehling zu den Familien der Mädchen schicken – falls diese nicht verreist waren – und die üblichen Mutmaßungen ins Ermittlungsprotokoll mit aufnehmen.

Wie fast immer – das ahnte er an diesem Montag vormittag, nachdem er das Telefonat mit der Lehrerin beendet hatte – würden seine Erkenntnisse auch im Fall Schubart am Ende nicht auf mitmenschlicher Genauigkeit und auf dem Triumph des guten Schauens über das schlechte basieren, sondern einzig und allein auf der ernüchternden Wirkung getippter Fakten, die das Leben und Sterben ohne Ansehen der Person in eine gerichtsverwertbare Beweismasse verwandelten.

»Die Zahnbürste fehlt«, sagte Esther Barbarov am Telefon. »Die der Mutter ist da, aber die des Mädchens können wir nicht finden. Außerdem steht hier nur eine Zahnpastatube für Erwachsene. Dazu paßt, daß im Schrank des Kinderzimmers offenbar Sachen fehlen, Unterwäsche. Im Gegensatz zu den anderen ist dieser Stapel umgekippt, ein paar Hemdchen und T-Shirts liegen kreuz und quer, als habe jemand in aller Eile was zusammengesucht.«

»Die Nachbarn haben nichts beobachtet?« fragte Fischer.

»Nichts. Weder die Nachbarn im Haus noch andere Leute, die wir befragt haben. Ein lauschiges Viertel. In manchen Gärten stehen riesige Nadelbäume, überhaupt viel Grün, meist Ein- und Zweifamilienhäuser, Bänke, Tischtennisplatten, Ligusterhecken, Obstbäume, Sträucher, Rasenflächen, bemalte Zäune, farbige Fensterläden, hier könnt ich leben.«

»Wir müssen also davon ausgehen, daß das Mädchen gemeinsam mit seiner Mutter die Wohnung verlassen hat.«

»Unwissen«, sagte Esther in Anspielung auf ihren Chef.

»Ich würde gern mit Micha sprechen.«

»Ja. Wir sind um eins zurück. Treffen wir uns alle mit dir?«

»Das ist mein Plan.« Fischer winkte Liz, die an der Tür wartete, in sein Büro und sprach wieder ins Telefon. »Micha, was ist mit den Nummern, die du gefunden hast?«

»Du kriegst gleich Besuch«, sagte Schell. »Zwei Freunde von Nele Schubart, zwei ihrer Liebhaber, einen von ihnen hat sie in der vergangenen Woche getroffen.«

»Wann?«

»Am Montag. Eine der Nummern gehört der Freundin, die heut nacht bei uns angerufen hat, dann einmal das Kaufhaus, ein Nagelstudio, bis jetzt nichts Entscheidendes.«

»Habt ihr ein brauchbares Foto des Mädchens gefunden?«

»Wir haben eines mit ihr und ihrer Mutter. Die Kollegen haben es abfotografiert, sie bringen es dir innerhalb der nächsten Stunde vorbei. Was war mit dem Hotel in der Landwehrstraße?«

»Die Kollegen haben sich noch nicht gemeldet.«

»Kommst du zu uns raus?«

»Nach der Mittagsbesprechung.«

»Essen wir gemeinsam? Sehr gut. Inklusive Lesung?«

»Vielleicht.«

»Ich bin dafür!«

Dann saßen Fischer und Liz sich gegenüber und tranken Kaffee. Durch die offenen Türen hörten sie das Telefon im zweiten Stock klingeln und Valeries gedämpfte, gleichbleibend ruhige Stimme.

Als Fischer die Spitze seiner Krawatte zwischen Daumen und Zeigefinger nahm und damit auf sie zeigte, sagte Liz: »Wohlfahrt ist nicht am Wochenende nach Mallorca geflogen. Und die Adresse seines Vormieters hab ich auch ausfindig gemacht; sein Vorname ist nicht Willi oder Wilhelm, sondern Winfried, Winfried Sacher, gelernter Schuhmacher.«

»Und wo wohnt er?«

»Schwer zu sagen. Dafür bist du zuständig.« Sie zögerte und zog die Brauen hoch. »Er ist tot, verunglückt bei einem Zusammenstoß auf der Autobahn, am siebenundzwanzigsten April.«

»Und wofür bin ich zuständig?«

»Für den Himmel oder die Hölle.«

»Bin ich Gott?«

»Glaubst du daran?«

»Nein.«

Fischer fand, ihr Schauen war nicht anders als ungläubig zu nennen.

»Bist du deswegen rausgeflogen?«

»Ich bin nicht rausgeflogen, das habe ich dir gestern schon erklärt, ich bin freiwillig gegangen, so wie ich freiwillig eingetreten bin.«

»Du glaubst nicht an den Himmel?« Sie legte ihren Schreibblock auf die Knie und beugte sich vor. »Das glaub ich dir nicht, P.-F.«

»Ich glaube an den Himmel«, sagte Fischer. »Aber die Idee von Himmel *und* Hölle kam mir immer merkwürdig und viel zu melodramatisch vor.«

Sein Telefon klingelte.

»Dich hätt ich gern mal in der Kutte gesehen«, sagte Liz.

»Kutten tragen nur Bettelmönche, was wir haben, nennt man Habit.« Er griff zum Telefonhörer.

»Du hast *haben* gesagt statt *hatten*.«

»Vergangenheitspräsens«, sagte Fischer.

»Ja, ja.« Liz stand auf und klopfte mit dem Kugelschreiber auf die Oberkante des Blocks. »Wie lang bist du jetzt schon raus?«

»Grüß Gott, Kollege«, sagte Fischer ins Telefon, schrieb eine Zahl auf einen Zettel und reichte ihn Liz. »Niemand? Was ist das für ein Hotel? Ja. Könnt ihr das Foto der Frau bitte in ein paar Geschäften vorzeigen? Vielleicht hat sie in einem der türkischen Läden eingekauft.«

Dann legte er den Hörer auf. Er neigte den Kopf nach links, dachte nach, neigte den Kopf nach rechts, sah Liz an, die im Stehen ungefähr so groß war wie er im Sitzen. »Ja, bitte?«

Liz betrachtete den Zettel mit der blauen, krakeligen 18 darauf.

»So lang schon«, sagte sie. »Aber du hast trotzdem *haben* gesagt. Wann machst du die Vernehmungen mit den Nachbarn in Hadern?«

Wieder klingelte sein Telefon. »Ich mache keine Vernehmungen, das weißt du doch, ich führe Gespräche. Ja?« sagte er in den Hörer und hörte kurz zu, bevor er aufstand und sein Sakko anzog, das er über die Lehne des dritten Stuhls im Zimmer gehängt hatte.

»Das hab ich nicht gewußt«, sagte Liz. »Was ist der Unterschied zwischen einer Vernehmung und einem Gespräch?«

»Im Ergebnis hoffentlich keiner. Ein Freund der Frau ist gekommen, sie haben sich letzte Woche getroffen, und ich warte auf einen zweiten Freund.«

»Darf ich dabeisein?«

»Ich führe meine Gespräche allein, hast du das vergessen? Kannst du bitte die Anrufe entgegennehmen, solange Valerie beschäftigt ist?«

»Ja«, sagte Liz. Sie wollte etwas hinzufügen. Dann ließ sie Fischer an sich vorbeigehen. Sie lächelte, als er sich im niedrigen Türstock bücken mußte. Gespräche! dachte sie, schön wär's!

Aber es waren Gespräche, die Polonius Fischer in seinem speziellen Raum führte oder wenigstens zu führen versuchte. Er stellte eine Frage, und wenn er keine Antwort erhielt, sondern sein Gegenüber sich im Dickicht einer Abschweifung verhedderte oder absichtlich ein anderes Thema wählte, hörte er zu und änderte die Art seiner Fragen. Was er selten tat, war, über einen längeren Zeitraum hinweg zu schweigen; er duldete auch bei Zeugen kein unnötiges Schweigen. Was nicht daher kam, daß er Weningstedts Überzeugung teilte, Schweigen sei ein Zeichen von Schuld und die Wahrheit dulde keine Widersprüche, weshalb ein Unschuldiger niemals Angst vor unbedachten und vorschnellen Äußerungen zu haben brauche; gerade die Wahrheit vereinigte in Fischers Augen sämtliche Schattierungen der absonderlichsten Gegensätze.

Der Grund, warum er ausgedehntes Schweigen ablehnte, hing mit dem Übermaß an Stillsein zusammen, in das er seine Demut vor Gott gebettet hatte und das ihm Jahr für Jahr schwerer gefallen war, vor allem da seine Demut auf unheimliche Weise an Leuchtkraft verlor und dieses Empfinden ihn wie eine Todsünde belastete.

Außerdem war Schweigen kompliziert zu protokollieren.

Nach anfänglichem Sprudeln versiegte der Sprechfluß von Eduard Knapp. »Freunde, wie Sie sich ausdrücken, sicher hat sie Freunde ... gehabt, Freunde, die ihr nahestehen, ist doch verständlich, sie ist nicht verheiratet ... gewesen ... Ich hab heut noch keine Zeit gehabt, in die Zeitung zu schauen, deswegen war ich total fertig, als Ihr Kollege mich angerufen hat. Wir schichten grad um im Laden, die alten Anrufbeantworter müssen raus, die Leut wollen nur noch digitale Ware, ist ja logisch ... Freunde, sicher ...«

Valeries Finger verursachten ein rhythmisches Klacken auf der Tastatur des Laptops.

»Wir wissen, wo Sie sich getroffen haben, und wann und wie oft«, sagte Fischer. »Und Frau Schubart hat am letzten Montag, heute vor einer Woche, keine Andeutungen gemacht, was sie im Lauf der Woche vorhat?«

Knapp schüttelte den Kopf.

»Wo waren Sie am Wochenende?«

»Bitte?« Er drehte seine Hände, vollführte vage Gesten, schnippte mit Daumen und Mittelfinger. »Ich?« Er betrachtete seine Fingernägel und verschränkte die Arme. »Das ist, glaub ich, meine Privatsache.«

»Selbstverständlich«, sagte Fischer.

Sie saßen sich an dem viereckigen Tisch gegenüber. Knapp versteifte seinen Oberkörper und sah dem Kommissar mit harter Miene in die Augen. »Ich hab mit dem Tod von Nele nichts zu tun. Am Wochenende war ich privat unterwegs, und wenn Sie ein Alibi von mir wollen, schreib ich Ihnen die Adresse meines Anwalts auf, an den können Sie sich dann wenden. Okay?«

»Danke«, sagte Fischer. Er drehte den unlinierten Block, den er für seine Notizen benutzte, herum und legte den Kugelschreiber daneben. »Schreiben Sie mir bitte den Namen, die Adresse und die Telefonnummer des Anwalts auf, dann drukken wir in der Zwischenzeit Ihre Aussage aus, Sie lesen sie durch und unterschreiben sie, wenn alles paßt.«

Knapp saß reglos da; dann zuckten seine Mundwinkel. »Sonst haben Sie aber schon genug zu tun?«

»Es wird nicht weniger.« Valerie begegnete Fischers Blick mit ihrer professionellen Gleichmütigkeit, die sie abrufen konnte, wann und in wessen Gegenwart auch immer sie diesen Raum betrat. Fischer bewunderte ihre Gabe, in Anwesenheit auch des lautesten und aggressivsten oder eines vor Verzweiflung heulenden oder die widerlichsten Einzelheiten auskotzenden Zeugen hinter ihrem aufgeklappten Laptop zu verschwinden, als würde sie unsichtbar. Für diese Arbeit, die zu den verantwortungsvollsten, innerlich aufwendigsten und zeitintensivsten Pflichten einer Assistentin bei der Kriminalpolizei zählte, erhielt sie offiziell keinen Cent extra – abgesehen von der Summe, die ihr Silvester Weningstedt auf jeder Weihnachtsfeier überreichte, deren Höhe außer ihm niemand kannte und die Valerie oder er nie verrieten; in das dritte Hartplastikschwein im Büro des Chefs steckte jeder Ermittler einen Geldschein, wenn er wegen langwieriger Vernehmungen Valeries Kapazitäten über Gebühr beanspruchen mußte.

»Jetzt mal peu à peu«, sagte Knapp. Er drehte kurz den Kopf zur Tür, wo Valerie saß. »Kein Streß. Wir sind doch erwachsene Leute. Am Samstag war ich mit einem Freund beim Billard in der Nähe des Sechzigerstadions, danach waren wir unten im Glockenbachviertel bis drei Uhr morgens, dann sind wir nach Hause, jeder für sich und ohne Begleitung. Am Sonntag war ich beim Fußball an der Isar, wir waren mindestens zu zehnt, am Nachmittag war nichts, und abends bin ich mit einem Freund bei einem neuen Japaner in der Innenstadt zum Essen gewesen, die Straße hab ich vergessen, ich müßt aber die

Quittung noch haben, weil ich bezahlt hab, ich kann das ab-
setzen. Das können Sie mir glauben.«

»Und am Freitag?«

»Am Freitag hab ich bis achtzehn Uhr gearbeitet, dann bin
ich heim, hab geduscht und bin ins Floriansstüberl zum Kar-
tenspielen, das ist gleich bei mir ums Eck. Da war ich bis um
eins, und dann bin ich ins Bett, allein. Ich hab Nele angerufen,
sie war aber nicht da.«

»Wann haben Sie sie angerufen?«

»Ich hab nicht auf die Uhr geschaut, gegen neun.«

»Sie haben bei ihr zu Hause angerufen, am Nothkaufplatz.«

»Wo?«

»In ihrer Wohnung in Hadern.«

»Die Nummer hab ich nicht, ich war da auch nie; wir haben uns immer bei mir getroffen, sie wollte das so. Ich hab ihr
Handy angerufen.«

Bei der Leiche hatten die Ermittler kein Mobiltelefon gefunden. Inzwischen kannten sie die Nummer, aber der Anschluß
war tot; vermutlich hatte der Täter das Handy verschwinden
lassen.

»Warum hat Frau Schubart Sie nie zu sich nach Hause mitgenommen?«

»Hab ich sie auch gefragt. Sie sagt, es ist aufregender für
sie, außerdem kann sie dann gehen, wann sie will. Ist schon in
Ordnung.«

»Hat sie Ihnen von ihrer Tochter erzählt?«

»Was?« Wieder wandte Knapp sich kurz um. »Eine Tochter? Nele hat ein Kind? Das ist das erste, was ich hör. Wie alt?«

»Sieben.«

»Spinnst! Im Ernst?«

»Sie hat sie nie erwähnt?«

»Niemals! Deswegen konnt ich nicht mit zu ihr, wegen dem

Kind! Verständlich. Verstehe. Ein Kind. Die hat überhaupt nicht so gewirkt, als hätt sie ein Kind. Sowas müßte man doch merken. Oder? Wenn eine Frau Mutter ist, das merkt man doch.«

»Sie haben es nicht bemerkt«, sagte Fischer.

»Das stimmt. Wieso nicht? Ein Kind! Wie alt? Sieben? Und der Vater, wo ist der? Ist sie verheiratet?«

»Nein, sie lebte getrennt vom Vater ihres Kindes.«

Knapp wedelte wieder mit den Händen, legte die Finger übereinander, tippte sich an die Stirn. »Hat der ein Alibi?«

Als Fischer aufstand, sagte Ewald Knapp: »Frauen gibt's! Unverstehbar!«

Für den dreiundsechzigjährigen Max Ebert führte Nele Schubart ein Grenzleben. Auf Nachfragen Fischers zögerte der Fahrlehrer, bevor er mit halb geschlossenen Augen seine Sicht darlegte. »Zum Beispiel gab sie zu, Gerüche schwer zu ertragen. Sie behauptete, ihr würde schwindlig werden, wenn sie sich zu lange in einem Raum mit bestimmten Duftschwaden aufhält. Nasengift nannte sie es. Und nun arbeitet sie in einer Parfümerie, zumindest in der Parfümabteilung eines Kaufhauses. Nicht daß es dort übermäßig stinkt, aber die Frauen sprühen sich ein, wenn sie eine Marke ausprobieren, wir Männer auch. Dort steht sie also den ganzen Tag, sechs Tage in der Woche und atmet Nasengift ein. Warum? Warum hat sie das getan? Ich habe sie gefragt, aber sie konnte mir keine plausible Antwort geben. Sie hat eine Tochter. Ich frage sie, wo ist die jetzt? Wenn wir uns trafen. Sie sagt, zu Hause. Ich sage: Allein? Und sie sagt: Sie ist gern allein. Meiner Einschätzung nach hat sie sich – und das ist ein höflicher Ausdruck – nicht besonders leidenschaftlich um das Kind gekümmert. Wenn ich unhöflich sein würde? Dann würde ich sagen, das Kind war ihr egal. Sie hat dafür gesorgt, daß es pünktlich in die Schule kommt und immer saubere Sachen anhat und die Hausaufgaben anständig erledigt, das war alles. Das hat sie zugegeben. Ich sage nicht, sie hat schlecht über das Kind gesprochen, und ich glaube auch nicht, daß sie es schlecht behandelt hat. Sie konnte nur nichts mit dem Mädchen anfangen. Aber sie wollte unbedingt ein Kind, sie sagte, damals war sie Ende Zwanzig und dachte, das wäre genau die richtige Zeit, um Mutter zu werden. So ähnlich. An das Gespräch erinnere ich mich noch. Gleichzeitig wollte sie nicht heiraten. Hat sie dann ja auch nicht getan. Sie wollte frei sein. Und ich weiß, daß ich nicht ihr einziger Liebhaber war, was mich manchmal gekränkt hat, gebe ich zu. Jetzt tut es mir leid, jetzt werde ich sie vermissen. Habe ich Ihnen ja schon gesagt, ich bin seit acht Jahren geschieden, und es fällt mir nicht leicht, Frauen anzusprechen, schon gar nicht die jüngeren, und was soll ich machen? Die alten ansprechen? Nele war fast dreißig Jahre jünger als ich, das war am Anfang schwierig, ich fühlte mich geschmeichelt, in gewisser Weise, und ich gab mir Mühe. Im Bett. Und sonst. Aber es hat gedauert, bis ich den Eindruck hatte, sie nimmt mich ernst und probiert nicht nur aus, wie das so ist mit einem alten Knacker. Gesund bin ich, das muß ich auch sein in meinem Beruf. Wenn Sie den ganzen Tag den Leuten das Autofahren beibringen, da dürfen Sie nicht schwächeln, allein schon wegen der Radfahrer, die aus allen Ecken hervorschießen und keine Rücksicht auf uns Autofahrer nehmen. Und so weiter. Nein, sie kam immer zu mir, in meine Wohnung, ich weiß gar nicht, wo sie wohnt, sie hat es mir gesagt, aber ich habe es vergessen. Nothkaufplatz? Nie gehört. Ich wohne, wie gesagt, in der Volkartstraße, und das war natürlich enorm praktisch, so kam sie oft nach der Arbeit noch schnell vorbei, von ihrem Kaufhaus bis zu mir sind es zu Fuß nicht mal zehn Minuten. Sie kam oft, zwei Stunden, dann mußte sie nach Hause, ihre Tochter wartete auf sie. Die Arme. Sie fuhr mit der U-Bahn, soweit ich weiß, hatte sie kein Auto. Sparsam war sie, das muß ich sagen, nicht geizig, sie schaute eben aufs Geld, ist verständlich in ihrer Situation. Aber: Wenn sie ein schönes neues Kleid haben wollte, hat sie es gekauft, sofort. Einerseits und andererseits. So war ihr Leben. In letzter Zeit wirkte sie auf mich etwas niedergeschlagen, erschöpft, ausgemergelt, sie hatte abgenommen und weniger Freude als früher an Champagner und Wein, aber sie hatte immer noch Spaß im Bett, und sie war wirklich eine wunderbare Verführerin. Trotzdem. Trotzdem hatte sie sich verändert, und sie weigerte sich, es zuzugeben. Vielleicht merkte sie es nicht, das wäre möglich. Seit zwei Monaten habe ich sie nicht mehr gesehen. Ich habe ihr auf die Mailbox gesprochen, ohne Resonanz. Ich bin nicht aufdringlich, ich dachte, sie wird sich schon wieder melden. Hat sie nicht getan. Und jetzt, heute, kommt es mir vor, als wäre ich fast drei Jahre mit einer fremden Frau ins Bett gegangen. Das beunruhigt mich, muß ich Ihnen gestehen.«

Am vergangenen Freitag, dem Tag des Verbrechens, hatte Max Ebert den ganzen Nachmittag über Fahrstunden und zwischen neunzehn und einundzwanzig Uhr Unterricht in Theorie gegeben.

Heiner Sobeck dagegen hatte kein überzeugendes Alibi.

»Braucht er eines?« fragte Silvester Weningstedt.

Seiner Aussage zufolge hatte Katinkas Vater seinen freien Nachmittag am Nacktbadestrand verbracht, danach in einem nahen Biergarten eine Maß Bier getrunken und ein Hendl mit Kartoffelsalat gegessen und war gegen zwanzig Uhr in seinen Getränkehandel zurückgekehrt, um mit einem seiner beiden Mitarbeiter die Hauslieferungen zu erledigen.

»Er hätte sie also treffen können«, sagte Fischer.

»Hältst du das für wahrscheinlich?«

»Nein. Seine Fingerabdrücke, die die Kollegen vor meinem

Gespräch mit ihm genommen haben, passen bisher nicht zu denen in der Tiefgarage. Er hat kein Motiv, aber er bleibt auf der Liste.«

»Feldkirch hat vorhin angerufen«, sagte Weningstedt. »Sie waren in den Geschäften rund um die Heiglhofstraße, ein Supermarkt, eine Apotheke, auch eine Pizzeria et cetera. Niemand hat die Frau wiedererkannt. Sie reden alle über den Mord, taugliche Gerüchte sind noch nicht aufgetaucht.«

Liz kam herein. »Kein Zweifel: Nele Schubart hatte kein Auto. Ich hab Micha angerufen und ihn gefragt, ob irgendwo ein Moped oder ein Fahrrad rumsteht. Es gibt ein Kinderfahrrad, sonst nichts. Wann die Frau – allein oder mit ihrem Kind – das Haus verlassen hat, wissen sie immer noch nicht. Niemand hat was gesehen, und sie haben anscheinend schon fast fünfzig Anwohner befragt. Ich versteh das nicht, Glotzen ist doch die Hauptbeschäftigung vieler Leute, aber wenn's darauf ankommt, sind sie blind.«

»Was ist mit den Eltern?« fragte Fischer.

Weningstedt nickte, wählte eine Nummer und drückte den Knopf der Mithöranlage.

»Ja?« sagte eine Frau am anderen Ende mit brüchiger Stimme.

»Frau Bliß? Weningstedt, Kriminalpolizei noch mal. Sind Sie inzwischen vollzählig?«

»Ja. Gibt es schon Hinweise?«

Ihre Stimme war kaum zu verstehen, es hörte sich an, als halte sie sich ein Taschentuch vor den Mund.

»Mein Kollege, Herr Fischer, und meine Kollegin, Frau Sinkel, sind in einer halben Stunde bei Ihnen. Bitte versuchen Sie sich zu konzentrieren, versuchen Sie nur auf die Fragen meiner Kollegen zu antworten und, wenn es Ihnen möglich ist, nicht zu viele eigene Fragen zu stellen. Meine Kollegen bleiben so lange bei Ihnen, wie Sie möchten. Frau Bliß?«

»Ja?«

Im Hintergrund war ein Husten zu hören, eine flüsternde Stimme.

»Möchten Sie, daß meine Kollegen einen Arzt mitbringen, einen Psychologen, der Ihnen beisteht?«

»Nein, das ist nicht nötig. Danke, Herr … Wir warten dann auf Ihre Kollegen.«

»Könnte ich kurz mit Ihrem Mann, verzeihen Sie, mit dem Vater Ihrer Tochter sprechen?«

Liz war bereits an der Tür, um aus ihrem Büro ihre Jacke und ihren Schreibblock zu holen. Sie blieb stehen und drehte sich noch einmal um.

»Hier Dr. Schubart«, sagte der Mann ins Telefon.

»Weningstedt. Wie geht es Ihnen?«

»Wir sind hier alle unfähig, miteinander zu reden, wir haben jeder einen Obstler getrunken, ist das erlaubt?«

»Das ist kein Problem. Wer ist bei Ihnen?«

»Margarete, Neles Mutter, ihr Mann und meine Frau, wir haben uns seit Jahren nicht mehr zu viert getroffen. Und nun.«

»Möchten Sie psychologischen Beistand, Herr Doktor? Die Mitarbeiter unseres Interventionsteams sind sehr erfahren, in keiner Weise aufdringlich.«

»Das ist freundlich von Ihnen. Nein, wir bemühen uns. Haben Sie neue Informationen für uns?«

»Es gibt Anhaltspunkte, wir tasten uns vorwärts. Wir hoffen, bald einen konkreten Hinweis auf den Aufenthaltsort Ihrer Enkelin zu finden, wir sind zuversichtlich. Der Tag ist noch lang.«

Nach dem Telefonat ging Weningstedt zum Fenster, öffnete es und atmete die kühle Luft ein. Weißgraues Licht lag über der Stadt. Unten in der Burgstraße, schräg gegenüber der Mordkommission, bestaunte eine Gruppe Touristen das Haus, in dem Mozart seine Oper »Idomeneo« komponiert hatte; als eine der Frauen auf das ehemalige Falkenhaus zeigte und die anderen ihrem Blick folgten, schloß Weningstedt das Fenster und rieb sich die Brust.

»Du siehst müde aus«, sagte Fischer.

»Und dir hängen die Augenringe bis zu den Knien.«

Als Fischer das schmiedeeiserne Tor an der Eingangstür hinter sich schloß, sah Liz ihn mit ernster Miene an. »Ich war noch nie bei einer Angehörigenbefragung so kurz nach dem Fund der Leiche dabei.«

»Das weiß ich.«

»Wie soll ich mich verhalten?«

»Keine Warum-Fragen«, sagte Fischer.

»Warum?« fragte Liz und hielt sich wie ein erschrockenes Kind die Hand vor den Mund.

»Keine Fragen, die eine Stellungnahme herausfordern, keine Fragen, die du auch als Nichtfragen formulieren kannst, keine Suggestivfragen, keine rhetorischen Fragen, keine provozierenden Fragen, keine Fragen, die nur deiner Neugier dienen, keine Fragen, die du nicht sofort zurücknehmen kannst, wenn du auf Ablehnung oder Unverständnis stößt, keine Gegenfragen natürlich. Und keine Warum-Fragen deshalb, weil Warum in so einem Zusammenhang einen unhöflichen Unterton hat.«

Bevor sie in den Dienstwagen stiegen, fragte Liz: »Was bleiben dann noch für Fragen übrig?«

»Solche, die die Hoffnung vergrößern«, sagte Fischer und hielt ihr die Beifahrertür auf.

Niemand, der mich beachtet

Die beiden Frauen saßen auf der Couch. Gregor Bliß, der Ehemann von Neles Mutter, hatte im Sessel Platz genommen und wuchtete seine einhundertdreißig Kilo in die Höhe, als Dr. Jan-Erich Schubart die Besucher ins Zimmer führte. Liz roch die Ausdünstungen von Schnaps, nickte wortlos und hoffte, Fischer würde das Wort ergreifen. Das tat er.

Er stellte seine Kollegin und sich vor, übermittelte das Beileid der Mordkommission und bat die beiden Männer, sich wieder zu setzen. Ein Getränk lehnte er, auch im Namen von Liz, ab, bestand aber darauf, daß seine Kollegin sich auf einen der zusätzlich bereitgestellten antiken Stühle setzte, während er stehen blieb. Die stuckverzierte Decke der Altbauwohnung war hoch, so daß Fischers Größe nicht schon auf den ersten Blick einschüchternd wirkte. Allerdings glaubte er nach kurzer Zeit ein gewisses Unbehagen bei den Familienmitgliedern wahrzunehmen; er kam sich wie ein Lehrer oder Dozent vor, der durch sein bloßes Dastehen eine Distanz, eine unaufdringliche, aber spürbare Form von Überlegenheit herstellt. Also setzte er sich, ohne im Sprechen innezuhalten, neben Liz und schlug die Beine übereinander.

»Und deshalb müssen Sie Geduld haben, vor allem Vertrauen, in uns, in unsere Spezialisten. Sie denken vielleicht, wir wären dadurch, daß wir ständig mit Verbrechensfällen konfrontiert sind, unempfänglich geworden für das Schicksal des einzelnen. Nein. Wir versuchen unsere Arbeit so gut zu machen, wie wir können, aber wir wissen, daß wir nicht immer perfekt sind. Wir legen unsere ganze Erfahrung in jeden einzelnen Fall und sind doch immer wieder überrascht über das Ausmaß der Finsternis, die manche Menschen in sich tragen. Ich sitze hier bei Ihnen, als wäre ich ganz am Anfang meines Weges als Kriminalbeamter, und das entspricht zum Teil durchaus der Wahrheit: Ich weiß nichts von Ihnen, ich habe diese Wohnung vorher noch nie betreten, wir kennen uns nicht, wir begegnen uns zum erstenmal in einem Moment, der so intim und so unfaßbar schmerzhaft ist, daß kein Fremder Sie stören dürfte. Und doch ist es meine Pflicht, in Ihren Kreis einzudringen, Ihnen Fragen zu stellen und Sie mit einem Leben zu konfrontieren, das für alle Zeit ausgelöscht ist. Bevor wir offiziell beginnen, möchte ich einige Verse aus den Psalmen sprechen, und ich bitte Sie, mich nicht nach Erklärungen zu fragen. Schließen Sie bitte die Augen.«

Verwirrt sah Liz ihn an. Er lächelte, und sie schloß die Augen. Während er den Psalm rezitierte, betrachtete er seine Hände, die er, die Innenflächen nach oben, auf dem rechten Knie übereinandergelegt hatte. »Mit lauter Stimme schreie ich zum Herrn, laut flehe ich zum Herrn um Gnade. Ich schütte vor ihm meine Klagen aus, eröffne ihm meine Not. Wenn auch mein Geist in mir verzagt, du kennst meinen Pfad. Auf dem Weg, den ich gehe, legten sie mir Schlingen. Ich blicke nach rechts und schaue aus, doch niemand ist da, der mich beachtet. Mir ist jede Zuflucht genommen, niemand fragt nach meinem Leben. Herr, ich schreie zu dir, ich sage: Meine Zuflucht bist du, mein Anteil im Land der Lebenden. Vernimm doch mein Flehen, denn ich bin arm und elend. Meinen Verfolgern entreiß mich, sie sind viel stärker als ich. Führe mich heraus aus dem Kerker, damit ich deinen Namen preise. Die Gerechten scharen sich um mich, weil du mir Gutes tust.«

Nach einem Schweigen sagte Fischer: »Sie dürfen die Augen wieder öffnen.«

Margarete Bliß und Freya Schubart tasteten nach ihren

Händen, sie schämten sich deswegen vor dem Kommissar. Dann vergaßen sie ihre Scham.

»Danke«, sagte Dr. Schubart. »Stellen Sie Ihre Fragen, Sie beide sind die Gerechten.«

»Ihrer toten Tochter können nur Sie selbst gerecht werden«, sagte Fischer. Es entging ihm nicht, wie dieser Satz die weinende, die Hand ihrer Freundin mit beiden Händen umklammernde Mutter in Unruhe versetzte.

»Wie meinen Sie das?« Ihre Stimme klang so verhuscht wie bei ihrem Anruf in der Mordkommission.

»Erinnern Sie sich, wann Sie Nele zum letztenmal gesehen haben?«

Niemand antwortete.

Liz hielt ihren Block in der einen und den Kugelschreiber in der anderen Hand und hoffte, sie könnte ihre Abwesenheit verbergen; die Art, wie Fischer die Befragung begonnen hatte, beschäftigte sie immer noch derart, daß die Bruchstücke des Psalms, die in ihrem Kopf nachklangen, keinen Raum für die Aussagen der Angehörigen ließen. Sie zwang sich, Margarete Bliß auf den Mund zu starren, um ihre Worte wenigstens halbwegs zu verstehen.

»Das ist … zwei Jahre her, nicht? Länger sogar …« Sie sah ihren Mann an, der leise keuchte und den Blick starr auf den Tisch gerichtet hatte, auf dem eine Schnapsflasche und sechs Gläser standen; in der Mitte lag eine braune Ledermappe. Dann ließ sie die Hand der Frau neben sich los. »Jetzt sind Sie enttäuscht.«

»Und wann haben Sie Ihre Tochter zuletzt gesehen, Herr Doktor?« fragte Fischer.

»Kurz nach der Geburt meines Enkelkindes.« Schubart saß gegenüber von Gregor Bliß im Sessel, aufrecht, die Arme verschränkt, ohne eine Spur von Anteilnahme. Im Gegensatz zu Bliß trug er keine schwarze, sondern eine goldgelbe Krawatte;

wenn er beim Sprechen stockte und nachdachte, nestelte er am Knoten und rückte ihn zurecht. »Das ist her, wie lange?« Er überlegte, warf seiner Exfrau einen Blick zu, aber sie reagierte nicht. »Sieben Jahre. Dieses Jahr im Mai bin ich siebzig geworden, sie schrieb mir eine Karte, immerhin. Ich hatte sie eingeladen, sie lehnte ab zu kommen. Sie ist eine erwachsene Frau.«

Als Fischer den Kopf bewegte, beeilte sich Liz, die Aussage des Mannes zu protokollieren, erschrocken über Fischers Reaktion, der aber, wie sie jetzt bemerkte, seine Aufmerksamkeit nicht auf sie, sondern auf Gregor Bliß richtete. »Kennen Sie Nele?«

»Sehr flüchtig«, sagte Margarete Bliß anstelle ihres Mannes. »Er hatte Anfang des Jahres eine schwere Magenoperation, eigentlich sollte er zu Hause sein und sich schonen, aber ich habe ihn gebeten, mich zu begleiten, ich fühlte mich ... Es war ein Schock, das Foto in der Zeitung, die Anrufe der Polizei ... Mein Mann kannte meine Tochter kaum, wir haben uns zwei- oder dreimal getroffen, vor Jahren, unser Kontakt war allgemein ... distanziert. Nicht?«

»Vor vier Jahren hab ich mich aus dem Berufsleben verabschiedet«, sagte Dr. Schubart. »Ich bin Zahnarzt, wie Sie wissen, ich bin Eigentümer der Praxisräume, eine Kollegin arbeitet dort, die früher meine Urlaubsvertretung war, eine junge, gebildete Ärztin, die eine Zeitlang in Amerika und Japan gelernt hat, gut. Es war ein einschneidendes Ereignis, mein Abschied, dreißig Jahre, mein Lebenswerk, das kann ich anders nicht ausdrücken. Ich habe die Praxis unter schwierigen Bedingungen über die erste Zeit gebracht, wir hatten Probleme mit dem Hausbesitzer, nach einem halben Jahr wollte ich kapitulieren, weil wir eine Baustelle nach der anderen direkt vor dem Haus hatten, auf demselben Stockwerk wurde eine Wohnung komplett renoviert, solche Dinge. Das ist Ver-

gangenheit. Was ich damit ausdrücken will: Ich hätte mich gefreut, wenn meine Tochter den Tag des Abschieds von meiner
Tätigkeit als praktizierender Zahnarzt mit mir, mit uns geteilt
hätte. Sie war verreist. Mit Kind und Freund, das mußte sein,
da gab es kein Umbuchen. Sie war auf Zypern, wenn ich mich
nicht täusche.«

»Auf Ceylon«, sagte Margarete Bliß leise.

»Ceylon, schön. Das ist nur ein Beispiel.« Er ließ den Knoten seiner Krawatte los und wandte den Kopf ab. Als er wieder
in die Runde blickte, wirkte er so kontrolliert wie zuvor. »Ich
möchte mich bei Ihnen noch einmal für die ungewöhnlichen
und eindringlichen Worte bedanken, Herr Fischer. Damit haben wir nicht gerechnet, niemand von uns hat Erfahrung mit
der Kriminalpolizei. Wir wußten nicht, wer Sie sind, und Sie
hatten recht: Man denkt, Sie würden lediglich Ihre Fragen
abhaken und dann wieder gehen. Schließlich sind Sie nicht für
die Betreuung von Familienangehörigen zuständig, sondern
für die Ergreifung des Täters. Leider können wir Ihnen nicht
helfen. Es ist unsere Tochter, die auf diese unvorstellbare Art
gestorben ist, und wir werden uns mit großer Sorgfalt um alles
kümmern und ihr eine würdevolle Beerdigung ermöglichen.
Aber sie ist uns auch fremd, sehr fremd geworden.«

Margarete Bliß senkte den Kopf. Ihre Tränen fielen auf das
weiße Stofftaschentuch, das sie im Schoß umklammerte.

»Sie lebte hier in München«, sagte Schubart. »Und wir hatten doch keinen Kontakt. Du hast sie mal angerufen, aber sie
hat nie zurückgerufen.« Unvermittelt hatte er sich an seine
Frau gewandt. Freya Schubart brauchte einen Moment, bis sie
begriff, daß sie gemeint war.

»Ja«, sagte sie zu ihm und sah dann Fischer an. »Sogar
mehrmals hab ich sie angerufen, das weißt du gar nicht.« Diesmal geriet ihr Mann für einen Augenblick in Verwirrung. »Ich
hätt gern mit ihr einen Kaffee getrunken und ein wenig mit ihr

gesprochen. Sie ist genauso alt wie meine Tochter aus erster Ehe, die lebt heute in England, weil sie dort verheiratet ist und einen Job als Hotelfachfrau hat. Wir haben auch wenig Kontakt, aber ich bin jedesmal in der Seele froh, wenn ich ihre Stimme am Telefon hör oder wenn sie einen Brief schreibt. Sie ist meine Tochter. Und Nele gehört auch zur Familie, und ich wollt immer verstehen, warum sie so ist, wie sie ist, warum sie das Kind partout allein großziehen will, warum sie als Verkäuferin arbeitet, obwohl sie ein Biologiestudium begonnen hat und eigentlich in die Forschung gehen wollt ...«

»Gerede«, sagte Schubart. »Sie hat nie ernsthaft studiert.«

»Welche Interessen hatte Nele?« fragte Fischer.

»Das weiß niemand.« Der Zahnarzt strich mit dem Daumen über den Knoten seiner Krawatte. »Männer. Frei sein, was immer das bedeuten sollte. Was ist das für ein Freisein, wenn man zehn Stunden in einem Kaufhaus steht und sich von Kunden dumm anreden lassen muß? Sie hatte nie wirklich ein Interesse. In der Schule hatte sie gute Noten, weil sie begabt war, das Lernen fiel ihr leicht, sie machte Abitur mit einskommaneun. Großartig. Und wozu? Um als Verkäuferin in einem Kaufhaus zu enden. Als alleinerziehende Mutter. Fünfunddreißig ist sie alt geworden!« Seine Stimme wurde lauter. »Meine Exfrau hat die Geburtsurkunde mitgebracht.« Er nickte zu der braunen Ledermappe auf dem Tisch. »Im Frühjahr ist sie fünfunddreißig Jahre alt geworden. Und was für ein jämmerliches Ende.« Er beugte sich vor, streckte den Arm aus, um nach der Mappe zu greifen, hielt in der Bewegung inne, stand mit einem Ruck auf, verließ das Zimmer und sperrte sich im Bad ein.

Fischer ließ das Schweigen eine halbe Minute lang dauern. »Sie sind die dritte Ehefrau von Dr. Schubart«, sagte er zu Freya.

»Ja. Mit seiner zweiten Frau war er nur zwei Jahre verheiratet, das war wohl ein Irrtum.«

»Warum?« fragte Liz. Es war zu spät, sich den Mund zuzuhalten; das Wort war aus ihrem Mund gesprungen, als wäre es dort eingesperrt gewesen. In Erwartung eines Hagelsturms aus Blicken bog sie den Körper zur Seite, aber Fischer tat, als habe er nichts gehört.

»Sie war zu jung«, sagte Freya Schubart. »Zu jung und zu oberflächlich. Haben Sie Rückenschmerzen?«

»Warum?« fragte Liz schon wieder. Mit einem Schulterzukken setzte sie sich aufrecht hin. Und als sie aus Versehen den Kopf drehte, bemerkte sie ein winziges Lächeln unter der Geiernase ihres Kollegen.

»Oberflächlich«, wiederholte Liz, um etwas zu sagen.

»Eine Fotografin, freiberuflich, kaum älter als seine eigene Tochter. Ich glaube, er weiß bis heut nicht genau, warum er sich auf diese Frau eingelassen und sie auch noch geheiratet hat.«

»Kannte sie Nele?« fragte Fischer.

»Weiß ich nicht. Weißt du's?«

Margarete Bliß neben ihr schüttelte den gesenkten Kopf.

»Unser Kollege Weningstedt, der Leiter der Mordkommission«, sagte Fischer, »hat Ihnen mitgeteilt, Frau Bliß, wo wir den Leichnam Ihrer Tochter gefunden haben und daß Nele stranguliert wurde. Kennen Sie die Gegend, den Stadtteil, die Heiglhofstraße?«

Sie tupfte sich die Augen ab, seufzte und hob schwerfällig den Kopf. Verglichen mit Freya Schubart, wirkte sie im gelblichen Schein der Deckenlampe, der sich mit dem grauen Tageslicht mischte, gebrechlich, verzurrt, vom Alltag besiegt. Mehrmals öffnete sie den Mund, stumm. »Ich war im Klinikum. Wie weit ist das ... von dem Haus entfernt?«

»Fünf Minuten.«

»Fünf Minuten. Hab ich mir gedacht, so etwa ... Eine Zystenoperation, mein Mann kennt einen Arzt dort, deswegen ...

Sonst? Nein, ich weiß nicht, was sie da gemacht hat. Ist ihre Wohnung nicht in der Nähe?«

»Im gleichen Stadtteil«, sagte Fischer. »Waren Sie mal in der Wohnung Ihrer Tochter?«

»Nicht drin«, sagte Margarete. Sie sah zum Flur; kein Geräusch kam aus dem Badezimmer. »Davor. Sie hatte mir geschrieben, daß sie umzieht und wohin, sie hat die Wohnung in Hadern über eine Kollegin bekommen, die ist da ausgezogen, weil sie sich scheiden ließ. So war das.«

»Sie sind heimlich dort gewesen.«

»Heimlich, nicht mal mein Mann weiß davon.«

In das Schweigen hinein sagte Fischer: »War Nele ein schwieriges Kind?«

»Hehe«, machte Margarete, verzog aber keine Miene, sondern griff wieder nach der Hand ihrer Freundin. »Das ist lustig, daß Sie das fragen. Gregor, mein Mann, hat mich das nämlich auch schon oft gefragt, ob Nele ein schwieriges Kind gewesen ist, ob wir sie falsch erzogen haben und sie deswegen so geworden ist. Wie sie war. Das ist komisch, weil … Sie war nie schwierig, Jan-Erich kann das bestätigen, sie hat immer alles gemacht, was man ihr auftrug. Immer. Auch in der Pubertät. Braves Mädchen. Und immer gute Noten, das haben Sie gehört, sie hat ordentlich ihre Hausaufgaben gemacht, sie war aufmerksam im Unterricht, sie meckerte nicht rum wie andere Kinder, sie hat wenig geweint, als kleines Mädchen ab und zu, später kann ich mich nicht erinnern, das war nicht ihre Art. Überhaupt ging sie nicht hausieren mit ihren Gefühlen, sie war immer ansprechbar, sie schottete sich nicht ab wie andere Mädchen in der Pubertät. Und an Jungen hatte sie wenig Interesse. Sie hatte aber Verehrer, das weiß ich noch, sie haben ihr Schallplatten geschenkt und Videokassetten, auch Blumen, die cleveren unter den Jungs. Hat nichts gebracht. Wann sie ihren ersten Freund hatte, weiß ich gar nicht mehr, da war sie, glaube ich, schon ausgezogen und hat studiert. Eine Spätzünderin. Sie war nicht schwierig. Da hätten Sie mal die Ingrid oder die Maxi erleben sollen, nur Schminke und kurze Röcke im Kopf, und immer bei den Jungen, bei den Eltern nur Contra. Davon war unsere Nele weit entfernt. Wir konnten immer gut miteinander sprechen. Jan-Erich war stolz auf seine Tochter und ihre Leistungen und ich auch. Direkt nach dem Abitur ist sie ausgezogen, in eine Wohngemeinschaft, hat ihr eine Freundin vermittelt. Wir waren etwas baff, mein Mann und ich, sie hatte den Auszug längst organisiert und kein Wort gesagt. Sie zog aus und war weg. Und war weg.«

Und ohne Freyas Hand loszulassen, schrie es aus ihr heraus: »Und jetzt hat sie sich umbringen lassen! Und wer kümmert sich jetzt ums Kind! Und wer ist schuld? Wir, die Eltern, wer denn sonst?«

»Du hast Spucke am Kinn, Margarete.« Die Hände in den Hosentaschen, das Jackett in der Mitte zugeknöpft, stand Jan-Erich Schubart in der Tür. Sogar Fischer hatte ihn im Furor von Margaretes Stimme nicht aus dem Bad kommen hören.

»Bist du jetzt für immer mein Papa, Papa?«

Wenn sie mit dieser heiteren Stimme sprach und solche Sachen sagte, kehrte sein Haß zurück, kehrte in seine Hände zurück und ließ sie anschwellen und glühen; er packte dann die Mörderin und stellte sie auf den Stuhl und setzte sich zwischen ihre Beine und wartete. Und sie stand über ihm und wimmerte; als an ihrem linken Bein etwas heruntertropfte, beugte er sich angewidert nach vorn. Der Stuhl wackelte; das war der Haß, der ihn wackeln ließ; und die Mörderin schnaufte am Ball vorbei, der in ihrem Maul steckte. Warum hast du dein Kind ermordet? fragte er, und sie antwortete nicht; sie war so frech; so war sie seit jeher, frech und hinterfotzig. Warum hast du dein Kind ermordet? Dann stand er auf; sie glotzte ihn an. Er sagte: Willst du sprechen? Sie nickte; er streckte den Arm aus, ließ ihn in der Luft, vor ihrem Gesicht, ließ ihn da eine Weile, bis sie kapierte, endlich kapierte, und den Kopf senkte. Senk, sagte er, senksenk. Sie senkte den Kopf; reichte nicht. Bevor sie womöglich noch umkippte oder noch mehr Ekel aus ihrer Unterhose floß, riß er das Klebeband von ihrem Mund und zog den Ball heraus. Sprich, sagte er. Sie sprach nicht. Du hast einen guten Gleichgewichtssinn, sehr gut. Sie stand auf den Lehnen des Stuhls, den Kopf in der Schlinge. Warum hast du dein Kind ermordet? Leise sagte sie: Hab ich doch nicht. Da schrie er zu ihrem Gesicht hinauf: DU HAST SIE GEBOREN, ODER NICHT? DU HAST SIE GE-BOREN, ODER NICHT? OBWOHL DIR IHR TOD LIE-BER WÄR FÜR ALLE ZEIT! Dann schrie er noch lauter: WER EIN KIND KRIEGT, DAS ER NICHT WILL, IST EINE MÖRDERIN! Seine Stimme kippte weg. Er ging ins Bad und gurgelte mit warmem Wasser und übergab sich in die Toilette und spülte noch einmal seinen Mund aus.

»Ich werde für dich sorgen«, sagte er zu dem Mädchen.

»Und für meine Mama auch?«

»Für deine Mama habe ich schon gesorgt.«

»Du hast mir immer noch nicht gesagt, wieso sie nicht mit-gekommen ist. Das riecht so gut hier, da hätt sie bestimmt eine schöne Nase gekriegt.«

»Sie mußte verreisen«, sagte er. »Deswegen bin ich ja bei dir, damit endlich dein größter Wunsch in Erfüllung geht.«

»Ja«, sagte sie und sagte mit heiterer Stimme: »Ich hab zum erstenmal im Meer gebadet, und das war noch viel aufre-gender, als ich mir das vorgestellt hab. Ist das die Erlösung, Papa?«

Er antwortete nicht.

»Und ich bin ganz weit rausgeschwommen, so weit wie du. Von da unten am Strand.«

Sie standen am Fenster ihres Zimmers, am Horizont glimmte ein Sonnenrest.

»Morgen gehen wir wieder hin«, sagte er und blickte über den Strand, wo Erwachsene Beachball spielten und Kinder sich mit Sand bewarfen.

In den deutschen Zeitungen hatte er noch keine Zeile über die Ereignisse entdeckt.

Auf der Fahrt vom Bordeauxplatz in der Nähe des Ostbahnhofs bis zum Nothkaufplatz an den westlichen Ausläufern Münchens telefonierte Liz Sinkel mit Weningstedt, ihren Kollegen vor Ort und dem Sachbearbeiter der Vermißtenstelle, der die Suche nach Katinka koordinierte und mittlerweile eine »Besondere Aufbauorganisation« ins Leben gerufen hatte, deren Mitglieder – falls die Fahndung keinen schnellen Erfolg brachte – eine Sonderkommission bilden würden. Außerdem erkundigte sie sich bei Dr. Dornkamm, ob die Obduktion präzisere Erkenntnisse über die Todeszeit erbracht habe, was der Pathologe verneinte.

Für einige Minuten kam die Sonne durch die Wolken.

»Sie war immer folgsam«, sagte Liz. »Was lernen wir daraus?«

»Nichts.«

»Bitte?«

»Was willst du daraus lernen?« An der Kreuzung zum Mittleren Ring ließ Fischer das Fenster heruntergleiten und streckte den Kopf ins Freie. Als die Ampel auf Grün sprang, fuhr er weiter, ohne sofort den Kopf einzuziehen.

»Obacht!« Liz klopfte aufs Lenkrad.

Er gab Gas und schloß das Fenster.

»Wir lernen also nichts daraus«, sagte sie.

»Sie hatten keinen Kontakt, sie lehnen das Leben ihrer Tochter ab, sie sind gekränkt, weil sie ihnen das Enkelkind verweigert. Und die Mutter spioniert ihrer Tochter hinterher.«

»Sie wollt halt wissen, wie sie so lebt.«

»Ich möchte dich gern zitieren und fragen: Warum?«

»Was, warum? Du bringst mich total durcheinander, Mann!«

»Warum wollte die Mutter wissen, wie ihre Tochter so lebt?«

Liz knurrte und schaute aus dem Fenster.

»Sie ist neugierig«, sagte Fischer. »Sie ist selbstgerecht, sie sind beide selbstgerecht, auch der Vater. Was sollen wir daraus für unsere Ermittlung lernen?«

Weil Liz nicht antwortete, sagte er: »Hältst du es für möglich, daß sie in die Tat verwickelt sind?«

Liz schwieg. »Und du?«

»Nein.«

»Ich auch nicht.«

»Über die Gründe, warum sich Nele Schubart so oder so verhalten hat, kann ich dir nichts sagen. Wir haben ein paar Aussagen von Leuten, die sie kannten; was wissen wir von diesen Leuten? Genug, um zu begreifen, daß wir von ihnen über das Wesen der toten Frau nichts erfahren werden.«

»Sie hatte wechselnde Liebhaber.«

»Die hast du auch.«

Liz war sich nicht ganz sicher, aber sie fürchtete, daß sie rot geworden war; rasch drehte sie den Kopf wieder zum Fenster und hielt die Hand an die Wange, wie zum Schutz. »Woher willst du das wissen?«

»Sie hatte wechselnde Liebhaber, und was lernen wir daraus?«

»Sie ist mit irgendeinem Typen mitgegangen, der sich als Arschloch entpuppt hat, und der hat sie umgebracht. Wäre sie nicht so leichtsinnig und ständig hinter neuen Männern her gewesen, würde sie noch leben.«

»Vielleicht«, sagte Fischer. Von weitem sah er die rotweißen Absperrungen und die Schaulustigen auf den Bürgersteigen.

»Möglich wär's.«

»Wir suchen also ein Arschloch«, sagte Fischer.

»Bist du schlecht gelaunt? Wer konnte das ahnen, daß diese Familie nichts miteinander zu tun haben will? Hat die Frau keine Andeutungen gegenüber Weningstedt gemacht? Dann hätten wir die Befragung telefonisch erledigt und uns den Weg sparen können.«

»Der Weg war schon richtig.« Hinter einem Streifenwagen hielt Fischer an, und sie stiegen aus. Es roch nach frischer Erde und Tannennadeln.

Im Haus, in dem Nele Schubart gewohnt hatte, traf er neben den vier Spezialisten der Spurensicherung auf acht Fahnder, unter ihnen Esther Barbarov und Micha Schell, die bereits für die mögliche Sonderkommission eingeteilt waren und die Ergebnisse ihrer Befragungen mit denen der Kollegen aus der Vermißtenstelle austauschten, die ebenfalls seit Stunden rund um den Nothkaufplatz Informationen sammelten.

»Ein scheues kleines Mädchen, das kaum auffiel«, sagte Esther.

Sie begleitete Fischer vor das Haus. Er hatte sich, die Hände in den Hosentaschen und die Füße in Schutzhüllen gewickelt, einen kurzen Eindruck von den Lebensumständen der getöteten Frau verschaffen wollen. Vor der Tür streifte er die Hüllen ab und zog seine Schuhe an. »Allerdings behaupten mehrere Nachbarn, die Mutter sei streng und sogar hart zu ihrem Kind gewesen. Wir haben die Aussagen von zwei Anwohnern, einem Mann und einer Frau, die öfter als einmal beobachtet und gehört haben, wie die Mutter ihre Tochter anschrie, ohrfeigte und ihr androhte, sie am Wochenende ins Zimmer zu sperren.«

»Ich möchte mit den Zeugen sprechen.«

»Der Mann wohnt auf der anderen Seite des Platzes.« Esther zeigte auf eine Hecke. »Und die Frau in der Barbierstraße, das ist hier um die Ecke.«

»Und wann wurden die Mutter oder das Kind zum letztenmal gesehen?«

»Immer noch keine verläßlichen Zeiten. Die beiden Zeugen, von denen ich gerade gesprochen hab, behaupten – unabhängig voneinander, sie kennen sich offenbar nicht –, daß sie Nele Schubart am vergangenen Freitag aus dem Haus gehen sahen, ohne ihre Tochter. Und Nele hatte am Freitag frei, das haben ihre Kolleginnen und der Geschäftsführer des Kaufhauses bestätigt.«

»Ich bin mir deshalb fast hundertprozentig sicher«, sagte Rupert Zimmermann, »weil ich am Freitag immer unsere Fernsehzeitschrift kaufe, für meine Frau und mich, und da kam sie aus dem Haus. Ich stand an der Hecke. Einen Moment.« Er ging von der vierstufigen Steintreppe, die zur Eingangstür seines Hauses führte, zum Gartentor. »Ich bin noch mal zurückgegangen, weil meine Frau mir was hinterhergerufen hat, sie wollte, daß ich noch Milch und Toastbrot mitbringe. In dem Moment, als ich mich umgedreht hab, kam sie da drüben raus. Ich bin nicht stehengeblieben, aber ich müßte mich schon schwer täuschen, wenn es jemand anderes gewesen wär.«

»Wie spät war es da?«

»Ungefähr halb zehn.«

»Und dann haben Sie mit Ihrer Frau gesprochen«, sagte Fischer.

»Ja, ein paar Sätze. Aber die Frau Schubart habe ich dann nicht mehr gesehen. Ich schätze, sie ist die Barbierstraße entlanggegangen und vor zur U-Bahn, das ist der kürzeste Weg.«

»Später am Tag haben Sie sie oder die kleine Tochter nicht mehr gesehen?«

»Nein. Ich schau ja auch nicht dauernd rüber, ich bitte Sie. Hier hat jeder seinen Bereich, wir leben nebeneinander, da guckt niemand über den Gartenzaun.«

Von Esther Barbarov wußte Fischer, daß Frau Zimmermann, die gerade zu ihrem Friseur unterwegs war, Nele Schubart seit mindestens zwei bis drei Monaten nicht mehr gesehen hatte.

»Das erste Mal seit mindestens zwei Monaten«, sagte Elisabeth Badura in der Tür ihres weißen, anscheinend erst vor kurzem neu gestrichenen Hauses, dessen Vorderfront eine Madonna unter einem kleinen, geschwungenen Kupferdach schmückte. Ein weißer Lattenrostzaun grenzte das Grundstück vom Bürgersteig in der Barbierstraße ab. Hinter einem der Fenster bemerkte Fischer eine Vase mit Lilien und im hinteren Teil eine Glasveranda. Die Frau schätzte er auf Anfang Siebzig, sie war schlank, fast dürr, soweit Fischer das unter ihrem grauen Wollmantel, den sie um die schmalen Schultern geworfen hatte, erkennen konnte. Sie stützte sich auf einen Stock und zitterte. »Ich geh nicht so oft raus, Herr Kommissar. Wir kaufen immer genügend ein, das reicht dann für viele Wochen, und so viel essen wir ja nicht. Am Freitag bin ich nur raus, weil mein Mann unterwegs war und ich eine Flasche Wein kaufen wollte, nichts Schweres, einen leichten Veltliner, den trink ich immer. Und da ging Frau Schubart hier an der Ecke vorbei. Sie kam wahrscheinlich von der U-Bahn.«

»War sie allein?«

»Ja. Oder: Ich weiß es nicht, ich hab nur sie gesehen. Falls Katinka dabei war, war sie vielleicht schon vorausgelaufen, das kann ich Ihnen nicht sagen.«

»Und das war gegen Mittag«, sagte Fischer.

»Kurz nach zwölf; den Anfang der Nachrichten im Radio hab ich noch mitbekommen, dann hab ich abgeschaltet. Es hat wieder so ein schreckliches Erdbeben gegeben, ich will das nicht wissen.«

»Frau Schubart ist in Richtung ihres Hauses gegangen.«

»Ja, in die Richtung. Und, wie gesagt, ich hab sie vorher mindestens zwei Monate nicht gesehen, drei sogar. Ich geh ja nie raus, höchstens abends, in der Dunkelheit. Die Dunkelheit ist mir am liebsten zum Gehen.«

»Meine Kollegin sagte mir, Sie wollten noch mit Ihrem Mann telefonieren und ihn fragen, wann er Frau Schubart zum letztenmal gesehen hat.«

»Das hab ich getan, wir haben ja zum Glück auch ein Handy jeder. Er ist in Hamburg, er ist Verkäufer für Kosmetikprodukte, speziell für Friseure; er arbeitet im Auftrag eines internationalen Konzerns, seit fast zwanzig Jahren schon.«

»Er ist immer noch im Dienst?«

»Ach, er ist jünger als ich.«

Es kam Fischer vor, als drücke sie sich gegen den Türrahmen, als würde sie schwanken.

»Brauchen Sie Hilfe?« fragte er.

»Nein. Ja, ich hab meinen Mann gefragt. Er sagt, er hat Frau Schubart ewig nicht mehr gesehen, er kann sich nicht dran erinnern. Er ist ja dauernd unterwegs, und wir kennen hier kaum Leute. Jeder lebt für sich, man trifft sich nicht und tauscht sich aus, wozu auch? Die Leute reden sowieso zuviel. Reden viel.«

»Wann kommt Ihr Mann zurück?«

»Am Wochenende, Anfang nächster Woche, ich muß im Kalender nachsehen.«

»Und bis dahin sind Sie allein?«

»Allein sein, das macht mir nichts aus. Ich hab meine Pflanzen, ich les gern, ich trink mein Glaserl.«

Fischer verabschiedete sich und wartete, bis die alte Frau die Tür hinter sich abgesperrt hatte. Erst jetzt bemerkte er, daß Liz am Rande des begrünten Nothkaufplatzes auf einer Bank saß. Er winkte ihr zu.

»Wem winkt er denn?« fragte Elisabeth Badura hinter der Gardine. Sie streichelte der Katze über den Rücken und stellte die Porzellanfigur zurück aufs Fensterbrett. Auf dem Tisch mit der gestickten Decke stand ihr Glas, es war fast leer; auch die Flasche war fast leer; sie hatte noch drei Flaschen im Kühlschrank.

Vor dem Glas lag aufgeschlagen ein Heft mit einem schwarzen Einband, der silberne Füllfederhalter war in die Mulde zwischen den beiden Seiten gerollt. Sie setzte sich, schraubte den Füller auf und legte die Kappe neben das Glas. Unter ihren letzten Eintrag schrieb sie: *Der Kommissar der mich besuchte winkte auf der Straße jemandem zu er hat also jemanden der auf ihn wartet.*

Dann ließ sie den Stift fallen, Tinte spritzte auf die Schrift. Mit zitternder Hand griff sie nach dem Glas und führte es zum Mund. Für einen Moment mußte sie, unwillig, an das kleine Mädchen mit der Kapuze denken, das einmal am Gartenzaun gestanden, zum Haus geschaut und sich nicht bewegt hatte. Das Gesicht konnte sie nicht erkennen, aber wenn sie sich nicht getäuscht hatte, hielt das Mädchen ein Stofftier im Arm, ein Tier mit einem Geweih, ein Hirsch vielleicht. Sie war zu müde gewesen, zu zittrig, zu allein, um die Tür aufzumachen und zu fragen, ob es auf jemanden warte. Als sie das nächste Mal die Gardine beiseite schob, war das Mädchen verschwunden gewesen, und es war nie wiedergekommen.

8

Die Tafel der Kriminalisten

Nur Walter Gabler fehlte.

Sie saßen an dem langen dunklen Tisch, der Weningstedts Büro mit dem angrenzenden Raum verband, wo Neidhard Moll und Gesa Mehling arbeiteten; sie hatten Teller mit belegten Semmeln, Kartoffel- und Nudelsalat vor sich und hörten zu. Das taten sie manchmal, wenn sie aßen.

Es war ein in unregelmäßigen Abständen wiederkehrendes Ritual.

Als Polonius Fischer vor einigen Jahren die Idee vorgebracht hatte, herrschte belustigte Ratlosigkeit in der Runde. Niemand konnte sich den Ablauf vorstellen, und jemand fragte, ob Fischer womöglich seine Ordenszeit doch noch nicht überwunden habe und deshalb abseitige Klosterregeln in die Mordkommission einführen wolle. Er drängte sie nicht. Während der Ermittlungen in einem Mordfall, der sie wochenlang durch das osteuropäische Kriminellenmilieu führte und zwei Fahnder in Lebensgefahr brachte, hatte Fischer bei einem gemeinsamen Essen wie von selbst zu lesen angefangen. Zufällig war er, weil er noch ein Telefongespräch zu Ende führen mußte, an Weningstedts Schreibtisch sitzen geblieben und hatte anschließend in einem Buch geblättert, dessen Lektüre ihn so faszinierte, daß er es ins Büro mitgenommen hatte. Und dann las er laut vor und seine Kollegen, die sich nach einem befragungs- und vernehmungsintensiven Vormittag wortlos auf ein Schweigen bei Tisch verständigt hatten, begannen zuzuhören, ohne auf jedes Wort zu achten, mit wachsender Neugier.

Es war, gaben sie hinterher zu, für alle eine überraschende Erfahrung gewesen, und wenn sich wieder einmal eine Möglichkeit bieten sollte, wären sie eventuell bereit, das Experiment zu wiederholen.

Die Phase des Ausprobierens hatte keine zwei Wochen gedauert. Seither setzten sich die elf Kommissarinnen und Kommissare und – wenn sie Zeit hatte – deren Assistentin Valerie an den langen Eßtisch, reichten stumm die Teller und Flaschen reihum und achteten nicht weiter auf Polonius Fischer, der entweder am Schreibtisch oder auf einem Stuhl an der Wand saß und vorlas. Bei einem dieser Treffen schneite einmal der Polizeipräsident unangemeldet herein; er traute seinen Augen und Ohren nicht und erzählte später, er habe an diesem Tag eine Erscheinung gehabt und die zwölf Apostel gesehen. So geisterte der Ausdruck »Die zwölf Apostel« für die Mannschaft des Einhundertelfer bis heute durch die Flure des Präsidiums.

Die Auswahl der Texte oblag allein dem Vorleser; meist entschied er sich für Stellen aus dem Roman, den er gerade las – zum Erstaunen seiner Kollegen schien Fischer nie die Zeit für das Entdecken aktueller oder alter Bücher zu fehlen, die er jedoch nie kaufte, sondern sich in der Stadtbibliothek auslieh –, oder er trug historische oder zeitgenössische Texte vor. Zum Klappern des Bestecks, zu den variantenreichen Mundgeräuschen, zum fernen Schnarren des Faxgeräts, zum abgebrochenen Klingeln der Telefone ertönte seine dunkle, swingende Stimme, zehn bis fünfzehn Minuten lang, bevor er selbst aß oder seine Arbeit fortsetzte, weil er erst nachts wieder Hunger bekommen würde.

Seit drei Monaten las er aus demselben Buch vor. Und als er, nachdem er und Liz das mitgebrachte Essen auf dem Tisch verteilt hatten, fragte, ob seine Kollegen mit einer Fortsetzung einverstanden wären oder ob sie einen neuen Roman bevorzugen würden, hatte Micha Schell sofort geantwortet: »Lies einfach weiter!«

Sie kauten leiser als sonst.

»… bezeichnet Synchronizität ein sinnvolles zeitliches Zusammentreffen eines inneren mit einem äußeren Ereignis«, las Fischer, »ohne daß diese zwei Ereignisse kausal voneinander abhängig wären. Die Betonung liegt auf dem Wort sinnvoll …«

Hast du geglaubt, du kannst mich mit deinem bescheuerten Energieband ruhigstellen? dachte Liz. Ich hab euch gesehen, euch beide, im *Moritz*, ich wollt nämlich ein Bier da trinken. Gott sei Dank hab ich einen Blick durchs Fenster geworfen, weil ich wissen wollt, ob am Tresen ein Platz frei ist. Du Lügner, heut nacht schmeiß ich dein Scheißband in den Müll …

»… wenn ich in einem Laden ein blaues Kleid bestelle und man mir irrtümlich ein schwarzes schickt, gerade an dem Tag, an dem ein naher Verwandter stirbt, so berührt mich das als sinnvoller Zufall. Die zwei Vorfälle sind nicht kausal aufeinander bezogen …«

Was ist eigentlich mit den beiden Jugendlichen? dachte Emanuel Feldkirch, sind die hundert Prozent ehrlich? Die spielen da unten in der Tiefgarage Fußball genau dann, wenn sie die Leiche finden, bedeutet das was? Sie haben ausgesagt, sie würden nur bei Regen da spielen, glaub ich nicht, gibt es eine Beziehung zwischen ihnen und der Toten, hat Georg das nachgeprüft?

»Wenn wir zu beachten anfangen, daß gewisse Ereignisarten sich gerne zu gewissen Zeiten häufen, so beginnen wir die alten Chinesen zu verstehen, welche ihre ganze Medizin, Philosophie und sogar Architektur und Staatslehre auf einer Wissenschaft der ›Koinzidenz‹ aufgebaut hatten. Die alten chinesischen Texte …«

Was sollten vorhin die Anspielungen? dachte Georg Ohnmus, Verdacht? Das sind Kinder, die kicken, fertig. Wir haben genug Leute zu verhören, das ganze Haus ist voll, bis hoch zum zehnten Stock, ich steiger mich doch nicht in eine absurde Hypothese rein, sollen wir Fingerabdrücke der Kinder nehmen, oder wie?

»... fragen nicht, wie wir es tun, nach Ursache und Wirkung, sondern was womit zusammenzutreffen beliebt. Dieselbe Idee trifft man in der Astrologie an und in den Orakeltechniken der verschiedensten Kulturen ...«

Der den Stellplatz gemietet hat, dachte Gesa Mehling, muß uns weiterbringen, oder ist das alles Zufall? Der Schrank, die Garage, der Ort? Nein, in diesem Haus gibt es jemanden, der Bescheid weiß, das haben wir doch schon geklärt. Niemand bringt eine Leiche in eine fremde Tiefgarage, was für eine abseitige Vorstellung! Wir wissen etwas, aber wir begreifen es noch nicht.

»... bahnte er eine neue Möglichkeit an, die Beziehung von Psyche und Materie zu verstehen, und auf diese Beziehung scheint besonders das Symbol des Steins hinzudeuten ...«

Wenn das Kind Zeuge des Mordes wurde, dachte Esther Barbarov, dann ist es vielleicht einfach weggelaufen und irrt jetzt umher. Glaubst du das? Nein. Nein. Was hat die Mutter mit dem Mädchen angestellt, warum kennt die beiden niemand wirklich?

»Die Erwähnung der Synchronizität hat uns scheinbar vom Thema abgelenkt, doch mußte sie kurz erwähnt werden ...«

Wir haben die ganze Wohnung auf den Kopf gestellt, dachte Micha Schell, und es ist klar, daß die zwei nicht verreisen wollten, aber es ist auch klar, daß jemand was aus dem Schrank im Kinderzimmer genommen hat, und ganz klar ist, daß die zwei, Mutter und Tochter, anscheinend in einer Siedlung von Blinden leben.

»... weil hier ein Begriff voller schöpferischer Zukunftsmöglichkeiten vorliegt. Zudem kommen ...«

Sie hatte nicht vor, über Nacht zu bleiben, dachte Esther Barbarov, die Schminksachen und Toilettenartikel liegen alle in ihrer Wohnung. Sie ist in eine Falle gelockt worden.

»... synchronistische Ereignisse fast immer während der wichtigsten Phasen des Individuationsprozesses vor. Sie werden nur ...«

Ich weigere mich, an eine Hinrichtung zu denken, dachte Neidhard Moll.

»... oft nicht beachtet, weil der einzelne heute noch nicht darauf eingestellt ist ...«

Es tut mir leid, dachte Valerie Roland, aber ich muß dringend an meinen Platz zurück.

»... seine Träume und die Außenweltsereignisse in ihrer Sinngleichheit zu beachten ...«

Hoffentlich findet er nichts, dachte Silvester Weningstedt, und wenn du ihm nicht traust, Walter, dann gehst du zu einer anderen Koryphäe. Außerdem fehlt dir nichts, das weiß ich.

»Damit endet dieses Kapitel«, sagte Fischer und schlug das Buch zu.

Von Anfang an hatten sie vereinbart, keine Fragen zu stellen und keine Kommentare abzugeben. Die Lesung endete und die Arbeit ging weiter; jeder nahm sein Geschirr und brachte es in die Küche im zweiten Stock, und wer als letzter kam, schaltete die Spülmaschine an.

Fischers Telefon klingelte.

»Frau Chen, sehr dringend«, sagte Valerie.

»Kommissar Fischer? Sie dran?« Die Wirtin sprach mit hektischer, gedämpfter Stimme.

»Ja.«

»Mann wieder da, Mann von toter Frau!«

»Was macht er?«

»Ißt Hühnerfleisch!«

Die beiden Streifenpolizisten, die Fischer von seinem Büro aus in die Landwehrstraße geschickt hatte, warteten vor dem Restaurant auf ihn. »Er trinkt Bier und raucht«, sagte der eine. »Ich hab mich drin blicken lassen, das hat ihn nicht gejuckt, auf der Flucht ist der nicht.«

Fischer betrat das *Blue Dragon*, begrüßte den Mann hinter der Theke, der stumm nickte, und ging zum Tisch vor dem Aquarium.

»Mein Name ist Polonius Fischer, ich bin Kriminalbeamter bei der Mordkommission. Darf ich mich zu Ihnen setzen?«

Der Mann, der eine grüne Hose und einen grauen Pullover trug, ein bleiches, unrasiertes Gesicht und ungekämmte braune Haare hatte, war achtundvierzig Jahre alt und ein Mörder. Er hatte keine Angst vor Fischer. Er hatte vor niemandem Angst, außer vor sich selbst; das Bier half ihm, nicht daran zu denken.

»Nehmen Sie ruhig Platz«, sagte er.

»Wie heißen Sie?«

»Jakob Seiler. Aber das ist nicht mein richtiger Name.«

ZWEITER TEIL

Seelen

9

Der betrunkene Klassiker

»Seit wann wohnen Sie dauerhaft im Ost-West-Hotel?«

»Seit dem vierzehnten Februar vor einem Jahr.«

»Und wie lange noch?« fragte Polonius Fischer.

Der Mann, der sich Jakob Seiler nannte, klopfte mit dem leeren Schnapsglas auf den Tisch, und die Wirtin eilte herbei. »Noch einen bitte und ein Bier.«

»Sie auch?«

»Einen Kaffee«, sagte Fischer.

»Tee besser«, sagte Su Chen und lächelte. Fischer nickte, und sie ging zum Tresen.

»Verraten Sie mir Ihren richtigen Namen«, sagte Fischer.

»Will ich nicht. Was wollen Sie von mir, Mister Fischer?«

»Sie sind betrunken.«

»Ich bin betrunken, aber ich bin nicht besoffen.«

»Würden Sie mir bitte in die Augen sehen.«

»Mit Ihnen flirt ich nicht!«

Fischer wartete. Der Mann blinzelte, wischte mit einem Blick über Fischers Gesicht und drehte sich zum Aquarium um.

»Bitte sehr.« Su Chen stellte das Teeglas vor den Kommissar und das Schnaps- und das Bierglas auf die andere Seite des Tisches. »Assamtee, sehr gut.« Fast geräuschlos verschwand sie in der Küche. Der Asiate hinter dem Tresen zündete sich eine Zigarette an und blätterte in einer Zeitung.

Die zwei Männer vor dem Aquarium waren die einzigen Gäste.

»Haben Sie diese Frau schon einmal gesehen?«

Seiler wandte sich vom Aquarium ab und senkte langsam den Kopf.

Das Foto stammte aus der Wohnung am Nothkaufplatz. Es zeigte Katinkas Mutter an einem Gasthaustisch; sie lachte und hob ein Sektglas.

»Die Frau kenn ich nicht.«

»Sie heißt Nele Schubart, und Sie waren mit ihr in diesem Lokal.«

»Hier bin ich öfter.«

»Wann zum letztenmal?«

»Länger her.«

»Mit dieser Frau?«

»Die kenn ich nicht.« Er trank den Reisschnaps und spülte mit Bier nach. Die Haare standen ihm vom Kopf. Den Blicken des Kommissars war er vom ersten Moment an ausgewichen.

»Die Wirtin hat Sie zusammen gesehen.«

»Deswegen sind Sie hergekommen?«

»Ja.« Der Tee war heiß. Fischer stellte das Glas hin und befeuchtete mit der Zunge seine Lippen.

»Ist was passiert mit ihr?«

»Sie ist tot.«

»Kann ich Ihren Ausweis noch mal sehen?«

»Wieso?«

»Nur so.«

Fischer legte den Ausweis auf den Tisch.

»Mister Fischer«, sagte der Mann.

Als die Wirtin aus der Küche kam, hob der Kommissar den Arm. »Entschuldigen Sie. Ist das der Mann, den Sie gemeinsam mit der Frau auf dem Foto hier im Lokal gesehen haben, Frau Chen?«

Die Wirtin nickte.

»Sicher?«

»Sehen!« sagte sie. »Grüne Hose. Und Frisur.«

»Was ist mit der Frisur?«

»Hat immer Laubfrisur, der Mann. Nicht böse sein, bitte.«

»Laubfrisur?« sagte Fischer.

Der Mann fuhr sich mit beiden Händen durch die Haare und verwirbelte sie noch mehr. »Ich hab gern eine Laubfrisur, so: Noch mehr Laub?«

Die Wirtin lächelte.

»Sie täuschen sich nicht«, sagte Fischer.

»Nein.«

Fischer wartete, bis Su Chen zum Tresen gegangen war. »Warum bestreiten Sie, die Frau auf dem Foto zu kennen?«

»Die Wirtin verwechselt mich.«

»Das glaube ich nicht.«

»Halten Sie mich für einen Mörder?«

»Wieso denn?«

»Sie haben gesagt, die Frau ist tot. Und ich will Ihnen meinen Namen nicht nennen, das ist doch verdächtig für Sie.«

»Ich habe nicht gesagt, daß die Frau ermordet wurde.«

»Sie sind doch von der Mordkommission. Meinen Namen sag ich Ihnen nicht, niemand kennt meinen richtigen Namen, nicht mal der Portier im Hotel. Weil ich ein neues Leben führe, die Vergangenheit ist vorbei. Oder möchten Sie, daß ich Ihnen was aus meiner Kindheit erzähl?«

»Ihre Kindheit interessiert mich nicht.«

»Was?« Der Mann trank einen Schluck Bier und blinzelte unruhig. »Das ist doch wichtig, die Kindheit von jemand! Für Sie als Kriminalisten steckt doch in der Kindheit der Kern allen Übels.«

»Meinen Sie?«

»Logisch. Dafür brauchen Sie heut keinen Psychologen mehr, das ist doch Allgemeinwissen.«

»Erzählen Sie mir lieber, was Sie den ganzen Tag so machen«, sagte Fischer. »Was sind Sie von Beruf? Oder: Was waren Sie von Beruf?«

»Von Beruf war ich Nutte. Aber ich hab nicht meinen Hintern hingehalten, sondern meinen Kopf. Kapiert?«

»Ihre Spezialität waren Blowjobs?« Fischer hatte keinen Witz gemacht. Er machte nie Witze, nicht nur, weil er sich keine merken konnte oder ihm im richtigen Moment nie ein passender einfiel. Er stellte nur Fragen, er versuchte präzise zu bleiben. Auf der präsidiumsinternen geheimen Rangliste gaudikompatibler Kommissare zählte er zum unteren Mittelfeld, knapp vor Dr. Linhard; manche machten dafür seine klösterliche Vergangenheit verantwortlich, andere – wie Silvester Weningstedt – waren überzeugt, Fischer gewinne der menschlichen Natur generell wenig komische Züge ab. Seine Freundin Ann-Kristin dagegen hielt ihn für humorvoll, in bestimmten Situationen sogar für übermütig; wie er sich selbst einschätzte, verschwieg er.

»Wollen Sie mich beleidigen, Mister?«

»Dann habe ich Sie falsch verstanden«, sagte Fischer. »Wem haben Sie Ihren Kopf hingehalten?«

»Geht Sie nichts an!«

Der Mann vor dem Aquarium war achtundvierzig Jahre alt, als Fischer ihm begegnete und zunächst aus verkehrten Gründen mißtraute, weil er die Geschichte seiner Lügen unmöglich erahnen konnte. Und der Mann, der sich Seiler nannte, hauste, seit er in das Ost-West-Hotel gezogen war, in einer Vorstellung wie in einem Lebkuchenhaus; er knabberte an Erinnerungen, überfraß und übergab sich und stopfte sich von neuem damit voll, achtzehn Monate lang.

»Soll ich Ihnen sagen, was ich bin?« Seiler krempelte die Ärmel seines grauen Pullovers hoch.

»Sagen Sie mir, wie Sie heißen.«

»Jakob Seiler. Ich bin Schriftsteller.«

»Ein Schriftsteller in einem Hotel.«

»Genau.«

»Klassisch«, sagte Fischer.

»Für Sie vielleicht.«

»Wollen Sie mir etwas erzählen, oder brechen wir gleich auf«, sagte Fischer.

»Wohin denn, Mister?«

»In mein Büro.«

»Was soll ich da?«

»Reden.«

»Das kann ich hier auch.«

»Dann tun Sie es.«

Seiler winkte der Wirtin, die hinter dem Tresen Teegläser abtrocknete. Sie kam sofort zum Tisch. »Noch ein Bier, bitte, und einen flüssigen Reis.«

»Wenn Sie so viel trinken, müssen Sie später alles noch einmal erzählen«, sagte Fischer.

»Warum denn?«

»Weil Ihre Aussage sonst nicht verwertbar ist.«

»Ist das ein Verhör jetzt?«

»Ein Gespräch.«

»Also«, sagte er zur Wirtin, »bringen Sie mir bitte ein Gesprächsbier und einen Gesprächsschnaps.«

»Warum lügen Sie, Herr Seiler?«

»Das hab ich doch grade erklärt: Ich bin Schriftsteller.«

»Ich meine nicht, warum Sie lügen, wenn Sie schreiben, sondern wenn Sie sprechen.«

»Ist das ein Unterschied?«

»Ja.«

»Für mich nicht.«

»Sind Sie ein guter Schriftsteller?«

»Was?«

»Ist das, was Sie schreiben, gut?«

»Ich sitz hier und trink mein Bier, und Sie fetzen hier rein!« Er trank den letzten Tropfen und schmatzte.

Die Wirtin brachte die Getränke und wollte Seiler das leere Glas aus der Hand nehmen, aber er beugte sich nach hinten und drückte es an seinen Hals. Obwohl sein Verhalten kindisch wirkte, empfand Fischer die Geste als bedrohlich; ansatzlos schnellte sein Arm vor, er packte das Glas und hielt es der Wirtin hin, die geduckt und hastig zur Küche trippelte.

»Was für Bücher haben Sie veröffentlicht?« fragte Fischer.

Der Mann wippte nach vorn, trank den Reisschnaps, wischte sich über die Augen. »Was für Bücher? Kann ich Ihnen sagen: keins. Ich schreib fürs Fernsehen. Jetzt nicht mehr. Vor Hunderten von Jahren. Jetzt schreib ich einen Roman. Im Hotel. Klassisch. Ein paar Sätze hab ich schon. Elf. Elf Sätze in achtzehn Monaten, ist das gut?« Er trank einen Schluck Bier und verzog den Mund. »Ist Ihnen kalt?«

»Nein.«

»Warum ziehen Sie Ihr Sakko nicht aus? Tragen Sie eine Waffe?«

»Nein.«

»Sie kommen total unbewaffnet hier rein?«

»Ja.«

»Ich auch!« Er trank, stellte das Glas auf den Tisch, lehnte sich zurück, berührte mit dem Hinterkopf die Glasscheibe des Aquariums. »Ein Kommissar. Polizei. Ich hatte viel mit der Polizei zu tun. Vorbei. Glauben Sie an Gott?«

»Ja.«

»Ich hab mit Gott gesprochen, können Sie sich das vorstellen?«

»Ich spreche auch mit Gott, wir sind nicht die einzigen.«

»Mag ja sein.« In einer langsamen, gleichmäßigen Bewegung kippte sein Oberkörper auf den Tisch zu, rechts und links schlenkerten die Arme, die dunklen Augen schienen aus dem farblosen Gesicht zu wachsen, seine Stimme klang heiser und verschwörerisch. »Aber ich, Mister Fischer, hab nicht nur mit ihm gesprochen, er hat auch mit mir gesprochen!« Wie festgezurrt hing er über dem Tisch, sein Kinn berührte beinah das Bierglas, seine Lippen glänzten von Speichel. »Glauben Sie das?«

»Wann war das?«

»Am vierundzwanzigsten Dezember! Vor ...« Ein Ruck ging durch seinen Körper, er hob die Schultern und legte beide Arme auf den Tisch. »Vor langer Zeit. Die Sonne schien. Kalt war's, null Grad, harter Schnee unter meinen Fellstiefeln. Und ich fragte: Warum hast du das getan, Gott? Erst nichts, dann – ich schwör's – die Antwort: Dein Großvater war krank, schwer krank, ein Säufer und ein Kettenraucher, ein alter Sack. Denk ich: Das darf nicht wahr sein. Meine Mutter weint natürlich. Auf dem Weg zur Kirche, in der Messe, auf dem Weg zum Friedhof, wo die Profis das Grab schon perfekt ausgehoben haben, fürs ewige Leben. Dauernd greift sie nach meiner Hand, ich will sie loslassen, aber sie ist stärker. Ich wein nicht, keine Zeit, muß Gott fragen, warum er das getan hat. Was sagt er? Dein Großvater siechte wochenlang im Krankenhaus rum, was erwartest du? Das ewige Leben, was sonst? Hast du das vergessen, wie er dagelegen hat und siechte? fragt er mich. Hab ich nicht vergessen, sag ich. Sagt er: Na also, na bitte, na gut. Und ich sag: Warum liegt Herr Dings, der am selben Tag wie mein Großvater eingeliefert wurde, immer noch da im Zimmer und darf mittags ein Weizenbier trinken und abends einen Roten und sogar rauchen? Antwortet er nicht mehr. Sag ich: Du bist ein Schwein, Gott, du gehörst geschlachtet, von mir aus soll's jeden Winter bluten statt schneien. Da meldet er sich wieder, sagt: Du bist zu blöde, um das zu verstehen! Du bist zu blöde, Wastl, viel zu blöd, um das zu verstehen!«

Er trank Bier, verschluckte sich, unterdrückte ein Husten, trank weiter.

»Sie heißen Wastl«, sagte Fischer. »Sebastian?«

»Kann schon sein!« rief er. »Du bist zu blöde, sagt er. Und ich sag: Du bist blöde, außerdem heiß ich Sebastian, das weißt du genau, weil ich getauft bin! Da hat er erst mal den Mund gehalten. Noch was: Als mein Großvater gestorben ist, im Krankenhaus, gab's in der Krankenhauskantine Schnitzel mit Pommes frites, und ich hab alles aufgegessen. Alles verputzt. Vierundzwanzigster Dezember, schon vergessen? Und am einunddreißigsten Dezember Sonne, Kälte, harter Schnee, ja? Hinterher im Gasthaus: wieder Schnitzel und Fritten und zum tausendstenmal frag ich ihn: Warum hast du das getan? Sagt er: Du bist zu blöde für das alles, Wastl. Bin ich nicht, sag ich zu ihm, ich bind dich an einen Pfahl und schieß dir zwölf Pfeile in die Augen. Genau. Hab ich getan, in der Nacht. Und als ich aufwachte, schneite es, gottverflucht!«

Er hob das Glas, sah an Fischer vorbei zum Tresen, zur Tür, setzte das Glas an die Lippen, zögerte und leerte es mit wenigen Schlucken.

»Gott hat Sie beschimpft«, sagte Fischer.

Der Mann, der sich Seiler nannte, hielt die Luft an, preßte die Lippen zusammen, blähte die Backen. Dann atmete er keuchend aus und klatschte in die Hände. »Ich ihn auch! Ich auch, ich auch! Sag ich zu ihm am Vierundzwanzigsten: Geschenke nebenan? Bunt eingepackt? Bis oben voll mit Lügen, Schwein! Gut gemacht! Sitz in dem Zimmer, in dem früher das Ehebett stand und ich meinen Mittagsschlaf hielt, zwischen den zwei Vorfahren, mußte liegenbleiben, bis ich das Klicken des Windfeuerzeugs hörte, schweres Teil für ein Kind, dann sog ich den Rauch heimlich ein, den mein Großvater ausstieß.

Und ich sag zum Fenster, am Vierundzwanzigsten, allein im Zimmer: Gut gemacht, Schwein! Weil: Gott, verstehen Sie, ließ also meine Großmutter nicht länger warten auf der anderen Seite. Sie war schon vier Jahre vorher hinüber, ich kannte sie nicht so gut. War erst drei, ich. Und ich sag zum Fenster: Wer an Heiligabend meinen Großvater verrecken läßt, soll selber verrecken! Drei Stunden saß ich da, allein im Zimmer, nachdem ich vom Spielen im schneeweißen Schnee nach Haus gekommen war, schwindlig vor Hunger, glauben Sie das? Und als ich ins Zimmer bin, hielt meine Mutter ihre Hand vor den Mund, ich schaute rauf zu ihrem verschwundenen Mund, sie sagte was. Dann schickte sie mich nach drüben. Vorher hab ich den Anorak ausgezogen und die Mütze und die Stiefel und hab Fellpantoffeln angezogen. Manchmal aß ich Pellkartoffeln in Fellpantoffeln. In der alten Küche, beim Kohleofen mit den Metallstäben. Kaffeekanne stand da immer. Töpfe und Pfannen standen da immer. Und im Büffet klirrte das Geschirr, wenn auf der Straße zwei Straßenbahnen gleichzeitig vorbeifuhren. Später installierte mein Großvater eigenhändig einen Ausguß aus Chrom. Saß dann da, trank Cognac und zündete sich eine Zigarette mit dem Windfeuerzeug an und betrachtete den Ausguß. Und Gott sagt: Und jetzt fährst mit deinen Eltern ins Krankenhaus, da gibt's Schnitzel. Und im Krankenhaus, wo ich den Großvater nicht sehen darf, weil der Anblick eines Toten für einen Siebenjährigen angeblich schädlich ist, sag ich in der Kantine zum Teller: Liebes Schnitzel, mach, daß mein Opa wieder Wein trinken kann wie der Herr Dings im Nebenbett, mach, daß er wieder rauchen und Cognac trinken kann. Liebes Schnitzel, sag ich in der Kantine zum Teller und allein am Tisch, weil meine Eltern weißen Kitteln hinterhergerannt sind: Ich versprech, ich eß dich ganz auf, ich laß nie wieder was übrig, ich schwör's, ich schwör's, liebes Schnitzel. Mein Opa hat Hunger, sag ich zum Teller, riesigen Hunger, und wenn er dich ißt, dann wird er wieder lebendig, Schnitzelessen ist gesund, das hat er immer gesagt, und das stimmt auch.«

Er hielt das leere Glas an den Mund und schmatzte wieder; für einen Moment sah es aus, als wolle er hineinbeißen.

Im Halbdunkel bemerkte Fischer die Wirtin, die aus der Küche gekommen war; sie umklammerte eine Stuhllehne.

»Warum erzählen Sie mir das?«

»Mußte am Wochenende oft dran denken. Ich hab Durst.«

»Was ist am Wochenende geschehen?«

»Nichts.«

»Nichts geschieht nie.«

Mit gedämpfter Lautstärke erklang die Melodie von *Bad Bad Leroy Brown*. Fischer griff in seine Sakkotasche. »Ja?« sagte er in sein Handy.

Der Mann, der Sebastian hieß, zündete sich mit seinem gelben Plastikfeuerzeug eine Zigarette an.

10

Das Dach über den Ruinen

»Unterstützung von allen Seiten«, sagte Silvester Weningstedt. »Alle Journalisten der Stadt helfen uns bei der Suche nach dem Mädchen. Was Besseres konnte denen im Sommerloch nicht passieren, noch dazu, wenn die Mutter tot in einem Schrank gefunden wird.« Er nahm den Telefonhörer in die andere Hand. »Und natürlich haben einige Reporter auf der Pressekonferenz nach dir gefragt. Ich habe ihnen erklärt, was du machst.«

»Ich spreche mit einem Zeugen, der keiner sein will«, sagte Fischer.

»So genau habe ich mich nicht geäußert. Kommst du voran?«

»Wir brechen bald ab, ich nehme ihn mit.«

»Das denkst du!« Seiler stand auf, schnaufte und ging mit wackligen Schritten zur Toilettentür; er öffnete sie und drehte sich noch einmal um. »Und jetzt auf Wiedersehen!« Er knallte die Tür hinter sich zu.

»Will er abhauen?« fragte Weningstedt am Telefon.

»Seine Lederjacke hängt noch hier. Warte einen Moment.« Fischer legte das Handy neben sein Teeglas, beugte sich über den Tisch und fingerte in den Taschen der Jacke, die schief über der Stuhllehne hing. Er zog einen abgeschabten roten Reisepaß heraus, nahm das Handy und gab seinem Chef den eingetragenen Namen und die Nummer durch; dann steckte er das Dokument zurück.

»Warum lügt er so offensichtlich?« fragte Weningstedt. »Will er dich verarschen?«

»Er hat mir aus seiner Kindheit erzählt.«

»Dein Lieblingsthema. Und wieso?«

»Etwas ist am Wochenende passiert, was er mir aber nicht verraten will.«

»Bring ihn her.«

Die Toilettentür krachte gegen die Wand, und der Mann mit den zerzausten Haaren kam zurück, die Hände in den Gesäßtaschen seiner grünen Hose. »Immer noch da? Schöne Grüße!« Er zeigte aufs Handy und sah zum Tresen. »Noch ein Bier!« Er ließ sich auf seinen Stuhl fallen, stemmte die Ellbogen auf den Tisch und stützte den Kopf in die Hände.

»Bis gleich«, sagte Fischer ins Handy und steckte es in die Sakkotasche. »Wissen Sie noch, was Sie am vergangenen Freitag getan haben, Herr Flies?«

Der Mann verzog den Mund, nickte, ohne die Hände vom Kopf zu nehmen, blickte zum Tresen, wo der stumme Mann eine Flasche geöffnet hatte und das Bier ins Glas goß. Die Wirtin war wieder in der Küche verschwunden.

»Jakob Seiler ist Ihr Pseudonym«, sagte Fischer, »und Sebastian Flies Ihr richtiger Name.«

»Ich zeig Sie an! Sie haben in meiner Abwesenheit in meinem Eigentum geschnüffelt.«

Wortlos stellte der Chinese das Bier auf den Tisch und ging zurück an seinen Platz. Flies sah ihm mit zusammengekniffenen Augen nach; dann wollte er zum Glas greifen, ließ seine Hand aber auf den Tisch fallen und lehnte sich zurück. »Ja, und? Ich hab der Frau nichts getan. Ich trink jetzt aus, und das war's für heute. Sie haben überhaupt keine Befugnis an diesem Tisch.«

»Was wir hier führen, ist ein Vorgespräch, Herr Flies, und ich belehre Sie hiermit, daß Sie als Zeuge zu einer Aussage verpflichtet sind. Haben Sie die Belehrung verstanden?«

»Ich bin kein Zeuge.«

»Sie kennen die Frau auf diesem Foto, damit sind Sie Zeuge in einer Straftat und zu einer Aussage verpflichtet.«

»Brauch ich jetzt einen Anwalt?«

»Wozu sollten Sie als Zeuge einen Anwalt brauchen?«

»Damit Sie mich nicht austricksen! Ich will mir nämlich nicht blöd vorkommen in Ihrer Gegenwart, kapiert?«

»Zum Lügen ist niemand zu dumm«, sagte Fischer. »Das ist eine in Stein gehauene Erkenntnis aus meiner langjährigen Arbeit. Was haben Sie am vergangenen Freitag gemacht, Herr Flies?«

»Am Freitag? Am Freitag hab ich geweint.«

»Weshalb?«

»Aus Traurigkeit.«

»Ist jemand gestorben?«

»Genau«, sagte Sebastian Flies und hob die Stimme. »Jemand, der wahrscheinlich letztendlich doch nicht sterben wollt.«

Er kriegte ihre Haare nicht zu fassen; ihr Kopf tauchte unter seinen Armen durch, und er wich ihr aus, damit sie ihm nicht wieder zwischen die Beine trat, wie am Anfang. Am Anfang, am frühen Abend, hatten sie im Bett gelegen, sie hatte einen Psalm rezitiert, er hatte getrunken, und dann waren sie in Streit geraten, worüber? Er wußte es nicht mehr. Sie hatte gelacht, ihr Atem schwappte über sein Gesicht. Dann schlug sie zu, mit der rechten Faust mitten auf seine Stirn. Er wehrte sich nicht; zuerst; sie schlug mit der linken Faust auf dieselbe Stelle, ihr Körper wippte auf der Matratze auf und ab, sie thronte über ihm und trommelte gegen seine Brust. Dann schlug er zurück. Die Wucht seiner Ohrfeige schleuderte sie auf die Seite und über die Bettkante hinaus; mit einem dumpfen Knall landete sie auf dem Teppich.

Sie robbte über den Boden. Seiler torkelte hinter ihr her, er wollte sie packen. Sie wirbelte herum und trat ihm zwischen die Beine. Er schrie. Sie sprang auf und trat ein zweites Mal zu, er taumelte, sie lachte, lachte zu lange. Obwohl sie die Arme hochriß, erwischte er mit der einen Hand ihren Kopf, ihre Haare, bog mit der anderen ihren linken Arm nach unten und schleuderte sie im Kreis. Er wußte nicht mehr, ob er sie angegriffen hatte oder sich bloß wehrte, es kam ihm vor, als wäre ein Tier aus ihnen herausgesprungen, das zu lange eingesperrt gewesen war. Die Frau spuckte ihm ins Gesicht er spuckte ihr ins Gesicht, sie trat nach seinen Schienbeinen und verfehlte sie, stolperte und fing an zu weinen. Wie er.

Er weinte, während er sie quer durchs Zimmer schleifte, seine Hand in ihre Haare gekrallt, seine Fingernägel in ihrer blutenden Kopfhaut; ihre armselige Gegenwehr stachelte ihn an, auch, daß sie ihm Speichel und Blut ins Gesicht spuckte, und er öffnete weit den Mund. Sie schrie, gebückt unter Schmerzen: »Du bist ein Toter! Du hast nicht mal einen Glauben, niemand hört dir zu, du bist aus dem Universum gefallen, und niemand vermißt dich!«

Und er schrie: »Glaubst du, dein Gott vermißt dich? Oder deine Oberschwester Tarantula?«

»Es gibt keine Oberschwester Tarantula!« brüllte sie und entglitt seinem Eisengriff. Für einen Moment wirkte er überrascht. Und sie schlug ihm beide Fäuste ins Gesicht. Mit einer schnellen Bewegung legte er ihr den Arm um den Hals und drückte zu.

Sie riß den Mund auf, zuckte, krächzte, ruderte mit den Armen, ihre Beine knickten ein. Er hielt sie fest umklammert, ging drei Schritte, blieb stehen, sie wurde schwerer, röchelte, prustete durch die Nase. Und er drückte fester zu.

»Aufmachen!« rief jemand im Flur. »Hier ist Grog, machen Sie auf! Junge Frau! Antworten Sie!«

»Antworte!« sagte Seiler und zerrte die Frau zum Schrank. Ihre Beine schleiften über den Boden, aus ihrem Mund krochen Laute. »Schau!« sagte er nah an ihrem Ohr. »Damit kann ich uns beide abschaffen, wenn du willst. Willst du? Erst du, dann ich. Eine andere Reihenfolge geht nicht.«

»Nein«, wimmerte sie.

»Ich brech die Tür auf!« rief der Portier von draußen.

»Das ist meine eiserne Reserve«, flüsterte Seiler. Er hatte sich hingekniet. Die Frau lag mit ausgestreckten Beinen vor ihm, den Kopf im Nacken, mit schweißnassem Gesicht. »Sechs Patronen im Magazin. Soll ich dich erlösen? Dein Gott ist zu beschäftigt, für den ist dein Schicksal nicht so prickelnd. Für mich schon, Ines. Willst du was sagen?«

Es gelang ihr, die Arme zu heben, sie wunderte sich darüber. Fast schaffte sie es, die Arme auszustrecken. Es kam ihr vor, als lockere Seiler seine Umklammerung; sie atmete durch den Mund, erleichtert. Dann faltete sie die Hände in der Luft, staunte über die unverhoffte Geste und röchelte.

»Du bist ... schon ... gestorben, du hast ... dich ... schon ... abgeschafft.«

Er neigte den Kopf und hörte ihr zu. Dann ließ er sie los. Sie kippte von seinen Oberschenkeln und landete wieder mit dem Gesicht voran auf dem Teppich.

»Genau!« sagte Seiler. Er beugte sich vor, legte die Waffe in den Schuhkarton zurück und das zerknitterte T-Shirt darauf und schloß die Schranktür.

Als er sich umdrehte, sah er die Frau über den Boden kriechen. Sie zog das linke Bein hinter sich her, hustete in sich hinein und verschwand unter dem Bett.

»Wir kommen jetzt rein!« Grog schlug gegen die Tür. Seiler stemmte sich in die Höhe.

»Da bin ich schon«, sagte er und öffnete die Tür einen Spaltbreit.

Vor ihm standen der Portier und das Ehepaar Morgenroth, das als Dauermieter im Ost-West-Hotel wohnte.

»Sie sind ja voller Blut!« sagte Edith Morgenroth.

»Ja«, sagte Seiler. »Und im Innern erst!«

Später lagen sie in einer krummen Umarmung, Wange an Wange, unter dem Bett. »Danke«, sagte Ines, »daß du sie weggeschickt hast.«

Sie hatten die Augen geschlossen und schwitzten und froren und fürchteten sich.

»Ich hab nichts gelernt, nur Sterben, das hab ich sogar geerbt. Du hast vielleicht die Augen von deiner Mutter und die Hände von deinem Vater und das Talent von deinem Großvater. Bei uns wird das Verrecken vererbt, wie mein Vater sich ausgedrückt hat, da kann man nichts machen. Das alles hab ich der Äbtissin nicht erzählt.«

»Was hast du ihr nicht erzählt?« fragte Seiler und drückte sich an die Frau, hoffte, so würden seine Schmerzen nachlassen.

»Daß ich ins Kloster geh, um mich erlösen zu lassen. Ich sperr mich doch nicht freiwillig weg, so eine dumme Semmel bin ich nicht, wie mein Vater und der Brumm mich gern hätten. Wegen des Erlöstwerdens wollt ich Schwester werden. Schwester Irmengard. Die Selige, weißt du?«

»Ja«, sagte er.

»Und ich hab fast drei Jahr lang ausgehalten, und ich war schon beinah erlöst. Beinah. Ganz beinah, Jakob, leider nur ganz beinah.«

»Ich heiß nicht Jakob«, flüsterte er, den Mund an ihrem Ohr. »Mein Name ist Sebastian, und ich heiß auch nicht Seiler, sondern Flies.«

»Sebastian.« Nach einem Schweigen sagte sie: »Vielleicht hast du dich doch noch nicht abgeschafft, wie ich geglaubt hab. Sebastian. Du hast dich hier ins Hotel zurückgezogen wie der heilige Benedikt in die Höhle. Er wurde erhört.«

»Ich nicht.«

»Wer weiß.« Ihr Herz schlug heftig; plötzlich fiel ihr auf, daß seines ebenso stark pochte. »An Weihnachten wär meine zeitliche Profeß vorbei gewesen, und ich hätt's geschafft gehabt. Hab ich nicht. Bin am dreiundzwanzigsten Juni zum See hinuntergegangen und rausgeschwommen, alles war blau und wundervoll, und ich hab gedacht: Jetzt komm ich zu dir, Mama, jetzt hab ich dich bald wieder. Darüber bin ich nicht einmal erschrocken. Nach neun Monaten Probezeit und zwei Jahren Noviziat und vierzehn Monaten Profeß bin ich in den See gesunken wie damals, als ich vierzehn war, und ich hab in den Himmel hinaufgewinkt, so beglückt bin ich gewesen. Und ich hätt weitergewinkt, wenn die zwei Ruderer nicht gekommen wären und der eine nicht meine Hand gepackt und der andere mich nicht ins Boot gezogen hätt. Mutter Johanna und die anderen haben geglaubt, ich wär bloß leichtsinnig gewesen. Hab mir heimlich Tabletten besorgt. Ich hab Durst.«

»Was für Tabletten?«

»Zum Einschlafen, zum Ewigschlafen, zum Nimmeraufwachen.«

»Aber«, sagte er und stupste mit der Nasenspitze ihr Ohr an, »du bist wieder aufgewacht und weggelaufen.«

»Weil ich mich so verachtet hab, weil ich mich geekelt hab vor meinem Nichtsnutzsein, weil ich den lieben Gott beleidigt hab wie noch nie jemand, nicht einmal du. Weil sich noch nie eine Schwester in einem Kloster hat umbringen wollen. Und das ist das Schlimmste, was man seinem Gott antun kann. Das ist nie wiedergutzumachen.«

»Doch.«

»Nein.«

»Sei still.«

»Ich hab so Durst«, sagte Ines.

»Als sie wegging«, sagte Sebastian Flies, »überdachte ihre Hand die Ruinen der ganzen Welt.«

»Wie meinen Sie das?« fragte Fischer.

»So.« Er hielt die linke Hand flach über seinen Kopf.

»Wer ist diese Frau?«

»Das werden Sie nie erfahren, und wenn Sie sie finden.«

»Ist sie verschwunden?«

Flies ließ die Hand auf den Tisch knallen. Die Wirtin, die sich leise mit ihrem Kollegen unterhalten hatte, kam hinter dem Tresen hervor.

»Ein Wunsch, Herr?«

»Bier.«

»Und einen Kaffee«, sagte Fischer, ohne sich umzudrehen.

»Keinen Tee, Herr?«

»Nein.«

Sie ging.

»Sie sind die ganze Welt«, sagte Fischer und wartete, bis Flies ihm in die Augen sah, wenn auch nur für eine Sekunde. »Was ist?«

»Was?«

»Sie sind nicht nur die ganze Welt, Sie sind auch die Ruinen.«

»Das begreifen Sie nicht, Mister.«

»Wie heißt die Frau, die bei Ihnen war?«

Flies wandte sich um und betrachtete das Aquarium.

»Die Frau war nicht nur am Freitag bei Ihnen, sondern auch in den Tagen davor.« Flies antwortete nicht. »Ist das die Frau auf dem Foto? Ist ihr Name Nele Schubart?«

Mit einer einzigen wütenden Bewegung fuhr Flies herum und knallte beide Hände auf den Tisch. »Nein! Die Frau heißt nicht Nele Schubart! Hören Sie mir nicht zu? Sind Sie taub? Hauen Sie ab!« Ein Husten schüttelte ihn. Er krümmte sich, wischte sich mit dem Handrücken über den Mund, über die Augen, keuchte und wippte mit dem Stuhl.

»Dann ist die fremde Frau Ihr Alibi.«

»Genau, Mister!«

»Wo kann ich sie erreichen?«

Die Wirtin brachte die Getränke. Flies sah ihr zu, wie sie das Bierglas und die Tasse hinstellte und mit gesenktem Kopf zum Tresen huschte. Wieder wartete Fischer, bis sein Gegenüber ihm in die Augen sah.

»Weiß ich nicht«, sagte Flies.

»Sie wissen nicht, wo sie sich aufhält?«

»Nein.«

»Ist sie nach ihrem Weggehen am Freitag noch einmal zurückgekommen?«

»Nein.«

»Sie lügen.«

Flies griff zum Glas und trank; Schaum tropfte ihm vom Kinn. »An diese Frau …«, er tippte mit dem Mittelfinger auf das Foto, »kann ich mich nicht erinnern.«

»Es ist ungefähr zwei Monate her, daß Sie mit ihr in diesem Lokal waren.«

»Ehrlich?«

»Das wissen Sie doch.«

»Kann nicht sein.«

»Wir fahren jetzt in mein Büro und protokollieren unser Gespräch«, sagte Fischer. »Und wir fangen noch mal von vorn an.«

»Ich geh nirgendwo hin, ich bin müde.«

»Wo ist die Frau, die bei Ihnen war?«

Flies schüttelte den Kopf.

Wenn es stimmte, dachte Fischer, daß die Frau tatsächlich

existierte und die eine Woche – oder zwei Wochen, falls die Aussagen von Flies überprüfbar wären – in dem Hotel verbracht hatte, dann konnte es sich nicht um Nele Schubart handeln, denn diese hatte seit Anfang August jeden Tag – mit Ausnahme des vergangenen Freitags – im Kaufhaus am Rotkreuzplatz gearbeitet.

Wozu sollte Flies eine Unbekannte erfinden, die sein Alibi nicht bestätigen konnte? Wieso weigerte er sich, ihren Namen und ihre Adresse preiszugeben? Er war betrunken. Er war ein Lügner.

»Haben Sie den Namen Katinka schon einmal gehört?«

»Nein«, sagte Flies sofort.

Er hatte zu viel getrunken. Und er hatte alles mögliche erwartet, bloß keinen Polizisten. Sein Plan war, in der Ecke zu sitzen und Reis mit Hühnerfleisch zu essen, so viel Bier zu trinken, bis er fast die Besinnung verlor. Dann wollte er ins Hotel zurück, die Waffe aus der Schachtel nehmen und irgend etwas tun. Was, wußte er nicht. Katinka. Er dachte nach und hörte auf nachzudenken. Nele Schubart war tot. Hatte sie ihm ihren Nachnamen überhaupt genannt? Keine Erinnerung. Wie kam die Polizei auf ihn? Heute. Die Wirtin. Er war selber schuld, er hätte nicht mit der Frau ausgehen sollen. Warum denn nicht? Sie hatten nichts zu verbergen. Als er ihr erzählte, er lebe in einem Hotel, wollte sie sofort mitkommen, noch in derselben Nacht. Wie lange war das her? Tatsächlich zwei Monate? So lange nicht. Oder? Dann hatten sie sich nicht mehr getroffen; ihr Freund werde mißtrauisch, behauptete sie. Flies war sich nicht sicher gewesen, ob sie einen Freund hatte oder bloß keine Lust mehr auf ihn. Vermutlich hätte er über Ines den Mund halten sollen. Aber es hatte ihm gefallen, etwas zu erzählen, das wie eine Lüge klang, wie ein Hirngespinst. War es eines? Wie viele Biere hatte er getrunken? Auch Ines hatte er nachts kennengelernt, wann, das wußte er noch genau: am vierzehnten August. Sie hatte sich an seinen Tisch gesetzt und Wodka getrunken, sie trug ein rotes Cape und einen schwarzen Rollkragenpullover und in ihrem blassen Gesicht mit den eingefallenen Wangen spiegelte sich eine einzige Abwesenheit. Das war sein erster Eindruck gewesen. Sie hatte eine schwarze Reisetasche bei sich. In der Nacht begleitete sie ihn ins Hotel und erklärte, sie würde auf keinen Fall mit ihm schlafen. Und das hatten sie dann auch nie getan, mehr als zwei Wochen lang. Sie hatte ihm ihre Geschichte erzählt. Dann hatte er sie geschlagen. Dann hatten sie wieder getrunken; wie selbstverständlich war sie mit ihm unters Bett gekrochen.

Vielleicht hatte sie nie existiert, dachte er in diesem Moment, vielleicht hatte er sie in seinem Wahn erfunden und glaubte nun an sie, wie sie an ihren Gott, der sie verstoßen hatte.

Er hatte nichts verbrochen. Er hatte die Frau nicht ermordet, die Frau auf dem Foto. Nele Schubart. Den Nachnamen hatte er zum erstenmal aus dem Mund des Polizisten gehört. Katinka? Ines. Das war der Name der Frau, die er in der vergangenen Nacht in ihr Heimatdorf begleitet hatte, von wo sie vor vier Jahren geflüchtet war. Ines hieß sie, und er wußte, wo sie jetzt war. Er war nicht betrunken genug. Er wußte alles.

Aber der Kommissar wußte nichts. Wieso, dachte Flies, wurde die Frau auf dem Foto ausgerechnet jetzt getötet? Du bist ein Witzeerzähler, Gott! Du fängst wieder damit an, wie damals, du hast Ines in einen Witz verwandelt und Nele auch und wer weiß, wen noch alles. Mich. Ich bin jetzt dein Witz. Der Polizist schüttet sich aus vor Lachen, du Drecksau, und ich dachte, ich wär dich los.

»Wir brechen auf«, sagte Fischer.

»Die Frau, die bei mir war«, sagte Flies, »sie kannte viele Sprüche. Einer lautet: Der letzte Feind, der entmachtet wird, ist der Tod. Kennen Sie den?«

»Ja.«

»Sie lügen.«

»Der Satz stammt aus dem ersten Paulinischen Brief an die Korinther.«

»Woher wissen Sie das?«

»Kommen Sie.« Fischer erhob sich. Im mickrigen Licht des Lokals wirkte seine Gestalt riesig, vor allem, als die kleinwüchsige Wirtin an den Tisch kam.

»Woher wissen Sie das?« fragte Flies. »Waren Sie auch mal in einem Kloster?«

»Ja.«

Flies blinzelte, strich sich mit der Hand über die Augen und fing an zu lachen. Er lachte aus vollem Hals und umklammerte mit beiden Händen die Tischkante. Während Fischer seine Rechnung bezahlte und Su Chen sich stumm bedankte, lachte Flies mit vornübergebeugtem Kopf, inbrünstig und kalt. Seine Stimme loderte aus ihm heraus und explodierte dann in einem Hustenanfall, der ihn vom Stuhl warf und zwang, sich auf den Boden zu knien, vor Fischer und die Wirtin, um dort, die Hände auf den Boden gestützt, mühsam seinen Atem wiederzuerlangen.

11

Menschenlose Stimmen

»Warum ›auch‹?« fragte Polonius Fischer.

»Was? Was?«

»In dem chinesischen Lokal haben Sie mich gefragt, ob ich *auch* in einem Kloster war? Wer noch? Die Frau, die bei Ihnen war?«

»Wer denn sonst?«

Sebastian Flies hatte die Arme verschränkt, seine Blicke irrten um Fischer herum, der ihm am viereckigen Tisch unter dem Fenster gegenübersaß. Er wollte sich die Hände waschen, sie rochen, bildete er sich ein, nach dem Hühnergericht, das er gegessen und mit Sojasauce übergossen hatte, sie rochen nach der Frau, die er auf den Boden gelegt und mit ihrem Mantel zugedeckt hatte, sie rochen, bildete er sich ein, nach dem Moder des verwitterten Hauses am Waldrand, wohin er die Leiche gebracht hatte. Er wollte unter sein Bett kriechen und sein Verbrechen vergessen.

Er wollte sie wiederhaben, er wollte, daß sie vor der Tür stand, wie gestern. Wie vorgestern? In der Zwischenzeit war so vieles geschehen. Er war mit seinem Auto aufs Land gefahren, weil die Frau ihn darum gebeten hatte, nachdem sie leise an seine Tür geklopft hatte, dreimal, viermal, und er schon befürchtet hatte, es sei Frau Morgenroth mit ihrem zwecklos halb geöffneten Morgenmantel. Dann hatte er geöffnet; Ines stand da und sagte: Nimmst mich mit, bitte? Gestern war das gewesen, gestern nacht um elf, er war sich jetzt ganz sicher. Er hatte ihr die Tasche abgenommen und die Tür hinter ihr geschlossen. Komm wieder, hatte er zwei

Tage lang gedacht, komm wieder, ich hab doch deine Kette gefunden!

Sein Blick fiel auf das Kruzifix an der Wand, und er grinste.

Fischer sah an ihm vorbei zu Valerie Roland, die an ihrem Laptop saß und mit der Schulter zuckte.

Sie robbten über den Boden und fanden die Halskette mit dem kleinen Kreuz nicht.

»Kann man nichts machen«, sagte Ines, »erinnert mich eh nur an dunkle Zeiten.«

»Wenn ich sie finde, bring ich sie dir«, sagte Flies.

Ihr rotes Cape hatte sie schon angezogen, ihre Tasche stand gepackt bei der Tür.

»Geh nicht weg«, sagte er.

»Hier erstick ich sonst.«

»Ich bezahl dir ein eigenes Zimmer, in einem anderen Hotel.«

»Nein, Sebastian.« Sie nahm die Tasche und streckte die andere Hand nach der Klinke aus.

»Du kannst Wastl zu mir sagen.«

»Sebastian ist dein richtiger Name, und der paßt zu dir.«

»Ich brauch keinen Namen mehr«, sagte er. »Du hast recht gehabt, ich hab mich abgeschafft, mich gibt's nicht mehr.«

Sie öffnete die Tür und drehte sich noch einmal um. »Der letzte Feind, der entmachtet wird, ist der Tod, heißt es, und das ist wahr. Du bist am Leben, Sebastian, und du bleibst am Leben.«

Er legte die Arme um sie, und sie blies ihm sanft ins Ohr, wie seine Schwester es früher getan hatte. Er ließ sie los, weil er sich nicht erinnern wollte. Stumm standen sie sich gegenüber. Er traute sich nicht, sie noch einmal zu fragen, wohin sie ging; beim erstenmal hatte sie ihm keine Antwort gegeben, nur seine Hand auf seinen Mund gelegt. Vielleicht fuhr sie in ihr Heimatdorf und schwamm in den See hinaus. Nein, dachte er, nein. Er hätte ihr vorlesen können, was er in den achtzehn Monaten im Hotel geschrieben hatte, seine elf Sätze, um zu beweisen, daß er das Alphabet noch beherrschte; er hätte ihr sein kornblumenblaues T-Shirt schenken können, das so gut zu ihren lohfarbenen Haaren paßte, aber es war voller Blut gewesen und zerrissen. Bleib noch, sagte er in sich hinein.

Dann hörte er, wie sie im Flur sagte: »Auf Wiedersehen, Herr Grog.«

»Ziehen Sie aus?« fragte der Portier.

Flies wartete, bis die Haustür ins Schloß fiel, dann sperrte er die Tür ab und ging zum Schrank. Er nahm die Waffe aus der Schuhschachtel und legte sie auf den mit Blättern, Stiften und Blöcken übersäten Schreibtisch, neben seine gelbe Reiseschreibmaschine. Die Waffe mit dem hartgummiverschalten Griff war zwanzig Zentimeter lang, der Lauf und die Trommel glänzten silbern. Flies hatte sie einem Händler abgekauft, den Waffenscheine nicht interessierten. Wofür er den Revolver brauchte, wußte er nicht, er säuberte ihn regelmäßig, ohne je geschossen zu haben, und versteckte ihn vor seiner Familie.

Mit einem schnellen Griff hatte er die Waffe in der Hand und drückte den Lauf gegen die Unterseite seines Kinns; so verharrte er. Die Patronen waren in der Trommel; mit dem Daumen verschob er den Entsicherungsriegel. Achtzehn Monate, dachte er. Wenn sie ja gesagt hätte, hätte er Ines erschossen. Vorsichtig beugte er sich vor und knipste mit der linken Hand die Schreibtischlampe aus. Er saß im Dunkeln. Unter der Tür fiel ein Streifen Flurlicht herein. Das Metall war kalt und hart, sein Zeigefinger berührte den Abzug, das war unvermeidlich. Er hätte sie und sich erschossen, und jemand anderes wäre in das Zimmer gezogen und hätte vielleicht seine Schreibmaschine benutzt. Er dachte an Katalin, seine Schwester, und hörte dann auf, an sie zu denken. Er atmete ruhig. Der letzte Feind, der entmachtet wird, ist der Tod, dachte er.

Dann sprang er auf, riß die Tür auf und knallte die Waffe vor Grog auf die Rezeptionstheke.

Der Portier war gerade dabei, einen Lottoschein zu zerreißen. Er ließ die Fetzen in den Papierkorb rieseln und beugte sich über die Theke. »Smith & Wesson, 357 Magnum, siebenschüssig, plus Munition?«

»Fünfhundert«, sagte Flies.

Grog wog die Waffe in der Hand, klappte die Trommel auf, drehte sie, roch daran, zielte auf ein Bild an der Wand.

»Ich geb dir hundertfünfzig und stell keine Fragen.«

»Ich habe sechshundert bezahlt.«

»Da bist du beschissen worden.«

In seinem Zimmer ließ Flies die Geldscheine auf den Boden rieseln wie Grog die Fetzen seines Lottoscheins, öffnete die zu einem Kühlschrank umfunktionierte Minibar, setzte sich davor und starrte hinein; außer einer Flasche Wodka lag nichts darin. Er legte beide Hände auf das mittlere Regal und ließ sie dort, bis er die Kälte spürte.

Die Kälte war das einzige, was er spürte.

In Weningstedts Büro hing ein Geruch nach Vanille. Liz schnupperte so unauffällig wie möglich und tippte auf ihre Kollegin Gesa Mehling, die ihr am langen Tisch schräg gegenübersaß, zwischen Georg Ohnmus und Walter Gabler. Der neunundfünfzigjährige Hauptkommissar war am frühen Nachmittag von einem privaten Termin, über den er nicht redete, in die Burgstraße zurückgekehrt.

Fischer, der sich links neben Liz gesetzt hatte, benutzte andere Düfte, und ihr Chef am Kopfende bevorzugte ein Rasierwasser, das Liz in freundlichen Momenten rassig und in unfreundlichen ätzend nannte; blieben Weber und Ohnmus als Vanillisten; Liz hatte ihre Zweifel, was die beiden betraf.

»Unaufgeregt«, sagte Hauptkommissar Ohnmus in seiner stakkatohaften Art. »Beide. Sohn und Mutter. Benjamin ist neunzehn, hat im Mai Abitur gemacht, Durchschnitt dreieins. Sein Vater war nicht dabei. Hast du ihn nach seinem Sohn gefragt?«

»Nein«, sagte Polonius Fischer. »Auch nicht nach seiner Frau. Er ist zu betrunken, wir werden ihn nach Hause schikken müssen.«

»Warum?« fragte Liz. »Er lügt, er ist verdächtig, er hat einen Mord erwähnt.«

»Er hat alles mögliche erwähnt. Bevor er nicht nüchtern ist, nützt er uns nichts.«

»Dann müssen wir ihn überwachen lassen«, sagte Liz.

»Den Antrag habe ich schon an die Kollegen gefaxt.«

»Wann denn?« sagte Liz laut und hielt sich die Hand vor den Mund. »Ist mir so rausgerutscht, superpeinlich!«

»Dir muß nichts superpeinlich sein«, sagte Fischer und wandte sich an Ohnmus. »Wie hat sein Sohn ihn charakterisiert?«

»Gar nicht. Ratlos. Nicht, daß er seinen Vater nicht mag. Er scheint nur sein Verhalten nicht zu verstehen.«

»Und zwar sein ganzes Verhalten«, ergänzte Gesa Mehling. »Nicht nur sein Verschwinden, das schien der Junge eher cool zu finden: daß einer von heut auf morgen seinen Koffer nimmt und weggeht und tatsächlich wegbleibt. Flies muß seine Familie völlig überrumpelt haben. Sein Sohn ist ein stiller, sanfter Typ, fast so groß wie du.« Sie nickte Fischer zu. »Lange, dunkelblonde Haare, Pferdeschwanz, Kinnbart, liest Zeitungen und Sachbücher über Ökologie. Ende des Jahres will er nach Amerika, aufs Land, in die Rockys, das wilde Leben ausprobieren.«

»Wie sein Vater«, sagte Fischer. »Nur weiter weg.«

»Was hat der Mann eigentlich die ganze Zeit in dem Hotel getan?« fragte Walter Gabler; er kaute ein Bonbon, und manchmal entfuhr ihm ein schmatzendes Geräusch, wofür er sich sofort entschuldigte.

»Bleiben wir bitte bei dem Sohn und der Mutter«, sagte Silvester Weningstedt, dessen Krawatte schief hing und der, seit er von der Pressekonferenz im Polizeipräsidium zurückgekommen war, mit schweren Müdigkeitsattacken kämpfte; mehrmals im Verlauf der Konferenz riß er die Augen auf oder stützte den Ellbogen auf den Tisch und zog mit dem Zeigefinger abwechselnd die Lider hoch.

»Die beiden haben sich arrangiert.« Ohnmus drückte einen Knopf auf seinem Diktiergerät, spulte vor und hörte zu; er trug einen Lautsprecherknopf im Ohr. Zwar benutzten auch Micha Schell und Esther Barbarov bei Vernehmungen vor Ort gelegentlich einen Recorder, Ohnmus jedoch nahm ihn als einziger auch während wichtiger Besprechungen zu Hilfe. »Der Sohn sagt, seine Mutter hat einen Freund. Ein Verhältnis. Sie arbeitet beim Fernsehen. Wie der Zeuge. In einer anderen Abteilung. Aktuelles. Tägliche Nachrichten, Reportagen. Ihr Mann schrieb Drehbücher.« Er schaltete das Gerät aus. »Einundzwanzig Jahre Ehe. Und dann haut er ab. Gründe? Die Ehefrau behauptet, reiner Frust, Überdruß, Haß auf seine Arbeit und sich selber.«

Walter Gabler erhob sich und setzte sich wieder. »Der Rükken«, sagte er, schmatzte und entschuldigte sich.

»Offenbar hat er seine Flucht länger geplant«, sagte Gesa. »Seine Frau fand eine Notiz im Arbeitszimmer ihres Mannes. Bereits ein Jahr vor seinem plötzlichen Verschwinden suchte er nach einem geeigneten Hotel.«

»Warum wollte er nicht weiter weg?« fragte Liz. »Raus aus der Stadt, in ein anderes Land?«

»Das haben wir Mutter und Sohn auch gefragt. Sie wissen keine Antwort darauf, sie sind absolut ratlos. Sie wissen etwas, aber sie begreifen es noch nicht. Wie wir, wenn wir in einem Fall feststecken. Der Mann hat sich im wahrsten Sinn aus dem Staub gemacht.«

»Haben sie die Polizei eingeschaltet?« fragte Liz.

»Sie haben ihn nicht suchen lassen«, sagte Ohnmus. »Keine Vermißtenanzeige. Gewartet. Weiter gewartet. Unvorstellbar eigentlich. Die Frau liebt ihre Arbeit, sie ist nicht fest angestellt, hat aber ein regelmäßiges Einkommen. Sie arbeitet zwölf Stunden am Tag, sagt sie. Wir haben sie erwischt, als sie gerade mit einem Kamerateam auf dem Weg zu einer Altbausiedlung war, die abgerissen werden soll. Dein Freund, der Oberbürgermeister, plant da ein schmuckes neues städtisches Schwimmbad. Wellneß und eine Menge moderner und einnahmeträchtiger Spaßgeschäfte.«

»Er ist nicht mein Freund«, sagte Weningstedt.

»Wie haben sie auf das Foto der toten Frau reagiert?« fragte Fischer.

»Sie kennen sie nicht«, sagte Gesa. »Ihren Namen haben sie noch nie gehört. Das bringt uns zu den Leuten im Ost-West-Hotel.« Sie schlug eine Seite ihres karierten Blocks um. »Wir haben mit den zwei Leuten gesprochen, die ebenfalls als Dauermieter dort wohnen, dem Ehepaar Morgenroth, außerdem mit dem Portier, einem Herrn Fernhaus, der sich Grog nennen läßt, und einigen Gästen, von denen einer seit einer Woche da ist, die anderen seit zwei oder drei Tagen. Außer dem Portier, und der ist sich nicht sicher, hat niemand Nele Schubart in dem Hotel gesehen. Der Portier behauptet, Flies habe öfter Frauen mitgebracht, auch von gegenüber aus der *Sunny Bar*, die Bardamen verkehren wohl ab und zu in dem ansonsten ehrenwerten Hotel. Die Landwehrstraße liegt im Sperrbezirk, das weiß Herr Grog natürlich, und er hat uns versichert, er würde niemals Zimmer stundenweise vermieten. Und das Ehepaar Morgenroth hat seine Aussage bestätigt, das war nicht überraschend.«

»Kein Zeuge fürs Wochenende«, sagte Ohnmus. »Aber: drei Zeugen für eine andere Frau! Kein Name, keine Beschreibung. Doch: roter Mantel, rotes Cape, mit Kapuze, dunkelrot. Alter: ungefähr dreißig, Mitte dreißig. Sonst nichts. Sie war mehrere Tage bei Flies. Zwei Wochen möglicherweise. Der Portier sagt, die Frau hat das Zimmer nur nachts verlassen. Flies hat ihm Geld gegeben, damit er wegschaut. Er hat weggeschaut. Ging in sein Kabuff, wenn Flies kam und ihn darum bat. Ist keine Straftat. Frag unseren Zeugen, was er dazu sagt. Und: Die Frau hat am Freitag abend das Hotel verlassen. Mit ihrem Cape. Mit ihrer Reisetasche. Der Portier hat sie gefragt, ob sie auszieht, sie hat ja gesagt. Bei der Aussage bleibt er.«

»Was ist das für eine Frau?« Mit einem bedrohlich gespitzten Bleistift zeigte Weningstedt auf Fischer. »Ist sie wichtig für unseren Fall? Wie wichtig ist der Zeuge?«

»Das werden wir erst morgen wissen«, sagte Fischer. »Ich lasse sein Hotelzimmer durchsuchen. Gefahr im Verzug und Verdunklungsgefahr. Er kannte Nele Schubart, daran zweifle ich nicht, aber wenn er am Freitag, zur Tatzeit, im Hotel war, noch dazu mit einer Frau, einer weiteren Zeugin, kommt er als Täter nicht in Frage. Er verbirgt etwas anderes vor uns.«

»Was?« fragte Gesa.

»Eure Befragungen öffnen nicht das kleinste Fenster«, sagte er zu ihr. »Wie ist das möglich?«

»Die Frau weiß einfach nichts über ihren Mann.«

»Wie lang sind sie verheiratet? Einundzwanzig Jahre?«

»Sie sagt, er hat sich abgeschottet. Irgendwann hat er angefangen, alles schlechtzureden, seine Arbeit, das Fernsehen insgesamt, seine Familie, sein Leben. Und dann hat er sich in sein

Arbeitszimmer zurückgezogen und behauptet, er würde einen Roman schreiben. Wenn sie ihn gefragt hat, wie er vorankommt, erklärte er, bald sei sein erster Satz fertig. Das wurde dann offenbar zur Standardkommunikation zwischen den Eheleuten: Hast du deinen ersten Satz geschafft? Und er: Bald. Ein Witz. Der Sohn hat uns dieses Spiel bestätigt. Er hat bis heute nicht verstanden, warum seine Eltern sich nicht längst getrennt haben.«

»Und warum nicht?« fragte Liz.

»Die Frau war in Eile, wir konnten nur knapp zehn Minuten mit ihr sprechen. Uns ging's darum zu erfahren, ob sie in jüngster Zeit Kontakt zu ihrem Mann gehabt hat. Für unsere aktuellen Ermittlungen bringt sie uns so wenig wie ihr Sohn. Siehst du das anders, P-F?«

»Nein«, sagte Fischer. »Trotzdem möchte ich auch mit ihr sprechen, heute noch.« Ausnahmsweise hätte er jetzt lieber eine Weile geschwiegen, Notizen gelesen, Gedanken niedergeschrieben, die Leerstellen markiert, die abwesenden Gesichter mit einem gelben Leuchtstift umrandet. Er durfte nicht schweigen; schweigen war das Privileg von Nonnen und Mönchen, von Tatverdächtigen und Lügnern; und von Gott. Er sagte: »Wir haben Nachbarn, die nichts gesehen haben. Eine Mutter und ihre Tochter verlassen die Wohnung und begegnen niemandem, mitten in einem belebten Viertel, in einer Gegend, in der ein Haus neben dem anderen steht. Es regnete nicht, Leute hielten sich im Garten auf, benutzten dieselbe Strecke wie Nele und Katinka. Dennoch haben wir Zeugen, die die Frau innerhalb der letzten Wochen gesehen haben. Einer von ihnen bestreitet die Begegnung, raunt aber gleichzeitig etwas von Mord oder zumindest von einem Menschen, der gegen seinen Willen sterben mußte.

Kein Eintrag über Sebastian Flies bei Inpol. Fingerabdrücke liegen inzwischen vor, illegal, weil wir sie von seinem Wasserglas genommen haben, eine Übereinstimmung mit denen aus der Tiefgarage gibt es bisher nicht, auch nicht mit Spuren aus der Wohnung am Nothkaufplatz. Solange wir nicht wissen, weshalb er seine Bekanntschaft mit Nele Schubart leugnet, bleibt er unser erster Hauptverdächtiger. Ich werde ihn in sein Hotel begleiten und versuchen, einen Blick in sein Zimmer zu werfen. Er wird, wie gesagt, überwacht und sitzt morgen um acht Uhr wieder hier. Und jetzt kommst du endlich zu Wort, Liz.«

Drei Stunden hatte Liz Sinkel telefoniert, und was sie herausgefunden hatte, verwirrte und beschämte sie gleichermaßen. »Früher war das kleine Mädchen in einem Ganztagskindergarten, da arbeitete ihre Mutter in einer Parfümerie am Harras, die war für sie direkt mit der U-Bahn zu erreichen. Dann kam Katinka in die Schule, und Nele fing im Kaufhaus an, von dreizehn bis zwanzig Uhr. Sie holte ihre Tochter von der Schule ab und nahm sie mit. Katinka verbrachte jeden Nachmittag in einem separaten Raum im Kaufhaus. Der Geschäftsführer meint, sie hätt es gut dort gehabt, da waren Spielsachen und Bücher, und wenn sie neue Schulhefte und Stifte brauchte, hätt sie das meiste aus dem Restbestand geschenkt bekommen. Ich weiß nicht, was ich davon halten soll, das Kind hatte überhaupt keine Privatsphäre, es mußte ständig dort sein, wo die Mutter war. Samstags genauso. Als das Kaufhaus nur bis vierzehn Uhr geöffnet hatte, ließ Nele ihre Tochter meistens allein zu Hause, das haben zwei ihrer Kolleginnen ausgesagt, die sie länger kennen. Nach der Umstellung auf zwanzig Uhr nahm sie sie dann wieder mit, aber nicht immer, manchmal, und wenn nicht, blieb das Mädchen allein in der Wohnung, den ganzen Tag.«

»Hat das Mädchen keine Freundinnen?« fragte Gesa.

»Das hab ich nicht rausgefunden, anscheinend nicht. In meinen Aufzeichnungen ist nur die Rede davon, daß Katinka entweder im Kaufhaus war oder daheim, so hat es wohl die Mutter selber ihren Kolleginnen erzählt.«

Weningstedt zückte wieder seinen gespitzten Bleistift. »Die Frau hat doch Familie, das Mädchen hat Oma und Opa, wieso haben die sich nicht gekümmert?«

Liz wartete, ob Fischer etwas erwiderte, dann sagte sie: »Wie wir euch schon berichtet haben: Nele Schubart hat den Kontakt abgebrochen.«

»Das Mädchen verbrachte also jede freie Minute bei seiner Mutter«, sagte Weningstedt, »oder nur mit sich. Schrecklich. Und was war am vergangenen Freitag?«

»Wenn der Nachbar sich nicht getäuscht hat«, sagte Fischer, »dann hat Nele das Haus allein verlassen, das Mädchen blieb in der Wohnung. Angenommen, Nele kam nicht mehr zurück, dann ist Katinka entweder selbständig weggegangen, oder der Täter hat sie geholt. Wie? Hatte er einen Schlüssel? Möglich, wir haben bei der Toten keinen gefunden. Die Wohnung war abgesperrt, als Esther und Micha hinkamen. Der Täter legt die Leiche in dem Schrank ab, fährt den relativ kurzen Weg zur Wohnung, sperrt auf. Was passiert? Erschrickt das Mädchen so sehr, daß es unfähig ist, sich zu wehren? Vielleicht. Dann suchen wir einen extrem kaltblütigen Täter, wie wir ihn nach der Rekonstruktion der Tat vermutet haben. Er dringt in die Wohnung ein, niemand bemerkt ihn, er nimmt das Kind und verschwindet. Was hat er vor?«

»Nichtwissen«, sagte Weningstedt.

»Hat man einen zweiten Schlüssel in der Wohnung gefunden?« fragte Gabler.

»Nein«, sagte Fischer. »Katinka konnte sich nicht selber einsperren; wir müssen davon ausgehen, daß ihre Mutter sie eingesperrt hat.«

»Was für eine unbarmherzige Frau«, sagte Liz.

Das Wort hatte Fischer lange nicht mehr gehört. »Unbarmherzig«, wiederholte er. »Es gibt noch eine andere Möglichkeit: Katinka kannte den Mann und ist freiwillig mitgegangen.«

»Wir wissen nicht, ob dieser Mann identisch ist mit dem Täter«, sagte Ohnmus.

»Das wissen wir nicht.« Fischer machte eine Pause und blickte zum Fenster. »Aber ich vermute es. Das Mädchen ist nicht weggelaufen, denn es war eingesperrt. Jemand hat sie abgeholt, und die tote Frau hatte keinen Schlüssel bei sich. Wir sollten davon ausgehen, daß der Mörder von Nele Schubart auch der Entführer ihrer Tochter ist.«

»Wann kommt der Mieter des Tiefgaragenstellplatzes morgen an?« fragte Walter Gabler. Er stand auf, nahm gleich wieder Platz und atmete schwer.

»Kann ich ein Vanillebonbon von dir haben?« fragte Liz.

So schnell vorbei, dachte sie, aber sie sagte es nicht, denn sowas sagt man nicht. Sie hatte das Meer gesehen, das ein Sonnenbad nahm, da waren sie sich einig, sie und ihr Papa, auch wenn er nicht ihr Papa war. Das Meer nimmt ein Sonnenbad, stimmt's, Papa? Und er sagte: Stimmt, mein Kind. Und sie rannte am Ufer entlang und wich den Wellen aus, die nach ihren Zehen leckten, sie rannte mit offenem Mund und winkte und wünschte, sie hätte einen Drachen, der dem Wind winkt. Und sie paßte auf, daß der Mann, den sie Papa nennen durfte, sie immer noch sehen konnte, das hatte er von ihr verlangt, das war nicht schwer. Aber er blätterte dauernd in Zeitungen, als suche er etwas; so lange blätterte er, bis das Meer beleidigt war und seinen Wind losschickte, damit er die Zeitungen davonfegte und der Mann das stolze Meer wieder anschaute, wie es ein Sonnenbad nahm mitten im Sommerland. Zwei Tage sind so schnell vorbei, dachte sie, aber sie sagte es nicht, denn sowas sagt man nicht.

»Komm!« rief er ihr zu. »Wir müssen los! Komm!«

Seine Stimme flatterte wie ein Drachen über sie hinweg, und sie winkte in den Himmel und verschluckte ihre Traurigkeit und sah nicht hin, als der Mann seine Hand ausstreckte, denn sie wollte nicht, daß er glaubte, sie wäre undankbar oder mache einen ungerechten Blick, wie ihre Mutter oft behauptete, wenn sie sie anschaute und nichts sagte. Du hast wieder deinen ungerechten Blick! sagte ihre Mutter, und dann kniff Katinka die Augen zu und stellte sich ein blaues Meer vor oder ein grünes.

»Fahren wir zu Mama?« fragte sie.

»Deine Mama ist noch verreist«, sagte der Mann.

»Muß ich allein bleiben, bis Mama wiederkommt?« fragte Katinka.

»Ganz bestimmt nicht«, sagte der Mann. »Setz dich ins Auto, ich muß kurz telefonieren.«

»Wen rufst du an?«

»Setz dich rein und erzähl Toni, was du heute alles erlebt hast.«

»Das weiß der doch, der war doch immer dabei! Stimmt's, Toni?«

Und der Elch in ihrem Arm nickte.

»Ich will nicht, daß Sie mit reinkommen.« Sebastian Flies streckte den Arm aus und hielt ihn quer vor die Eingangstür des Ost-West-Hotels.

»Morgen früh um halb acht holen meine Kollegen Sie ab«, sagte Fischer. Er wartete, bis der Mann mit den zerzausten Haaren und der grünen Hose die Glastür aufgestoßen hatte und ins Haus torkelte. Dann nickte er den Fahndern zu, die auf der anderen Seite der Landwehrstraße in einem Auto saßen.

Er machte sich auf den Weg zur nächsten Straßenbahnhaltestelle, um nach Schwabing in die Römerstraße zu fahren; dort hatte er sich bei Sara und Benedikt Flies angemeldet.

Das Gespräch hätte er auch am nächsten Tag führen können, aber er wollte in Bewegung bleiben.

Vor allem wollte er, daß der Todestag seiner Mutter verstrich, ohne daß er sie noch einmal winken sah.

12

Der Kopf in der Schachtel

Eine halbe Stunde vor Mitternacht betrat Polonius Fischer seine Wohnung im obersten Stockwerk eines Sechzigerjahrebaus im Zentrum. Wieder einmal hatte er keinen Blick in die hell erleuchteten Schaufenster des traditionsreichen Porzellangeschäfts Kuchenreuther im Parterre geworfen. Seine beiden Zimmer gingen auf die sechsspurige, von Trambahnschienen und einem Grünstreifen geteilte Sonnenstraße zwischen Sendlinger-Tor-Platz und Stachus. Je mehr Verkehr herrschte, desto interessierter blickte Fischer von seinem Balkon hinunter, ohne daß er seine Neugier hätte begründen können. Er mochte es, wenn unten Menschen wuselten und die Autos sich an den Ampeln stauten, wenn Fahrradfahrer Fußgänger beschimpften und umgekehrt; er brachte stundenlang Geduld für das gewöhnliche Treiben gewöhnlicher Leute an einem gewöhnlichen Tag auf. Er saß da und schaute und lauschte. Manchmal bemerkte er auf dem gegenüberliegenden Bürgersteig vor dem gesichtslosen fünfstöckigen Flachbau Passanten, die stehengeblieben waren und hinauf in seine Richtung deuteten. Er konnte sich ihr Staunen gut vorstellen.

Vermutlich hatte er nicht nur als einziger auf dem aus sechs Abteilungen bestehenden Balkon dieses Hauses, sondern als einziger Mieter überhaupt in der Stadt die Möglichkeit, sich zum Nichtstun in einen blauweiß gestreiften Strandkorb zu setzen.

Den Korb hatte Fischer in dem Dorf auf Sylt, wohin er mit Ann-Kristin fast jedes Jahr reiste, extra anfertigen lassen, mit Sonderhöhe, damit er nicht mit dem Kopf gegen das Dach stieß. Oft saßen sie beide darin und lasen oder schliefen.

Obwohl der Häuserblock auf der anderen Seite ihm die Sicht nahm, wartete Fischer manchmal in seinem nach Osten gerichteten Strandkorb auf den Sonnenaufgang und dachte an das sättigende Licht und die vollendete Stille in jenem Inseldorf; dann zögerte er seinen morgendlichen Aufbruch hinaus und versöhnte sich mit dem tobenden Mann, zu dem er am Ende seiner Mönchszeit geworden war.

In der Nacht zum Dienstag ließ er, nachdem er Sakko und Krawatte abgelegt hatte, frische Luft ins Zimmer, ging aber nicht auf den Balkon, sondern warf die Sachen, die er seit zwei Tagen trug, in den Wäschekorb, duschte und öffnete, als es klingelte, in Jeans und Sweatshirt und barfuß die Wohnungstür.

»Tanti auguri!« rief Ann-Kristin Seliger, umarmte und küßte und umarmte ihn noch einmal. Er nahm ihr die schwere Ledertasche ab, und sie holte zwei Gläser aus der Küche.

»Bist du grade erst gekommen?«

»Ja«, sagte er und zog den Korken aus der Weinflasche, die sie mitgebracht hatte.

Sie stießen an und tranken, und Ann-Kristin küßte ihn auf den Mund, wobei sie sich auf die Zehenspitzen stellen mußte.

Jedes Jahr an seinem Geburtstag kam sie Punkt Mitternacht zu ihm, und er hatte es bisher immer geschafft, pünktlich zu Hause zu sein. Wenn er in der Nacht weiter an einer Ermittlung arbeiten mußte oder Bereitschaftsdienst hatte, ließ er sich für zwei Stunden vertreten. Es war ein Liebesritual, sie pflegten es seit dreizehn Jahren. Manchmal schliefen sie miteinander. Meist jedoch forderte sie ihn auf, zu erzählen und nebenbei die Musik zu spielen, die sie ihm geschenkt hatte. In diesem Jahr war es die CD einer unbekannten russischen Pianistin, Julia Fedulajewa, deren Chopin- und Ligeti-Interpretationen Ann-Kristin so beglückt hatten, daß sie sie in ihrem Taxi ununterbrochen spielte.

»Woher kennst du sie?« fragte Fischer.

Wie immer saßen sie auf dem Boden, auf einer roten Baumwolldecke, an die Ledercouch gelehnt, Weingläser neben sich.

»Ein Kollege hat sie mir empfohlen, er sammelt Raritäten. Er hat mehrere CDs von ihr in einem Second-Hand-Shop entdeckt. Angeblich lebt sie hier in der Stadt.«

»Geheimnisvoll«, sagte Fischer.

Sie hörten zu und tranken, und Fischer füllte die Gläser.

»Forsch doch mal in deinem allmächtigen Computer nach ihr.«

»Mein Computer ist kein Gott«, sagte Fischer. »Und vielleicht möchte die Musikerin unerkannt bleiben, und das solltest du dann respektieren.«

»Erstens«, sagte Ann-Kristin und strich ihm mit dem Finger an den Augenringen entlang, »ist das pure Spekulation, ob sie unerkannt bleiben will, und zweitens mußt du nicht immer die Jungfrau raushängen lassen.«

»Ich lasse keine Jungfrau raushängen.«

»Doch, so seid ihr Jungfrauen: Bloß nichts verraten. Geheimniskrämer seid ihr!«

Sie stieß mit ihrem Glas gegen seine wuchtige Nase, als proste sie dem Zinken zu, trank und küßte ihn mit merlotfeuchten Lippen auf den Mund. »Wie weit bist du? Habt ihr das Mädchen gefunden? Mußt du noch mal weg?«

»Nein«, sagte er. »Ich möchte gleich mit dir schlafen.«

»Das weiß ich doch.«

»Woher denn?«

»Das seh ich!« Sie tippte mit dem leeren Glas an seine Nasenspitze. »Erst trinken wir die Flasche aus. Und jetzt sag: Wie weit bist du?«

»Vielleicht weiter, als ich glaube.« Er hob die Flasche, die er neben die Couch gestellt hatte, und roch daran. »Ich war vorhin bei der Frau und dem Sohn eines Mannes, der die Ermordete kannte, was er bestreitet, und ich verstehe nicht, warum. Da ist eine andere Frau, über die er sich ausschweigt. Angeblich war sie in einem Kloster, eine Nonne, sie trug ein rotes Cape und hatte eine schwarze Reisetasche bei sich. Ich weiß nicht, wo sie jetzt ist. Die Ehefrau hält ihren Mann für depressiv, sein Sohn hält ihn für cool, aber auch für unberechenbar. Ich saß in der Küche der beiden, Altbau, viel Holz, Stühle vom Flohmarkt, die Frau trank Weißwein, der Sohn Johannisbeersaft. Die Frau arbeitet beim Fernsehen, wie ihr Mann, der Sohn hat Abitur gemacht und will eine Zeitlang ins Ausland gehen. Sie haben ihre Ziele, ihre Aufgaben, sie haben ruhige Hände. Dann zeigten sie mir das Arbeitszimmer des Mannes, er heißt Sebastian Flies und nennt sich als Autor Jakob Seiler, unter diesem Namen ist er auch in dem Hotel registriert, wo er wohnt. Auf dem Schreibtisch des Arbeitszimmers liegen stapelweise Blätter, unbeschrieben. Nach der Aussage seiner Frau wollte Flies einen Roman schreiben, aber wie es aussieht, hat er nie damit begonnen. Er verließ seine Familie und tauchte unter. Und plötzlich erscheint er als Zeuge in einem Mordfall. Er leugnet, er lügt, ich kann seine Lügen in seinen Augen sehen, er weiß, daß ich ihn durchschaue, er weiß, daß er kein überzeugender Lügner ist, sondern ein Dilettant, trotzdem macht er weiter. Ich war zwei Stunden bei der Familie, und als ich ging, richteten die beiden kein Wort an ihn, keinen Gruß, keine Bitte, keine Frage. Die Frau, Sara, hatte mich nicht einmal gefragt, ob ich herausgefunden hätte, was er vorhabe, wie lange er noch in dem Hotel bleiben wolle, sie fragte gar nichts. Der Sohn fragte mich, wie es seinem Vater gehe, immerhin, ich sagte: Vermutlich gut. Da mußte er grinsen. Ich fragte ihn, wieso, und er sagte: Nur so.«

»Sie hassen ihn«, sagte Ann-Kristin.

»Das glaube ich nicht«, sagte Fischer. »Sie haben ihn von ihrer Innenweltkarte gestrichen, er existiert nicht mehr für sie.«

»Auch für den Sohn nicht?«

»Schattenhaft.«

Sie stießen mit den Gläsern an und tranken. Die Flamme der weißen Kerze in dem geschwungenen hohen Glas, das vor der Balkontür stand, flackerte. Julia spielte einen As-Dur-Walzer, während sie begannen, sich gegenseitig auszuziehen.

Es war still. Er lag auf dem Boden und lauschte; vom Flur her kam nicht das geringste Geräusch, kein Wasserrauschen einer Toilette, kein Gebrabbel eines Betrunkenen, kein Knacken im Gemäuer; alles, was an sein Ohr drang, war sein Atem. Er atmete in die Hände, die er wie eine Maske vors Gesicht hielt. Doch er wurde nicht ruhig, und das Brausen in seinem Kopf immer heftiger.

Seit Sebastian Flies in seinem Zimmer war, schlug sein Herz über ihn hinaus, und er fror. Erinnerungen suchten ihn heim, die er nicht bestellt hatte. Er hatte endlich allein sein wollen, er hatte einen Teller Hühnerfleisch mit Reis essen, vier oder fünf Biere trinken, viele Zigaretten rauchen und danach ins Hotel zurückkehren und alles vergessen wollen, was seit der vergangenen Nacht geschehen war; ohne seine Absicht, ohne seine Zustimmung und ohne ihn selbst. Das war er nicht gewesen, sechzig Kilometer von hier, da draußen am See, das konnte er nicht gewesen sein. Er hatte die Frau niemals getroffen. Sie verwechselten ihn, der Kommissar war hinter jemand anderem her. Durch einen absurden Zufall war er ins Visier der Polizei geraten. Er sagte die Wahrheit: Ich kenn die Frau nicht! Ich hab sie nicht getötet! Ich krieg keine Luft! dachte er und schob sich, flach auf dem Bauch liegend, aufs Bett zu, über den schmutzigen Teppich, ich hab die Frau nicht umgebracht!

Und dann.

Dann sitzt er auf der Terrasse des Einfamilienhauses im Osten der Stadt – da wollte er niemals wieder hin –, und vor ihm auf dem runden Tisch liegt ein angebissener Apfel. Neben ihm sitzt eine Frau, und sie tragen beide kurze Hosen, und er geniert sich für seine dürren weißen Beine, und sie, das weiß er, geniert sich nicht für ihre weißen Stampfer. Sie hat ihn zum Reden einbestellt.

Nur du und ich, sagt sie. Sie, die neuerdings denselben Nachnamen trägt wie er, denn vor zwei Monaten ist sie die Ersatzfrau seines Vaters geworden. Bei der Zeremonie auf dem Standesamt hat seine Schwester ihn an der Hand gehalten und er ihr zugeflüstert: Jetzt hat unser Vater wieder eine Hinredfigur, und Katalin hat gekichert und gewußt, was er meint. Seit er hören kann, hat sein Vater hingeredet: an die Leute in seiner Kanzlei, am Essenstisch an seine Mutter und an das Kotelett, auf der Straße an Bekannte oder ein Baugerüst, im Gasthaus an die Bedienung, an den Bierfilz oder den Promilleschorsch, im Urlaub am Strand an den Eisverkäufer und manchmal an seinen Sohn, den Wastl, der seit jeher eine unbrauchbare Hinredfigur gewesen ist. Doch dann kommt Pia an die Reihe und sie, das weiß Wastl, ist zum Hinreden auf jeden Fall ein Spitzenersatz für seine Mutter.

»Hau ab!« schrie Sebastian Flies quer über den Boden. Dann krümmte er sich. Doch die Stimme ging nicht weg und war ganz deutlich im Rauschen seines Kopfes zu verstehen.

Nebeneinander hocken sie auf der Bank, und die Frau sagt: Ich möchte in Ruhe mit dir reden. Und er sagt: Paßt schon! Aber er sieht seine Mutter vor der Bank herumhüpfen, so anmutig, daß die Schmetterlinge mit den Flügeln applaudieren, das sieht er genau.

Und die Frau sagt: Du brauchst nicht Mama zu mir zu sagen, sag Pia, ich wär ganz einfach gern deine Freundin.

»Hau ab!« schrie er in den Teppich hinein. »Hau ab!«

Und er wünscht sich, Katalin käme aus dem Geäst des Apfelbaums geklettert und würde sich neben ihn setzen und still sein, still und duftig, wie seine Mutter, die weggegangen ist, aber wieso? Er ist elf und unbrauchbar als Hinredfigur, unbrauchbar auch als Mitnehmsel. Wieso hat seine Mutter ihn nicht mitgenommen? Wieso ist die vor uns abgehauen, Katalin, sie hätte doch weiterhüpfen können im Garten und ihre Bilder malen, wieso? Bin ich ein Depp, dem der liebe Gott Apfelmus statt Hirn in den Kopf gestopft hat? Paßt schon, denkt er, denkt: Die Mutter mußte raus aus dem Laberbrei seines Vaters, paßt schon, er denkt: Katalin fliegt bald nach Portugal ans Meer und fängt, wenn sie zurückkommt, eine Ausbildung als Krankenschwester an und wohnt woanders, paßt schon.

Und dann springt er auf und läuft über die Wiese zum Apfelbaum und schlingt seine Arme um den Stamm, tut so, als würde er ihn schütteln; in Wahrheit aber will er ihn ausreißen und auf das Haus werfen. Und wenn sein Vater Punkt halb sieben mit seinem Audi vorfährt, hat er Glück, weil: Da liegt ein Riesenschutthaufen für ihn zum Hinreden bereit, und daneben stampft Pia mit dem Fuß auf, wie ein Spitzenersatzrumpelstilzchen.

Sebastian Flies kroch über den Boden seines Zimmers, stemmte sich weiter bis zum Schrank, krallte die Finger in die Türleiste und zog die Tür auf, verlor die Kontrolle und schlug mit dem Kopf auf der Kante des Schrankbodens auf. Benommen blieb er liegen. Dann tastete er nach etwas, bekam die Schuhschachtel zu fassen und warf sie neben sich. Das verwaschene T-Shirt fiel heraus.

Er hatte vergessen, daß er den Revolver dem Portier verkauft hatte.

Er streckte sich, durchwalkt von Schmerzen, hustete wieder und tauchte, als dringe er behutsam in Wasser ein, mit dem Kopf in die Schachtel, drehte den Kopf zur Seite und roch die modrige Pappe, an die er seine Wange schmiegte.

Er wußte, daß die Frau am See tot war. Er hatte nicht sie gemeint, als er sie tötete. Er hatte nicht einmal seine Stiefmutter gemeint, nicht einmal seine Mutter oder seinen Vater. Und er schmiegte seine andere Wange an die harte, rissige Pappe. Er hatte, als die Frau, Ines, ihn dazu aufforderte, die Tat begangen, weil ...

Aber das würde er dem Kommissar nicht sagen, niemandem würde er das sagen, niemals. Denn niemand würde ihm glauben.

»Glaubst du, er hat etwas mit dem Mord an der Frau zu tun?«

»Ja«, sagte Polonius Fischer. »Oder mit dem Mord an jemand anderem.«

Sie lagen auf dem Rücken und hielten sich an den Händen, schon eine Weile, im Dunkeln.

»Mein sechstes Jahrzehnt hat begonnen«, sagte er.

Ann-Kristin ließ seine Hand los und beugte sich über ihn. »Dann schlaf lieber schnell noch mal mit mir.«

13

Töte mich, ich bitt dich drum

»Und deine Schwester?« fragte Ines. »Hat sie sich mit Pia verstanden?«

»Nein«, sagte er, »und das war ihr gleich. Sie ist bald ausgezogen.«

»Und heute?« fragte Ines, »trefft ihr euch manchmal, ihr vier?«

»Katalin ist tot.« Er drehte sich im Bett auf die andere Seite, um zu Ines hinübersehen zu können, die auf dem Stuhl saß, die Beine an den Körper gezogen, die Hände auf den Knien gefaltet. Er winkte ihr zu.

Er winkte ihr, wie er seiner Schwester gewinkt hatte, von der breiten, weißen Tür aus. Das geht schon, hat sie gesagt, nach der OP die Chemo, und dann eß ich halt weniger, wenn ich nicht mehr so viel Magen hab, das tut mir gut, bin eh zu dick. Du bist nicht dick, sagt er und sieht sie an. Wieder fallen ihm die dunklen Ringe unter ihren geröteten Augen und ihr schmal gewordenes Gesicht auf, und er denkt, daß sie vor lauter Nachtschichten in der Klinik nicht zum Schlafen kommt und bestimmt ihr ganzes Trostvermögen an die Patienten verschenkt, so wie sie ihn behütet hat, wenn er sich als Kind in unheimlichen Welten verlief. Schau mich an! sagt er und streckt seinen Bauch vor. Und sie: Wo kommt dieser Ranzen her? Und er: Lagert Bier drin, viel Bier, sonst ertrag ich die Arbeit nicht und alles andere. Dann hör da auf, sagt sie. Und er: Ich brauch das Geld. Und sie: Schreib endlich deinen Roman. Und er: Das taugt nichts, was ich schreib. Und sie, ungeniert: Du redest wie Papa, der hat auch alles runtergemacht, was du geschrieben hast, und Mama auch, die am allermeisten. Stimmt das? fragt er. Und Katalin: Das stimmt, du hast es bloß verdrängt, weil du so traurig warst, daß sie weggegangen ist, Wastl. So traurig wie du, sagt er. Und sie: Du noch viel mehr, ich war ja schon älter. Und er: Wann läßt du die Operation machen? Demnächst, sagt sie. Sie haben dich nie gesehen, wie du wirklich bist, sie wollten immer einen anderen aus dir machen. Und er: Vielleicht ist ihnen das gelungen. Hör auf! sagt sie laut, und ein paar Leute auf der Feier sehen her, hör auf, dir Dinge einzureden, das hast du schon als Kind getan, hast dir eingeredet, du taugst nichts, du bist soviel wert wie Dreck. Manchmal hast du dir schlimmere Dinge eingeredet als Papa und Mama und Pia zusammen. Ohrfeigen hätt ich dich können! Und er, leise, nicht wegen der Gäste, sondern weil seine Stimme geschrumpft ist: Warum hast du es nicht getan? Und sie, scheulos und streng: Und heut redest du dir immer noch Zeug ein. Du bist alt genug, um zu erkennen, was du kannst und was du erreicht hast und welche Ziele noch vor dir liegen. Wieso behandelst du dich so schlecht, was hast du gegen die Leute beim Fernsehen? Und er: Barbiere des Wahnsinns, sie rasieren dir jeden Tag die Phantasie kahl. Und sie, ohne zu lächeln: Du bist gut in dem, was du tust, bleib dabei, ich bitte dich, auch für deine Frau und deinen Sohn, ich bitt dich. Und sie streicht ihm übers Gesicht und hat eine schneekalte Hand.

So kalt war seine Hand, als er Ines winkte. Sie stützte ihr Kinn auf die Hände und hörte nicht auf, ihn anzusehen. Und er stürzte in ihren Blick.

Und Katalin nippt an ihrem Wasserglas. Er gießt sein Glas randvoll mit spanischem Rotwein, und sie sagt: Prost. Und er: Auf dich. Seit wann weißt du davon? Und sie: Von meinem Tumorchen? Seit einer Woche. Außer dir hab ich noch niemandem davon erzählt, und das soll auch erst mal so bleiben, Wastl.

In diesem Moment landet eine Hand auf seiner Schulter. Getuschel unter Geschwistern? fragt Sara, seine Frau. Ich hoffe, du redest heut abend noch mit ein paar anderen meiner Geburtstagsgäste, darf er, Kati? Und Katalin: Wie fühlst du dich heut? Und Sara: Hab mich schon mieser gefühlt. Als ich dreißig wurde, hab ich geglaubt, jetzt springt mir das Alter ins Gesicht, und ich hab überlegt, mir die Haut straffen zu lassen. Ich hab mir eingebildet, daß mir überall was weh tut, in der Brust, am Rücken, am Hals, hab mich ständig abgetastet, dein Bruder hat davon nichts mitbekommen. Das war eine Horrorzeit für mich, und deswegen fühl ich mich heut ganz gut. Sie sieht ihn an, und er sagt: Darüber hast du nie gesprochen. Manches weißt du eben nicht, sagt sie im Weggehen. Sie klingt, denkt er, wie eine seiner Serienfiguren, die er seit Jahr und Tag erfinden und brunzdummes Zeug sagen lassen muß.

Katalin fragt: Habt ihr Probleme miteinander? Und er: Sie möchte, daß ich ihren Beruf mehr schätze und ihre Arbeit mehr würdige und nicht in meinem Zimmer verschwinde, um irgend etwas Nutzloses zu tun. Und Katalin: Was sagt euer Sohn dazu? Und er: In seinen Augen tragen wir beide zur Volksverdummung bei, er haßt das Fernsehen, ich weiß nicht, wo er das her hat. Sie lacht und er auch, und sie küßt ihn auf den Mund, dann trinken sie und stoßen noch einmal an und lachen noch einmal. Das ist das letzte Mal, daß er sie lachen sieht.

Er stürzte immer tiefer in Ines' Blick. Er wollte nicht stürzen. Er wollte in diesem Hotelzimmer bleiben und nicht in das andere Zimmer zurückkehren, in das mit der breiten weißen Tür.

Und er steht schon dort und winkt. Wozu denn? denkt er und geht weg und geht trinken und geht schlafen und kommt am nächsten Morgen wieder. Da wartet Professor Schaller an der breiten weißen Tür, hinter ihm stehen Schwester Magdalena und Dr. Bilgri, und der Professor sagt: Grüßiherrflies. Und Flies weiß alles, sofort. Drecksau! sagt er. Und der Professor ruckt mit dem Kopf, dabei hat Flies ihn gar nicht gemeint. Und er redet – mit gezügelter Stimme, das schafft er – schon weiter auf dem Weg ins Zimmer: Das ist so arm, wie du das Verrecken inszenierst, so arm, so arm. Von der Tür aus, denkt er dann, sieht sie eigentlich sehr still aus. Maßloser Irrglaube! Das tobt doch alles in ihr nach, stimmt's, Kati, stimmt's? Und er stellt sich neben das Bett und sieht auf Katalin hinunter, der die weiße Decke bis zum Kinn reicht, und erkennt ihr Gesicht nicht wieder. Ist die falsche! sagt er zu Bilgri, der sich hinter ihn geschlichen hat. Er weint nicht. Das hat er von der Pike auf gelernt: Das Zeug bleibt drin im Angesicht des Todfeinds. Bist du das, Katalin? fragt er, ich geb dir einen Kuß zurück, den einen, den letzten vor deinem letzten Lachen. Nimm sie, Drecksau! schreit er. Und der Professor an der Tür: Bitte?

Flies geht an ihm vorbei, den Flur entlang, zur Tür mit der Milchglasscheibe, die Treppe hinauf, an der Cafeteria vorbei. Er fährt die Rolltreppe hinunter ins Parterre und stellt sich draußen neben den asphaltierten Weg in die Wiese, öffnet den Reißverschluß seiner Hose und brunzt den Goldregenstrauch an. Mit ungewaschenen Händen kehrt er ins Klinikum zurück, drückt Professor Schaller fest die Hand und dankt ihm für seinen Einsatz. Und dann wollen alle auf der Station seine Hand, ein Karneval der Bazillen, Katalin zu Ehren, die verrecken hat müssen, obwohl ihr Trostfruchtbaum bis in den Himmel reichte.

»Woran denkst du, Sebastian?« fragte Ines.

»Leg dich neben mich«, sagte Flies.

Sie trug ein blaues T-Shirt, das ihm gehörte, und ihre graue Schlafanzughose. Sie streckte sich neben ihm aus, und er roch ihren Schweiß und dachte, daß sie unter dem Hemd und der Hose nichts anhatte, und er wollte aufhören, daran zu denken, aber es gelang ihm nicht.

Er schnellte herum und sah Katalin da liegen. Und dann erst Ines. Und dann wieder Katalin. Ines hatte die Arme nach hinten gestreckt und umklammerte das Bettgestell. Er starrte sie an. Er wollte ihr ins Gesicht schlagen und ihre Keuschheit ein für allemal beenden. Sie spreizte sogar die Beine, das sah er genau oder bildete es sich ein. Und das durfte er nicht. Er sprang aus dem Bett, holte die angebrochene Wodkaflasche aus dem Kühlschrank und trank gierig. Und Ines wollte auch trinken. Dann tranken sie beide und fingen an zu streiten, aber worüber, das hatte er vergessen, als sie plötzlich zuschlug. Vielleicht hatte er den Psalm nicht hören wollen und sie aufgefordert, den Mund zu halten. Sie hatten die Flasche leer getrunken, dann schlug sie zu. Und er schlug zurück. Und dann hockte sie sich auf ihn, und er packte sie an der Schulter und schleuderte sie auf den Boden.

Einen Tag später, da draußen am See, schlug er sie wieder, und sie wollte es so. Er schlug, und sie waren nackt, und sie wollte alles, was geschah. Aber er, bildete er sich ein, er wollte nicht weg aus dem Ufergesträuch, er wollte bleiben und bloß mir ihr schlafen und nicht wieder zurückstürzen in das Zimmer mit der breiten weißen Tür und dem Leichnam, der noch am Leben war, mit dem Gesicht, aus dem noch Atem kam und eine Stimme.

Halt mich fest, Bruderherz, sagt sie. Und ihr Bruderherz sagt: Hier bin ich. Ich bin's, Wastl. Und sie, der Leichnam, der noch lebt: Schrei doch nicht so! Und er: Verzeihung, Kati. Und dann weint sie wieder.

»Gott ist eine Drecksau«, sagte er zu Ines und berührte mit den Fingerspitzen ihre Brüste. Nicht weit entfernt schlugen die Wellen des Sees an den Steg. Und seine Hände begannen zu

kreisen und drückten fest zu. »Das kannst du überall nachle-
sen, wo er hinkommt: Leichenberge.« Er wollte sie festhalten,
nicht quälen. Sie lag da, unter ihm im Gesträuch nah am Ufer,
im tiefen Dunkel, nach Mitternacht, im Dorf, aus dem sie
stammte. Er hätte sie gern in den Schlaf gewiegt, Ines, Katalin,
die sagte: Lies mir ein Gedicht vor, bitte, wie früher, Wastl.
»Drecksau!« schrie er. Und sie schrie auf, weil er seine Finger
in ihre Brüste grub. Tu doch das Früher wieder her, sagt er mit
abgewandtem Kopf im Zimmer und dreht den Kopf schnell
wieder zu seiner Schwester und sagt: Ich weiß kein Gedicht.
Und er denkt: Ich bin der brunzdumme Wastl. Und sie: Bitte,
bitte, Wastl. Und er sieht sie verrotten in seinen Armen, sein
Schwesterherzl, das früher seinen ganzen Haß aus ihm herausgesogen hat, und zwar so: Sie blies ihm sanft ins Ohr.
    »Was verstehst denn du davon, Drecksau!« schrie er und
drückte fester zu. Und Ines wand sich unter seinem Gewicht.
    Da ich ein Knabe war, da ich ein Knabe war, rettet ein Gott
mich oft, mich oft, mich oft vom Geschrei und der Rute der
Menschen, da spielt, da spielt ich sicher und gut, sicher und
gut mit den Blumen des Hains, mit den Blumen des Hains.
Und sie: Weiter, Bruderherz, weiter, bitte. Und er: Und die
Lüftchen des Himmels spielten mit mir, mit mir und, und wie
du das Herz der Pflanzen erfreust, erfreust, wenn sie die zarten, die zarten, wenn sie entgegen dir die zarten Arme strek-
ken, so hast du mein Herz erfreut, Vater Helios und, und wie
Endymion, Endymion war ich dein Liebling, heilige Luna, heilige, Luna, o all ihr treuen freundlichen Götter, freundlichen
Götter, daß ihr wüßtet, wie euch meine Seele, meine Seele geliebt, zwar damals, zwar, damals rief ich noch nicht euch mit
Namen, dich, sagt er. Und Schwester Magdalena in der breiten
weißen Tür: Sie müssen jetzt gehen, Herr Flies! Und er: Auch
ihr nanntet mich nie, wie die Menschen sich nennen, als kennten sie sich, kennten sie sich, doch kannt ich, kannt ich euch

besser, als ich je die Menschen gekannt, ich verstand die Stille des Äthers, der Menschen Worte verstand ich nie, mich, mich erzog der Wohllaut des säuselnden Hains, und lieben, und lieben, und, lieben lernt ich unter. Katalins Stimme: Unter den Bäumen. Und Katalins Stimme von weither in seinen Armen: Im Arme der Götter wuchs ich groß. Und er: Wuchs ich groß. Und Katalin atmet noch, und er legt sie aufs Bett, den leichten, harten Körper.

»In ihrem Körper hat der Haß gewuchert, weißt du, Ines, der Haß, den sie aus mir herausgesogen hat, früher, der ganze Haß und die Not.«

»Und die Not«, sagte Ines leise, mit magerem Atem. Und er hörte nicht ihre Stimme, sondern die seiner Schwester. Die wollte er nicht hören. Und Ines: »Fester, bitte!« In dieser Sekunde hätte er aufspringen, zum Auto zurücklaufen und wegfahren müssen, weg aus dem Dorf, zurück in die Stadt, zu seinem Hotel, und dort bleiben.

»Bitte«, sagte Ines, streckte die Arme nach hinten und klammerte sich an einen Baumstamm. »Bitte!« sagte sie und spreizte die Beine. Ihr Rock rutschte höher. Sebastian wollte aufspringen und knöpfte statt dessen sein Hemd auf, schleuderte es ins Dickicht und zog sein schwarzes T-Shirt aus, streifte, ohne aufzustehen, seine Hose ab und griff nach den Socken und riß sich die Unterhose vom Hintern und ihr den Slip herunter und stieß zu.

»So?« schrie er. »So?«

»Nicht so laut«, keuchte sie, »bitte! Ja.«

In der Dunkelheit sah er ihre hellen Brüste. Sie warf den Oberkörper hin und her und flüsterte: »Schlaf mit mir.« Von ihrem Kinn tropfte Speichel. Und er schlief mit ihr und spürte den Schmerz und steckte ihr drei Finger in den Mund und sie biß zu.

»Hör auf!« schrie er.

Sie biß fester zu. Mit den Fingernägeln ritzte er ihr Zahnfleisch, und das hielt sie nicht aus. Sie öffnete den Mund, und Flies schlug ihr ins Gesicht und rammte seinen Bauch gegen den ihren. Er bildete sich ein, sein Unterleib sei blutüberströmt, er konnte nichts erkennen, nur ihren weißen Bauch, ihre weiße Haut, ihre weißen Brüste.

Dann hörte er ihre Stimme. Zuerst begriff er nicht, daß es ihre war, lauschte ins Dunkel der Umgebung.

»Wastl«, sagte sie mit piepender Stimme. »Wastl, mach weiter, bitte.«

Und er sah sie an und machte weiter, und sie wehrte sich nicht, das fiel ihm auf, sie wehrte sich immer weniger. Sein Becken vibrierte, als er hätte er ein Glied aus Strom, und er drang in sie, tiefer, als er je in eine Frau gedrungen war, und er wollte noch tiefer. Er wollte, daß sie ihn anflehte aufzuhören.

Dann riß sie die Augen auf, und er schlug ihren Kopf auf den Boden, und sie öffnete den Mund und stammelte Worte, die er sofort verstand.

»Töte mich! Töte mich, Wastl, ich bitt dich drum.«

Er hörte die Stimme, und eine Maschine trieb ihn in sie hinein. Die Bäume und Sträucher und der See wirbelten um ihn herum, und er schrie: »Was soll ich?«

Bevor er begriff, was sie tat, packte sie seine Hände, legte sie sich um den Hals und preßte sie an ihren Kehlkopf.

Er schaute hin und wollte es nicht.

Und wollte es.

Er zog ihren Kopf zu sich herauf und drückte zu.

Großes Empfinden.

Das war, worauf er sein Fremdleben lang gewartet hatte. Seit der liebe Gott seinen Großvater Jakob am Heilig abend mit einem Fingerschnipp in die ewigen Jagdgründe katapultiert hatte. Seit ihm klar war, daß er von nirgendwoher kam, ein Schatten ohne Jugend. Nie hatte jemand aus seiner Familie

von seiner Vorfamilie erzählt, keine Geschichten am Abend-
brottisch, bloß Hetzreden gegen die Grottenolme der Mit-
welt. Seine Tischnachbarn – Mutter eins und Mutter zwei und
Vater eins und s' Schwesterherzl – kamen aus dem Nichts. Wie
seine Ahnen, die immerhin existiert haben mußten, hing er –
redete er sich ein – wie Rotz an Gotts Nasn.

»Töte mich!«

Das war, glaubte er, worauf er als Kind hingeschwiegen
hatte, wenn die Blinden und Tauben ihn für seinen Eifer, sein
Betragen, seine Bügelfalten lobten.

»Töte mich!«

Das war, worauf er gewartet hatte, seit er einmal einen
Sommer lang wegen zweimal Mangelhaft im Zeugnis in Ein-
zelhaft verbringen und immer neue Fenster und Türrahmen
und Heizkörper und Fensterrahmen und Türen und Waschbecken putzen mußte und seine Hände betrachtete und überzeugt war, sie taugten nicht zum Schreiben. Genau wie die
Wärterin gesagt hatte, die kurz darauf verschwand und ihr
Amt an ihre Nachfolgerin Pia übergab, die wenigstens das
Tragen gelber Gummihandschuhe erlaubte.

»Töte mich!«

Das war, wonach er sich sehnte, seit er zu diesem Mann
geworden war, dessen Existenz sich in der Erfindung ge-
schminkter und gut ausgeleuchteter Scheintoter erschöpfte.

»Töte mich!«

Und das war groß.

Er begann zu summen. *So schön, schön war die Zeit.*

Er drückte beide Daumen auf ihren Hals. Ines schlug mit
den Beinen um sich, und er stieß zu.

So schön, schön war die Zeit.

»Fester?« keuchte er, denn er war außer Atem und hatte es
nicht bemerkt.

»Ja«, sagte sie.

Er drückte fester zu und mußte aufpassen, nicht aus ihr herauszugleiten. Ihre Wangen wurden dunkler, das konnte er sehen, und je fester er ihren Hals umklammerte, desto mächtiger fühlte er sich. Sie wehrte sich schon nicht mehr, hatte die Augen geschlossen. Er ritt auf ihr, und sein Keuchen erfüllte die Dunkelheit. Unter uns, dachte er und preßte seine Daumen auf ihren Kehlkopf, unter uns die schmierige Erde, die Heimat der Lemminge aus Lehm.

So schön, schön war die Zeit.

»Schrei nicht so!« schrie er, obwohl sie nicht schrie. »Glaubst du, dein Geschrei weckt wen auf in den Klöstern und Kirchen? Glaubst du, aus den Sakristeien und Tabernakeln kriecht einer raus und erhört dich? Glaubst du, die Stellvertreter deines Gotts wachen auf? Glaubst du, dich hört wer beim Sterben?«

Er lauschte.

Die Wellen plätscherten. Grillen zirpten. Auf der nahen Durchgangsstraße war es still.

Noch einmal stieß er zu. Und Ines ruckte mit dem Kopf.

»*So schön, schön war die Zeit*«, summte er ein letztes Mal und schaute in den sternenübersäten Himmel hinauf. »Tritt jemand vors Tor?« flüsterte er. »Stellt jemand sein Können zur Verfügung, um unser Flehen zu erhören? Nö. Nömand. Nörgends.«

Er senkte den Kopf und explodierte. Sein Bauch schnellte vor und zurück, sein Herz schlug quer durch seine Brust, seine Hände schleuderten den Kopf, den sie festhielten, wie den einer Puppe herum, durch seine Beine jagten Stromstöße.

Aber Sebastian Flies schrie nicht.

Ines' Kopf war nach hinten gefallen und hatte sich zur Seite gedreht. An ihrem Hals bemerkte er eine Einbuchtung an der Stelle ihres Kehlkopfs, Wundmale und Blut. Sie atmete nicht mehr.

Er hatte sie getötet.

Er hatte sie sechzig Kilometer aus der Stadt in ihr Heimatdorf gefahren, um sie zu erwürgen.

Töte mich! hatte sie gesagt. Wirklich? Er wußte es nicht mehr.

Dann fiel ihm auf, daß er vollkommen ruhig dasaß. Er saß auf dem Leichnam der Frau, die er entjungfert hatte.

Wieder legte er den Kopf in den Nacken und betrachtete das Sternengewimmel. Hatte er nicht geschrien? Und sie?

Er erinnerte sich, daß es geklopft hatte. Er hatte geöffnet, ohne zu fragen, wer da sei, und sie hatte gesagt: Fahr mich nach Hause. Nach Hause. Sofort. Elf Uhr gestern nacht.

Und dann?

Den Tag hatten sie im Dorf verbracht, heimlich, sie dirigierte ihn durch die Straßen. Das Dorf war sauber, und auf den Balkonen der Häuser blühten Geranien. Das Dorf hieß Schild auf der Höh, er war noch nie hiergewesen. Sie gingen am See spazieren, wie ein Liebespaar. Dann kam die Nacht. Sie wollte wieder an den See. Sie tranken die drei Flaschen Wein, die sie in der Autobahnraststätte gekauft hatten. Dann fuhren sie hierher. Und dann? Und jetzt?

Ihr Gesicht war aufgedunsen, er erkannte es kaum wieder.

Ich muß zurück in die Stadt, dachte er.

Dann fiel ihm das Häuschen am Waldhang ein, in der Nähe der Kirche. Auch dorthin hatte sie ihn gelotst, und sie hatte ihm erzählt, was es mit dem weißgestrichenen Haus, das nur aus einem Raum bestand, auf sich gehabt hatte, früher, in ihrer Mädchenzeit.

Als er aufstand, stellte er fest, daß sein Bauch und sein Geschlecht voller Blut waren, auch das Geschlecht und der Bauch der toten Frau.

Auf dem Weg zum Auto taumelte Sebastian Flies. Er sackte auf die Knie und übergab sich, mehrere Male, minutenlang.

Er spuckte aus und wischte sich den Mund und den Unterleib mit Papiertaschentüchern ab, die er im Handschuhfach fand. Die Leiche säuberte er mit seinem schwarzen T-Shirt. Nachdem er sie auf die Rückbank gezerrt hatte, deckte er den nackten Körper mit dem roten Cape zu und legte die übrigen Kleidungsstücke obenauf. Erst jetzt zog er seine Sachen an. Er dachte an das, was er vorhatte; an etwas anderes dachte er nicht. Was er vorhatte, war nichts Besonderes, abgesehen von dem Einbruch, den er begehen mußte.

Bevor er den Motor startete, roch er an seinen Fingern und schüttelte sich vor Ekel. Er lief zum See und tauchte die Hände ins kalte Wasser, rieb sie aneinander, spülte sie wieder und wieder ab, nahm einen flachen Stein und schrubbte damit wie mit einem Seifenstück die Innenhandflächen, tunkte die Hände erneut ins Wasser und ließ sie so lange darin, bis er die Kälte nicht mehr ertrug. Wieder roch er an den Fingern, schniefte und spuckte in die Wiese. Er riß zwei dicke Grasbüschel aus und zerrieb sie in den Fäusten. Hinter dem Lenkrad bildete er sich ein, der widerliche Geruch habe sich inzwischen im Wageninneren ausgebreitet.

Mit offenem Fenster fuhr er durch das verlassene Dorf.

Von alldem würde Polonius Fischer nur einen Ausschnitt erfahren, gerade so viel, daß er die Staatsanwaltschaft von einer Anklageerhebung überzeugen konnte. Vor der Schwurgerichtskammer des Landgerichts würden die erbrachten Beweise und unter Eid abgegebenen Erklärungen zu einem Urteil führen und vielleicht die allgemeinen Erwartungen befriedigen; im Wesentlichen jedoch würden sie nichts weiter sein als vage Annäherungen an den Radius der Wahrheit.

14

Madonna ohne Kind

Das Umarmen hatten sie schon vor Jahren sein lassen. Jeder schüttelte dem Geburtstagskind die Hand, dann verstummten sie.

»Lieber Polonius«, sagte Silvester Weningstedt und nahm ein rechteckiges, in rot-blaues Papier verpacktes Geschenk vom Tisch. »Das ist kein Buch, auch keine CD, es ist, wenn ich ehrlich bin, ein Risiko.«

»Das ist doch kein Risiko, so ein Mumpitz«, sagte Liz.

»Es war ihre Idee«, sagte Weningstedt. »Sie hat uns überzeugt, daß dieses Geschenk dir Glück bringen und dir Ruhe und Vertrauen vermitteln wird.«

»Das stimmt«, sagte Liz.

Fischer besaß wenig Talent, sich Geschenke für andere auszudenken, und noch weniger Talent, Geschenke entspannt entgegenzunehmen; weil er im Stehen mit dem Aufknoten der Schleife nicht zurechtkam, setzte er sich, ungelenk und ein wenig verärgert über seine Unfähigkeit. Er vermied es, in die Runde zu blicken, und bemerkte deshalb nicht, wie Liz jede seiner Handbewegungen mit einem erwartungsvollen Blick verfolgte, in den ihre Kollegin Esther eine unangebrachte Form von Hingabe hineininterpretierte.

Aus einer mit Seidenpapier ausgelegten Lederschatulle holte Fischer eine zehn Zentimeter große, androgyn wirkende Buddhagestalt hervor. Sie fühlte sich kalt und schwer an. Der junge Gott mit der schwarzen Haube, den geschwungenen Brauenstrichen, den rot unterränderten Augen und dem schmalen roten Mund saß mit gekreuzten Beinen auf einem Podest, seine offene rechte Hand zeigte nach unten und in seiner linken hielt er ein rundes Gefäß im selben Goldton wie ein Teil seines Gewandes, dessen vorwiegende Farbe ein mildes, holzartiges Braun war.

Fischer legte die Figur in seine Hand und betrachtete sie lange. Der Buddha strahlte Anmut und Offenheit aus. Seine Geste empfand der Kommissar wie eine Einladung zu verweilen und gleichzeitig wie einen Segen, die begonnenen Dinge weiterzutun, mutvoll und geduldig.

»Das Geschenk ist sehr schön«, sagte er. »Danke.«

»Man nennt sie auch Pancha Buddhas«, sagte Liz. »Ich weiß aber nicht, was das bedeutet.«

»Danke«, wiederholte Fischer, stand auf, ging ins Nebenzimmer zu seinem Schreibtisch, stellte die Figur auf einen kleinen weißen Block, den er nie benutzte, und drehte sie so, daß sie zu ihm hersah, wenn er arbeitete. Er setzte sich und stellte fest, daß der Buddha seinen Blick gesenkt hielt, als wolle er sowohl sich selbst als auch sein Gegenüber nicht stören. Fischer nahm die Figur wieder in die Hand – sie erschien ihm noch kälter als zuvor – und drehte sie herum. Er lachte. Die Rückseiten der durch den stilisierten Schmuck noch länger wirkenden Ohren waren rot bemalt und sahen aus wie Zungen, die rechts und links auf die Schultern herabhingen. Als Fischer den Buddha wieder hinstellte, hatte er für eine Sekunde den Eindruck, die dünnen roten Lippen würden sich zu einem Lächeln verziehen.

»Danke«, sagte er zum drittenmal und blieb, wie seine Kollegen, vor dem langen Holztisch stehen, während Weningstedt und Walter Gabler sich als einzige setzten. Sie hatten bereits begonnen, die aktuellen Informationen auszutauschen.

Die Überprüfung des Bankkontos von Nele Schubart hatte keine Auffälligkeiten ergeben. Das Kaufhaus überwies pünktlich ihren Lohn, der offensichtlich für Miete und Unterhalt ausreiche. Seit mehr als einem Jahr hatte keine Bareinzahlung mehr stattgefunden, das letzte Mal waren es eintausendzweihundert Euro gewesen, die – wie Micha Schell ermittelt hatte – von Max Ebert stammten, der Nele nach eigenen Worten »unter die Arme greifen« wollte. Verlangt habe sie das Geld jedenfalls nicht von ihm, obwohl sie einmal eine Bemerkung fallengelassen habe, sie sei in finanziellen Schwierigkeiten und müsse daher eine Menge Überstunden machen. In der Wohnung hatten Esther Barbarov und Schell außer einem Kuvert mit sechshundert Euro, das in einer alten Zuckerdose steckte, keine Bargeldreserven entdeckt, so daß ein Mordmotiv in dieser Richtung vorerst entfiel.

Außerdem hatten sich zwei Personen gemeldet, die behaupteten, Nele Schubart am Freitag nachmittag gegen sechzehn Uhr vor einer Apotheke in unmittelbarer Nähe der Heiglhofstraße gesehen zu haben.

»Die Zeugin ist achtundsechzig und wohnt in der Pfingstrosenstraße«, sagte Emanuel Feldkirch, »die ist hier.« Er deutete auf den Stadtplan, den Weningstedt auf dem Tisch ausgebreitet hatte. »Der Fundort der Leiche ist fünf Minuten entfernt. Die Zeugin sagt, Nele sei ihr aufgefallen, weil sie so ein hübsches grünes Kleid trug und sich auf einer Bank gesonnt hat.«

»Allein?« fragte Fischer.

»Ganz sicher allein«, sagte Feldkirch. »Zuerst wollte die Zeugin sich herausreden, nach dem Motto, kann sein, ich hab mich doch getäuscht. Es paßte ihr nicht, daß ich nicht vor Begeisterung in Ohnmacht gefallen bin und nachgefragt habe. Nele war also allein, und sie aß ein Eis am Stiel.«

»Und die Zeugin hat sie die ganze Zeit beobachtet?« fragte Esther.

»Ungefähr eine Minute, dann ist sie in eine Bäckerei gegangen, und als sie wieder rauskam, war die Frau im grünen Kleid verschwunden.«

»Warum erinnert sich die Frau an Nele?« fragte Liz. »Nur wegen des grünen Kleids?«

Feldkirch beugte sich vor, um seine junge Kollegin am anderen Ende des Tisches besser sehen zu können. »Sie sagt, die junge Frau habe einfach so schön ausgesehen, in dem Kleid, in der Sonne; es war, sagt sie, ein madonnenhafter Anblick.«

»Madonna ohne Kind«, sagte Schell.

Neidhard Moll räusperte sich. »Und dann haben wir noch einen zweiten Zeugen«, sagte er, »und der erscheint mir noch interessanter. Ich habe vorhin eine halbe Stunde mit ihm telefoniert, er kommt in der Mittagspause zu uns. Er arbeitet in einer Bank, neunundzwanzig Jahre alt. Er sagt, er hat mit Nele Schubart gesprochen, sie sei ihm nervös, verwirrt vorgekommen. Anfangs war er überzeugt, daß sie betrunken war.«

»Hat sie den Mann angesprochen?« fragte Fischer.

»Ja. Sie fragte ihn, ob er eine Zigarette für sie habe.«

Fischer und Esther Barbarov blätterten in ihren Zetteln. »Ihr braucht nicht nachzuschauen«, sagte Moll, »nach unserem bisherigen Wissensstand war sie Nichtraucherin. Ich habe noch mal im Kaufhaus und den Fahrlehrer angerufen; niemand hat sie je rauchen sehen.«

»Bevor wir darauf zurückkommen«, sagte Fischer, »hat jemand die Zeiten aufgeschrieben, die wir bis jetzt einigermaßen beweisen können?«

Esther hob ein DIN-A4-Blatt in die Höhe. »Wenn der Zeuge vom Nothkaufplatz, Herr Zimmermann, sich nicht täuscht, dann verließ Nele um 9 Uhr 30 die Wohnung und kam etwa um 12 Uhr 15 zurück, das hat dir die alte Dame erzählt, P-F, ihren Namen find ich gerade nicht.«

»Frau Badura«, sagte Liz.

»Wann sie danach ihre Wohnung verließ, wissen wir nicht;

die dritte Uhrzeit, die feststeht, ist 16 Uhr vor der Apotheke. Das würde zur späteren Tatzeit passen. Nach den Untersuchungen von Dr. Dornkamm gehen wir davon aus, daß Nele Schubart nicht vor achtzehn Uhr getötet wurde. Sie war also in der Nähe, sie hatte eine Verabredung.«

»Grünes Kleid, hübsch«, sagte Georg Ohnmus. »Madonnenartig. Bravo. In dem Viertel, in dem sie gewohnt hat, leben die Leute Tür an Tür und da, wo sie ermordet wurde, genauso. Und was sehen die Leute? Eine Madonna! Dieser Banker, hat der ihr eine Zigarette gegeben?«

»Nein«, sagte Moll, »er raucht nicht, aber sie kamen ins Gespräch. Er hatte frei an dem Tag, er wollte zum Einkaufen in den Supermarkt, der im selben Block wie die Apotheke ist.«

»Wo hat sie das Eis gekauft?« fragte Esther.

»Das wissen wir nicht«, sagte Moll.

Wie so oft, wenn Zeugenaussagen keine befriedigenden Antworten ergaben und die Fahndung nicht vorantrieben, ballte Micha Schell, der in Konferenzen nie voreilig Kommentare abgab oder durch leidenschaftliches Mitdiskutieren auffiel, die rechte Faust und hämmerte in die Luft. »Es wird immer nur das gesehen, was jemand sehen will! Ist euch das schon mal aufgefallen? Ich bin ja auch schon fast zehn Jahre dabei, und ich finde, es wird immer schlimmer. Die Leute hokken vor dem Fernseher, ziehen sich Gerichtsshows und Doku-Soaps über die Polizei rein und halten das für das wahre Leben. Sie glauben, sie nehmen am Leben teil, sie fühlen sich im Recht. Das ist das schlimmste: Sie denken, sie dürfen, was sie tun. Aber sie dürfen es nicht!« Er starrte seine Faust an wie eine unerwartete Waffe, hob den Arm, und es sah aus, als drohe er Liz, die auf der anderen Seite des Tisches stand. Mit seinen fünfunddreißig Jahren war er der zweitjüngste Kommissar im K 111. »Und sie dürfen es deswegen nicht, weil sie das andere, das Leben, auf das es ankommt, total aus den Augen verlieren. Wenn sie auf der Straße sind, sehen sie nur noch das, was zu ihren Fernsehbildern paßt. Diese alte Frau, die sieht eine junge Frau, die in der Sonne ein Eis ißt, und was denkt sie? Da sitzt eine Madonna! Wie kann man auf so eine Idee kommen?«

»Religiös vielleicht«, sagte Ohnmus.

»Religiös!« Schell fegte mit der Hand durch die Luft, knapp an Fischer vorbei. »Die Leute sehen nichts! Sie machen sich nur wichtig. Sie wollen ins Fernsehen, sie quetschen sich unten in dieser Tiefgarage zusammen, um draußen den Reportern was zu erzählen zu haben, und das halten sie dann für ihr Leben. Diese Leute fragen die Journalisten, wann die Sendung kommt, damit sie rechtzeitig eine Videokassette einschieben können.«

»Micha«, sagte Esther Barbarov. »Wir müssen rüber in die Soko, können wir bitte noch die neuen Ergebnisse der Spurensicherung besprechen?«

Schell begann die Ärmel seines Hemdes hochzukrempeln, das eine ähnlich rote Farbe hatte wie Fischers Krawatte. »Eine tote Frau«, sagte der Oberkommissar. »Ein verschwundenes Kind, offenbar eine weitere Frau, die verschwunden ist. Ein Zeuge, der lügt. Und niemand weiß, wieso? Oder?«

Fischer war kurz davor, seinen Kollegen zu unterbrechen. Andererseits passierten solche Ausbrüche bei fast jeder Ermittlung, und sie kamen nicht immer nur von Micha Schell.

»Wir sind eine Truppe Showgirls und Showboys für die Leute. Wir sind ja selber dauernd im Fernsehen. Wie viele Kollegen von uns machen bei dem Spiel denn mit? Unzählige. Sollen sie machen, wenn sie sonst nichts zu tun haben. Uns hilft das nichts. Was ist denn mit dem Banker? Was hier steht, das nützt uns doch null!«

»Er nützt uns sehr«, sagte Fischer. »Er bestätigt ein weiteres Mal, daß Nele allein unterwegs war und sich in der Nähe des Hochhauses aufgehalten hat, wo sie ermordet wurde.«

»Und wieso ist er der einzige? Weil sie ihn angesprochen hat! Weil er dachte, die sucht einen Kerl. Weil er geil war. Weil er auf der Suche war. Die Frau hat ihre Wohnung verlassen, hat ihr Kind eingesperrt, hat irgendwas erledigt, ist zurückgekommen, hat ihr Kind wieder eingesperrt und ist rausspaziert, ist zu dem Hochhaus gefahren, hat jemanden getroffen. Wie viele Leute wohnen da? Zweihundert? Dreihundert?«

»Zweihundertneunundachtzig«, sagte Neidhard Moll.

»Zweihundertneunundachtzig Leute. Die Frau läuft an all denen vorbei, geht in eine Wohnung, wird ermordet, aber das ist noch nicht der Höhepunkt. Der Mörder trägt die Leiche an den zweihundertneunundachtzig Leuten vorbei in den Keller, legt sie in einem Schrank ab und spaziert davon. Und wenn die zwei Jungen nicht zufällig Fußball spielen da unten und den Ball gegen das Gitter knallen, was dann? Irgendwann fängt die Leiche an zu stinken. Aber wie lange stinken Tote in Wohnungen, bevor jemand was merkt? Zwei Monate? Drei Monate? Hey, Liz, du bist unser Cheerleadergirl, wenn's um neue technische Fahndungsmaßnahmen geht.«

»Was ist denn mit dir los?« fragte Liz.

»Wir haben jetzt den biometrischen Personalausweis, sehr gut, mit dem wedelst du doch gern herum, weil du ihn für einen Fortschritt hältst. Du glaubst, je mehr Daten wir erfassen, desto schneller stellen wir einen Verbrecher, oder noch besser: Wir verhindern Verbrechen!«

»Warum bin ich ein Cheerleadergirl?«

»Wir erreichen gar nichts! Die Killer vom elften September waren total legal in Amerika, und so wird's immer laufen. Verbrecher handeln immer aus einer Legalität heraus, die großen, meine ich, die gefährlichen, die, wegen denen wir die biometrischen Ausweise und den genetischen Fingerabdruck und ViClas und die operative Fallanalyse und das alles erfunden haben. Glaubst du, deswegen sieht die alte Frau mehr als eine

Madonna, die ein Eis ißt, und ein notgeiler Bankkaufmann mehr als eine potentielle Übergangsbraut fürs Wochenende? Glaubst du das? Ich nicht, ich seh da draußen die Leute, und sie wollen Unterhaltung, und wenn's im Treppenhaus stinkt, dann muß man über Nacht das Fenster aufmachen, und wenn arabische Studenten ihr Aussehen verändern und geheime Treffen organisieren und Flugunterricht nehmen, dann passiert das einfach, und niemand merkt was. Verstehst du?«

»Hast du heut nacht den falschen Film gesehen?« Liz schüttelte nur noch den Kopf.

»Ich hab überhaupt keinen Film gesehen!« sagte Schell laut. »Ich hab keinen Fernseher.« Dann holte er tief Luft und rieb sich die Arme. »Ich weiß auch nicht, wieso mich der Fall so aufregt. Ist vielleicht wegen dem Kind. Oder wegen der Frau in dem Schrank. Weil das alles so fürchterlich ist und anscheinend alles am hellichten Tag passiert ist, und weil ich wieder mal viel zu persönlich bin bei der ganzen Sache. Meine Tochter ist auch sieben, na und? Und ihre Mutter ist tot, na und? Sie war zur falschen Zeit am falschen Ort, und der Bankräuber wollte gar nicht auf sie schießen, der wollte überhaupt nicht schießen, der hatte vorher noch nie eine Pistole in der Hand gehabt und so weiter. Weiß ja jeder. Ist ja auch Scheiße. Vielleicht kauf ich mir doch noch mal einen Fernseher, damit ich besser einschlafen kann. Ich war die ganze Nacht wach, zum Glück hat die Isa fest geschlafen; ich bin zu ihr ins Zimmer und hab sie angeschaut und gedacht, daß das schön ist, wie sie da liegt und schläft, den Bären im Arm, und daß sie morgen aufwacht, und dann bringe ich sie in die Schule ... Und ich denk dann immer, daß das ganze Leben ein Scheißbetrug ist; du gehst in eine Bank, und da ist ein Kerl, der hat sich von einem anderen Kerl am Bahnhof eine Pistole besorgt, für zweihundert Euro, und braucht Geld und geht in die Bank. Da stehen Kunden, und er fuchtelt mit der Waffe rum, und einer der Kunden denkt, heut komm ich ins Fernsehen, und überlegt, ob er noch eine Kassette frei hat. Scheiße, denkt er, muß ich was löschen, scheiß drauf, ich komm ins Fernsehen, weil er ja weiß, daß alles gut ausgeht, ein Bankräuber kommt nie davon, und gleich taucht die Polizei auf, alles gut. Aber der Kerl mit der Pistole hat ein Problem, schwitzt unter seiner Maske, und jemand sagt was, und dann drückt er ab, weil sein Zeigefinger abrutscht, und da stehst du in der Schußlinie, und das war's. Du kannst nicht mal deiner Tochter auf Wiedersehen sagen und deinem Mann und deinen Freunden. So geht das.«

Fischer wartete, blickte in die Runde, ob jemand etwas erwidern wollte, und nahm das Fax, das vor einer halben Stunde gekommen war. In dem Moment, als er zum Sprechen ansetzte, tauchte Valerie Roland in der Tür auf.

»Der Zeuge ist da«, sagte sie. »Sollen die Kollegen von der Streife bei ihm warten, bis du kommst?«

»Ja«, sagte Fischer. »In welcher Verfassung ist er?«

»Übernächtigt, er stinkt nach Alkohol, der hat garantiert in seinen Sachen gepennt.«

»In der grünen Hose?«

»Sie ist grün, ja.«

Laut dem neuen Bericht aus dem Untersuchungslabor gab es übereinstimmende Fingerabdrücke in der Tiefgarage und in der Wohnung von Nele Schubart, außerdem an zwei Türklinken im Treppenhaus. »Die Kollegen haben natürlich das gesamte Gebäude noch nicht durch«, sagte Fischer. »Die Abdrücke sind an der Kellertür und an einer Zwischentür im Erdgeschoß. Ich warte auf den Durchsuchungsbeschluß, vorerst nur für das Treppenhaus; die Kollegen machen in der Zwischenzeit einfach weiter. Und es gibt keinen zweiten, anderen übereinstimmenden Abdruck; wir bleiben also dabei, daß es sich um einen Einzeltäter handelt. Der Mörder hat das

Mädchen aus dem Haus geholt, er muß ein Auto benutzt haben. Wir suchen also ein Fahrzeug, das Zeugen sowohl in der Heiglhofstraße als auch am Nothkaufplatz gesehen haben. Die Tatzeit war zwischen neunzehn und zwanzig Uhr am Freitag, das bedeutet, der Täter war nicht vor einundzwanzig Uhr in der Wohnung von Nele Schubart, vermutlich etwas später. Es bleibt uns nichts übrig, als die Anwohner noch einmal zu befragen.«

Weningstedts tragbares Telefon klingelte. »Valerie?« Er hörte zu und legte das Gerät wieder auf den Tisch. »Ein Zeuge sagt, er hat das Mädchen am Spielplatz am Nothkaufplatz mit einem Mann gesehen. Das Alter kann er nicht schätzen, nicht mehr ganz jung auf jeden Fall. Der Zeuge geht da manchmal spazieren, er hat sich erinnert, weil die beiden sehr freundschaftlich miteinander umgegangen sind. Sie kannten sich. Der Zeuge dachte, es wäre ihr Vater, aber jetzt hat er in der Zeitung gelesen, daß die Eltern lange getrennt sind. Eine Beschreibung konnte er nicht geben, groß, eher schlank, an das Gesicht kann er sich nicht erinnern, er war zu weit weg. Aber etwas Markantes ist ihm doch aufgefallen: Der Mann hinkt. Ob mit dem rechten oder linken Bein, das weiß der Zeuge nicht. Seid ihr dort einem hinkenden Zeugen begegnet?«

Niemand hatte einen solchen Zeugen gesehen.

»Das Auto und der hinkende Mann am Spielplatz«, sagte Fischer. »Beide Fragen müssen bis heute abend geklärt sein.«

Esther Barbarov beugte sich zu ihrem Kollegen hinüber. »Die Soko wartet, Micha.« Sie nahm die Blätter mit den neuen Aufzeichnungen, um sie ein Stockwerk tiefer zu kopieren. Wie erschöpft, mit schleppenden Schritten, folgte Schell seiner Kollegin.

»Auf deinen Zeugen bin ich gespannt«, sagte Weningstedt.

Fischer zog sein Jackett an. »Der Staatsanwalt ist bereit, einen Haftbefehl gegen Sebastian Flies zu beantragen, falls er stur bleibt.« Er wandte sich an Liz Sinkel. »Du mußt leider wieder aushelfen.«

»Ehrlich?« Liz hatte schon damit gerechnet, daß sie Telefondienst machen mußte, solange Valerie die Vernehmung – das Gespräch – im PF-Raum protokollierte. Sie nickte, und Fischer schien es, als dränge sie sich etwas zu nahe an ihm vorbei.

15

In der Höhle

Im zweiten Stock warteten die beiden uniformierten Polizisten. Fischer dankte ihnen, daß sie den Zeugen aus dem Ost-West-Hotel geholt hatten.

Sebastian Flies saß mit dem Rücken zur Tür und hatte die Hände hinter die Stuhllehne gelegt, als wäre er gefesselt.

»Guten Morgen«, sagte Fischer.

Valerie schloß die Tür, setzte sich an den Bistrotisch und tippte Datum und Uhrzeit in ihren Laptop.

Fischer nahm gegenüber von Flies Platz, knöpfte sein Jackett auf, legte die Hände gefaltet auf den leeren Tisch. »Vernehmungsbeginn acht Uhr fünfzehn, Dienstag, einunddreißigster August. Ich erkläre Herrn Flies, daß gegen ihn wegen des Verdachts der Tötung der fünfunddreißigjährigen Nele Schubart ermittelt wird, und ich belehre ihn darüber, daß er das Recht hat, die Aussage zu verweigern, einen Rechtsanwalt zu beauftragen oder Beweiserhebungen zu beantragen.«

Valerie tippte den Satz, den sie auswendig kannte, und hob den Kopf.

»Sind Sie aussagebereit, Herr Flies?« fragte Fischer.

»Vielleicht.«

»Wollen Sie einen Rechtsanwalt hinzuziehen?«

»Sie wissen überhaupt nicht, worum's geht.«

»Das ist wahr«, sagte Fischer. »Um das herauszufinden, sitzen wir hier. Sind Sie aussagebereit?«

»Und wenn nicht?«

»Dann bringe ich Sie in Untersuchungshaft.« Es war nur

ein Versuch, und Valerie hütete sich, ein Wort davon ins Protokoll zu schreiben.

»Das will ich nicht!« sagte Flies.

»Dann sind Sie aussagebereit?«

»Kann ich einen Kaffee kriegen?«

Fischer sah an ihm vorbei zu Valerie. »Auf Wunsch des Verdächtigen wird die Vernehmung für fünf Minuten unterbrochen.«

Valerie speicherte das Geschriebene und verließ den Raum. Flies hatte die Arme immer noch hinter der Stuhllehne verschränkt. Er starrte dem Kommissar in die Augen und auf die Nase.

»Sie können ruhig mit mir reden«, sagte er.

»Worüber?«

»Ich geh niemals ins Gefängnis, Mister Fischer, vorher erschieß ich mich, das können Sie gleich in Ihre Akte schreiben.«

»Besitzen Sie eine Waffe?«

»Wozu denn?«

»Womit wollen Sie sich dann erschießen?«

»Wie reden Sie mit mir?« Er ruckte mit dem Stuhl, ohne die Hände zu benutzen. »Hab ich das richtig in Erinnerung: Sie waren mal Mönch? Im Kloster? Mußten Sie auch jeden Tag um Viertel nach fünf aufstehen?«

»Wer noch?«

»Was?«

»Wer mußte noch um Viertel nach fünf aufstehen?«

»Ines.«

Valerie kam mit einem Tablett, stellte zwei Tassen Kaffee auf den Tisch, daneben einen Zuckerstreuer und ein Kännchen Milch, und setzte sich an ihren Computer.

Nach einem langen Blick auf die Tasse streckte Flies die Hand aus, näherte sie dem Henkel, um sie kurz davor zurückzuziehen; seine Hand zitterte.

»Fortsetzung der Vernehmung«, sagte Fischer; er benutzte das Wort nur wegen des Protokolls. »Sprechen Sie weiter.« Wie zu Beginn ihres Gesprächs faltete er die Hände auf dem Tisch und sah Flies in die Augen.

»Wenn Sie mich so anschauen, verlier ich den Faden.«

»Ines ist die Frau, die bis Freitag abend bei Ihnen im Hotel gewohnt hat.«

»Viertel nach fünf«, sagte Sebastian Flies, und es klang, als spreche er zu jemand anderem, als beschwöre er die Gegenwart eines Menschen, dessen Auftauchen ihn nicht weniger verstört hatte als sein Verschwinden.

Während er redete, schien er weder Fischer noch irgendeinen Gegenstand im Raum wahrzunehmen. Er bewegte den Oberkörper vor und zurück, als schwanke der Boden unter ihm oder als trieben ihn die Klänge einer Musik, die nur er hörte, von einer Erinnerung zur nächsten. Manchmal streifte sein Blick das Kruzifix an der Wand, dann zuckten seine Lider. Er stockte, ertastete mit der rechten Hand die Kaffeetasse, hob sie zitternd zum Mund und trank schlürfend. Das Abstellen der Tasse war ein langsamer, qualvoller Vorgang. Den linken Arm hatte er weiter um die Stuhllehne gelegt, als würde er sonst vornüberkippen. Er schwitzte am ganzen Körper.

Je länger sein Furor ihn mitriß, desto leidender wirkte sein Gesichtsausdruck, seine Gesten verwandelten sich in dramatisches Gefuchtel, und seine sachlich klingenden Aussagen, seine scheinbar intimen Bekenntnisse und seine monologischen Beschwörungen trieben ihn in einen Zustand, den Polonius Fischer von vielen Zeugen und Verdächtigen kannte, die in diesem Raum vor ihm gesessen und mit großem inneren Aufwand versucht hatten, den verhunzten Dingen ihres Lebens im nachhinein eine gefällige, entschuldbare Gestalt zu verleihen. Das war der Zustand des Selbstmitleids. Wer darin die höchste Stufe erreichte, kehrte frühestens in einer U-Haftzelle in sein reales Bewußtsein zurück. Und bei manchen setzte die Ernüchterung erst lange nach der Verurteilung ein, im ichlosen Alltag eines Gefängnisses.

Obwohl Fischer den nach Alkohol und ungewaschenen Kleidern riechenden Mann, der an diesem Morgen vor ihm saß, für einen Spätausnüchterer hielt, glaubte er noch lange nach Beginn des Gesprächs, daß Flies zur Welt von Nele und Katinka Schubart gehörte. Und er hätte es für reichlich abwegig gehalten, daß ausgerechnet etwas von dem, was er gestern bei Tisch vorgetragen hatte, schon am nächsten Morgen von seiner Arbeit Besitz ergreifen und ihn mit einer unerhörten Form von Synchronizität konfrontieren sollte.

»Jeden Tag um Viertel nach fünf aufstehen«, sagte Ines, eingehüllt in die Bettdecke, unter der sie einen schwarzen Pullover und eine grüne Hose trug, die ihr der Mann, mit dem sie unerschrocken mitgegangen war, geliehen hatte. »Laudes um Viertel vor sechs, jeden Tag, drei Jahre und elf Monate. Zuerst hab ich einen weißen Schleier bekommen, dann einen schwarzen. Den Ring und das Brevier hab ich dort gelassen, ich werd nie wieder in einem Kloster leben, ich hab mich getäuscht. Die Kette, die ich um den Hals trag, war ein Geschenk, die halt ich in Ehren.«

»Es heißt, man geht ins Kloster, um Gott zu suchen und zu loben«, sagte Sebastian Flies. Er sah an Fischer vorbei zum Fenster. »Und man geht nicht hin, um die Welt zu vergessen. Ja? Genau. Ist ihr nicht gelungen. Sie hat den Gott nicht gefunden, deswegen konnt sie ihn auch nicht loben, logisch. Und die Welt zu vergessen ist ihr erst recht nicht geglückt.«

»Am Anfang«, sagte Ines, »hab ich in der Bibliothek gearbeitet, in den letzten zwei Jahren in der Wäscherei. Zu meinen Mitschwestern war ich immer freundlich und hilfsbereit und sie zu mir auch, besonders Mutter Johanna. Immer, wenn ich zu ihr ging, bot sie mir grünen Tee an und stellte kluge Fragen, und ich hab fast immer gelogen.«

»Weil«, sagte Flies und wippte mit dem Oberkörper vor und zurück, »sie hat gespürt, daß Gott sich ihr nicht zeigen wird. Daß sie allein bleibt. Gehofft hat sie trotzdem, die dumme Kuh.« Er wollte zur Tasse greifen, schlug aber aus Versehen mit dem Handrücken gegen die Tischkante und verzog das Gesicht. Dann schüttelte er die Hand aus und blickte zum Kreuz an der Wand.

»Das Hoffen war schon da«, sagte Ines unter der Bettdecke, »und ich war auch zufrieden und hatte zu tun. Oft fanden im Kloster Seminare statt, und ich half beim Saubermachen im Gästehaus. Es gibt dort auch ein Lokal und eine Buchhandlung, und viele Touristen kommen, so kann das Kloster Geld verdienen und überleben. Am Staatstropf würden die Schwestern verhungern, hat Mutter Johanna immer gesagt. Sie ist ein realistischer Mensch. Als junge Frau hätt sie beinah geheiratet, aber dann hat sie sich für den heiligen Benedikt entschieden.«

»Der heilige Benedikt ist verliebt gewesen«, sagte Flies. »Wußten Sie das, Mister Fischer?«

»Ja, aber er hat sein Verlangen bezwungen und erkannt, daß er der Liebe zu Christus nichts vorziehen darf.«

»War das gesund für ihn?« Flies holte Luft, schnaufte und wischte sich über die nasse Stirn.

»Er war ein mutiger, ergebener, kluger Mann«, sagte Ines. »Er hat sich um die Bedürfnisse der Schwachen gekümmert, er hatte Demut vor Gott und der vollkommenen Liebe, die es für ihn nur im Glauben gab, hörst du mir zu, Jakob?«

»Hören Sie mir zu?«

»Ja«, sagte Polonius Fischer.

»Das ist nämlich wichtig«, sagte Flies zur Kaffeetasse. »Weil, wenn sie sich aufsetzte im Bett und ich zu ihr hinaufsah und wenn sie sich geschunden über mich beugte, dann tropfte es in meine Augen. Als würd sie mein Schauen taufen, verstehen Sie das?«

»Und weiter?« sagte Fischer.

Sie tranken Tee und Wasser und Wodka und aßen trockenes Brot und verließen das Zimmer nicht.

»›Hier sieht's aus wie in meiner Zelle!‹ hat sie in der ersten Nacht zu mir gesagt, und ich hab sie gefragt: Was für eine Zelle? Aber sie rückte erst später damit raus. Sie war fast zwei Wochen bei mir, das hab ich Ihnen schon gestanden.«

»Sie haben es erzählt«, sagte Fischer.

Mit einer übertrieben ausholenden Bewegung verschränkte Flies die Arme vor der Brust und schaute zum Fenster. »Toller Ausblick. Eine Hauswand!«

»Wie heißt Ines mit Familiennamen?« fragte Fischer.

»Stimmt das wirklich?« sagte Flies und verzog den Mund. »Der Typ hatte eine Schwester, die genauso drauf war wie er?«

»Sie hieß Scholastika«, sagte Ines. »Eines Tages hat sie ihren Bruder besucht, der in seinem Kloster auf dem Berg wohnte, und er ist zu ihr hinuntergekommen, und sie redeten lang und vergaßen die Zeit. Es wurde dunkel, und Benedikt drängte zur Rückkehr, denn er verbrachte nie eine Nacht außerhalb des Klosters, er hatte Demut vor der Stille und betete und konnte Gott an keinem anderen Ort besser zuhören. Siehst du?«

»Sehen Sie?« sagte Flies. »Dem Einsiedler ist das Zwiegespräch gelungen, Zweifel kannte der nicht. Ines schon. Er nicht. Sein Herz war weit.«

Flies breitete die Arme aus. »Ungefähr so weit.« Dann verschränkte er die Arme wieder. »Der wußte genau, daß Gott da draußen irgendwo war, der dachte nicht dauernd: Aber ich seh ihn doch gar nicht! Aber ich hör ihn doch gar nicht! Nein.«

»Nein«, flüsterte Ines unter der Bettdecke im Hotelzimmer. »Sein Gehorsam lehrte ihn, die Stille zu deuten. Diesmal hat ihn seine Schwester gebeten zu bleiben, sie wollte die Nacht nicht allein verbringen. Doch obwohl er so ein kluger Mann war, hat er die Worte unter den Worten nicht verstanden, den verborgenen Sinn, den Scholastika möglicherweise selber nicht begriffen hat, erst später.«

»Und der Typ war stur«, sagte Flies. »Immer schon. Er ist freiwillig in eine Höhle gezogen, weg von den Leuten. Muß man verstehen. Schwierige Zeiten damals. Wann war das noch mal?«

»Anfang des sechsten Jahrhunderts«, sagte Fischer.

»Sie haben es drauf! Und er ist auch noch erleuchtet worden in seiner Höhle. Kein Strom, aber erleuchtet.«

»Möchten Sie, daß wir unterbrechen?«

»Wieso denn? Ich komm grad in Schwung.«

»Was hat Ihre Geschichte mit Nele Schubart zu tun?« fragte Fischer.

»Mit wem? Die kenn ich nicht. Ich sprech von der Nonne. Von der Exnonne Ines. Und von Benedikt. Und seiner Schwester. Die hat sich nämlich nicht abwimmeln lassen.«

Er krümmte sich und ächzte, schob wie ein Kind die Unterlippe vor.

»Sie liebte ihren Bruder«, sagte Ines.

»Haben Sie Geschwister?« fragte Flies.
    »Solche Fragen beantworte ich nicht.«
    »Wieso nicht?«
    »Haben Sie Geschwister?«
    »Ja«, sagte Flies und blickte hektisch um sich wie jemand, der verfolgt wird. »Eine Schwester. Ist abgekratzt.«
    »Woran ist sie gestorben?«
    »Das geht Sie einen Scheiß an.«
    »Ist die Frau, die bei Ihnen war, Ines, auch tot?«
    Flies hob das Kinn und starrte an Fischer vorbei zum Fenster.

»Ihre Bitte«, sagte Ines, »entsprang nicht Eigennutz oder weibischer Furcht oder einer Launenhaftigkeit. Sondern purer Liebe. Aber ihr Bruder, der kluge, an seine Regeln gekettete Mann, hat nicht verstanden, daß der Moment gekommen ist, in dem er der Liebe jede Vorschrift unterordnen muß. Er bestand darauf, ins Kloster auf dem Berg zurückzukehren. Und Scholastika, die Gott genauso ergeben war wie Benedikt, hat sich an ihren Herrn gewandt und ihm ihr ganzes Sehnen offenbart. Und weißt du, was passiert ist?«

»Und wissen Sie, was passiert ist?« Zum erstenmal sah Flies dem Kommissar ins Gesicht, einige Sekunden lang.
    »Ja«, erwiderte Fischer. »Ein Unwetter zog auf, und es fing

so stark zu regnen an, daß die Wege überschwemmt wurden und Benedikt nicht ins Kloster zurückkehren konnte.«

»Genau«, sagte Flies. »Glück gehabt, Scholastika! Mein Sehnen ist schon längst verpufft.«

»So kniete er nieder und flehte seine Schwester an.« Ines schlug die Decke ein Stück zurück, um Luft zu bekommen. ›Was hast du getan?‹ fragte er sie, und sie erklärte ihm, daß sie, weil er ihre Bitte ausgeschlagen hatte, Fürsprache bei ihrem Gott gesucht habe. Gott ist die Liebe, sagt Johannes, und im Donner des Unwetters hat Benedikt diese Worte neu verstanden. Seine Schwester lehrte ihn, daß seine Regeln nicht das oberste Gesetz sind, wenn sie sich dem Gebot der Liebe verweigern.«

»Und dann?« Flies faltete wie Fischer die Hände und legte sie auf den Tisch. »Dann ist sie gestorben. Was will der Gott uns damit sagen? Sie müssen es wissen, Mister Fischer. Ich verrat's Ihnen. Nein, ich verrat's Ihnen nicht. Doch, ich verrat's Ihnen.«

Er lehnte sich zurück, legte die Hände in den Schoß und grinste.

»Der heilige Benedikt begriff sofort, daß auch sein Ende unausweichlich war«, sagte Ines. »Er stand am Fenster und hat gebetet. Plötzlich sah er vom Himmel her ein Licht, das immer stärker wurde, bis es das Dunkel der Nacht vertrieben hatte und heller strahlte als das Tageslicht. Und Benedikt erlebte ein Wunder. In einem einzigen Sonnenstrahl hat er die Welt erschaut und die Herrlichkeit erkannt. Papst Gregor schrieb: Für eine Seele, die ihren Schöpfer schaut, ist alle Kreatur beschränkt, mag sie auch nur einen Bruchteil vom Licht ihres Schöpfers sehen, so erscheint alles Geschaffene klein. Das heißt nicht, daß Himmel und Erde sich verkleinern, sondern daß sich die Seele des Sehers weitet. Sie ist in Gott entrückt und sieht ohne Mühe in einem einzigen Moment all das, was niedriger als Gott ist. Und bald darauf starb er.«

»Und wann ist Benedikt gestorben? Wann?«

»Wo ist Ines jetzt?« fragte Fischer.

»Sie sind verbiestert. Sie müssen sich lockern, sonst verstehen Sie nie, was ich Ihnen erzähl.« Er drehte schnell den Kopf und nickte Valerie zu.

»Am einundzwanzigsten März fünfhundertsiebenundvierzig ist der heilige Benedikt gestorben«, sagte Ines leise. »Sein Leichnam wurde im Oratorium Johannes' des Täufers bestattet, nach dessen Lehre Benedikt sein Leben verbracht hat. Wie Johannes empfand auch Benedikt sich selbst nicht als Meister, vielmehr als Wegbereiter, der um die Größe des ihm Nachfolgenden weiß. Johannes sagt: Mitten unter euch steht der, den ihr nicht kennt und der nach mir kommt, ich bin nicht wert, ihm die Schnüre aufzuschnüren.«

Sie streckte ihre Beine aus und strich Sebastian über den Kopf.

»Ich bin's«, sagte sie. »Fürcht dich nicht.«

»Ich fürcht mich nicht«, sagte er. Dann wurde er zornig und hatte keine Erklärung dafür. Er sprang aus dem Bett – er hatte nur ein graues T-Shirt und seine Unterhose an – und rannte zum Kühlschrank, schraubte die Wodkaflasche auf und trank, bis er husten mußte.

»Geh zurück in dein Kloster!« schrie er. »Geh zu den anderen Jungfrauen, und laß mich in Ruhe!« Er trank, gurgelte mit Wodka, schluckte alles runter, hockte sich vor die offene Kühlschranktür, starrte hinein.

»Hast du gedacht, alle Nonnen sind Jungfrauen?« sagte Ines. Sie hatte sich aufgesetzt, zog die Beine an den Körper und schlang die Arme um die Knie. »Nein, viele treten erst mit über Dreißig in den Orden ein, die haben nicht nur ein Studium oder eine Ausbildung hinter sich, die haben auch Männer hinter sich. Scholastika aus der Bücherei war sogar verlobt, aber dann hat sie sich anders entschieden.«

Flies streckte den Kopf vor, bis er die Kälte des Kühlschranks im Gesicht spürte.

»Wenn wir die Urkunde unterschreiben, mit der wir unser Gelöbnis von klösterlichem Lebenswandel, Beständigkeit und Gehorsam besiegeln, wie es die Regel des heiligen Benedikt verlangt, sprechen wir den Vers: Nimm mich auf, Herr, nach deinem Wort, und ich werde leben, laß mich in meiner Hoffnung nicht scheitern.«

»Und deswegen«, sagte Flies laut, schniefte und wiegte wieder den Oberkörper vor und zurück, die Hände an die Sitzfläche des Stuhls geklammert, »konnt sie nicht mehr ins Kloster zurück! Verstehen Sie das, Mister Fischer? Weil sie in ihrer Hoffnung gescheitert ist. Ihre Hoffnung ist an der Stille zerschmettert, das waren ihre Worte, sie hat das ewige Stillsein nicht mehr ertragen, sie ist dran verreckt! Und dann ist sie auferstanden und wieder verreckt. Und wieder auferstanden und wieder verreckt. Wie ich. Das kenn ich. Sie hat gebetet und ihre Arbeit getan, und beim Essen hat sie den Mund gehalten, weil das Vorschrift war. Sie ist verreckt, und deswegen ist sie abgehauen. Und dann sind wir uns begegnet. Aber ich konnt sie nicht retten. Und sie mich auch nicht. Erlösung gescheitert, Auferstehung verschoben.«

»Wie heißt Ines mit Familiennamen?« fragte Fischer.

»Was?« Flies sah ihn aus entzündeten, tränenden Augen an.

Fischer wartete. Valerie nahm ihre Hände nicht von der Tastatur. Vom Flur waren gedämpfte Stimmen und das Klingeln der Telefone, Schritte und Zurufe zu hören.

»Gebirg.«

»Wiederholen Sie den Namen bitte«, sagte Fischer.

»Gebirg.«

»Gebirg«, wiederholte Fischer laut, für Valerie.

»Genau. Wie Fichtelgebirge, bloß ohne Fichtel und e.«

»Besitzen Sie ein Auto, Herr Flies?«

»Ja, und?«

»Wo steht das im Moment?«

»Irgendwo.«

»Hier in der Stadt?«

»Ja«, sagte Flies, drehte sich zur Seite und schaute zur Wand. »Es verreist nämlich selten ohne mich.«

»Wann haben Sie Nele Schubart zum letztenmal gesehen?«

»Ich kenn die nicht!«

»Ende der Vernehmung«, sagte Fischer. »Zehn Uhr fünfundvierzig. Der Tatverdächtige Sebastian Flies wird vorübergehend in einer Zelle des Polizeipräsidiums untergebracht. Die Dauer der Untersuchungshaft beträgt achtundvierzig Stunden.«

Mit einem Schrei sprang Flies vom Stuhl, taumelte und schlug mit dem Rücken gegen die Wand. »Spinnst du? Ich geh doch nicht in eine Zelle! Ich geh nicht ins Gefängnis!« Spucke lief ihm aus den Mundwinkeln, er sah aus, als würde er jeden Moment zu weinen anfangen.

Fischer erhob sich. Instinktiv wich Flies zurück, stolperte, preßte die Hände flach an die Wand.

»Wann haben Sie Nele Schubart zum letztenmal gesehen?«

»Weiß ich nicht!« Mit einer schnellen Bewegung wischte er sich übers Gesicht und preßte die Hand sofort wieder gegen die Wand. »Ich geh nicht ins Gefängnis! Ich weiß nicht, wann ich sie gesehen hab, vor zwei, drei Monaten, Scheiß auf die Zeit! Wir haben uns in dem Dingskino getroffen, am Bahnhof, dem Filmpalast da, wir haben nebeneinander gesessen, reiner Zufall, danach haben wir ein Bier getrunken und dann sind wir in der Kiste gelandet. Und dann haben wir uns noch zweimal getroffen oder dreimal, und das war's. Sie hat sich nicht mehr gemeldet, und ich hatt keine Nummer von ihr. Ich kenn die nur im Dunkeln, ich weiß nicht mal richtig, wie die aussieht. Die ist wahrscheinlich auch an ihrer Hoffnung gescheitert!«

»Kommen Sie«, sagte Fischer.

Flies drückte sich an der Wand entlang zum Fenster, gekrümmt, wie in Panik. Valerie wußte nicht, ob sie sein Verhalten protokollieren sollte, und sah Fischer hilfesuchend an. Aber der Kommissar öffnete schon die Tür und rief ins Büro gegenüber, wo Liz Anrufe entgegennahm und Termine koordinierte: »Zwei Kollegen von der Streife, bitte! Und frag Emanuel, ob er kurz herunterkommen kann.« Dann wandte er sich zu Valerie um. »Wir sind fertig. Ich brauche die Adresse der Frau und ...« Er blickte zu Flies. »Wie lautet das Kennzeichen Ihres Wagens?«

»Wieso denn? M-LK-3285. Weiß ich nicht mehr. Sie dürfen mich nicht ins Gefängnis stecken!«

»Ich frage Sie jetzt zum vorerst letzten Mal: Wo hält sich Ines Gebirg auf?«

Flies sackte auf die Knie und hielt sich die Fäuste vors Gesicht.

Aus dem zweiten Stock kam Emanuel Feldkirch die Treppe herunter. »Die Maschine aus Palma ist gelandet«, sagte er. »Jetzt können wir endlich in die Wohnung, zu der der Stellplatz in der Tiefgarage gehört. Und da werden wir was finden, das garantiere ich dir. Was ist hier?«

»Die Kollegen holen ihn gleich ab. Ich muß telefonieren.«

»Stop!« rief Flies, sprang auf die Beine, knickte ein, humpelte auf Fischer zu. »Ich geh nicht weg! Ich hab ... Ich hab ... Ich hab ... Stop!«

»Bitte Ruhe bewahren«, sagte Feldkirch, schob Flies ins Zimmer zurück und schloß die Tür. Niemand im Kommissariat konnte besser mit derartigen Ausrastern umgehen als Feldkirch, vor dessen stoischer Sturheit sogar hysterische Chihuahuas kapitulierten.

»Aber das würde bedeuten«, sagte Silvester Weningstedt hinter seinem Schreibtisch, nachdem Fischer ihm einen Überblick über seine neuesten Ermittlungsergebnisse verschafft hatte, »wir sind, ohne es zu ahnen, auf den Tatverdächtigen in einem zweiten Mordfall gestoßen, der mit dem von Nele Schubart nichts zu tun hat.«

»Das wissen wir noch nicht«, sagte Fischer. »Vielleicht liegt der Zusammenhang auf einer anderen Ebene, die wir noch nicht kennen.«

»Ebenen sind gut«, sagte Weningstedt, »aber fester Boden unter den Füßen ist besser. Wenn wir in der Wohnung dieses Lottogewinners und Steuerhinterziehers keinen konkreten Hinweis auf den Mord finden, gehen wir von Tür zu Tür in dem Hochhaus, und wer uns nicht reinläßt, kriegt eine Vorladung, und wir holen uns für seine Wohnung eine Durchsuchungserlaubnis. Und wir nehmen von jedem einzelnen die Fingerabdrücke. Niederschmetternd, wie wenig die Aussagen der Familienangehörigen hergeben.« Er klopfte mit seinem Kugelschreiber auf eine orangefarbene Akte. »Und trotzdem gehen wir von einer Beziehungstat aus.«

»Natürlich«, sagte Fischer.

»Nicht aus dem Kreis der Familie, aber aus dem nahen Umfeld.«

Fischer hörte sein Telefon klingeln. »Was hast du mit den Kollegen vom Flughafen vereinbart?«

»Sie sollen den Mann in die Heiglhofstraße bringen und dann in seiner Wohnung auf uns warten.«

»Er ist nicht verpflichtet, sie reinzulassen.«

»Vielleicht denkt er nicht daran.«

»An so was denken die Leute heute als erstes«, sagte Fischer.

»Wir versuchen es.«

An der Tür blieb Fischer noch einmal stehen. »Haben wir schon die schriftliche Aussage des Bankangestellten?« Dann schüttelte er den Kopf. »Unsinn, der wollte ja erst heute mittag vorbeikommen.«

»Walter hat nochmal am Telefon mit ihm gesprochen«, sagte Weningstedt. »Der Zeuge ist sich ziemlich sicher, daß Nele Schubart auf das Hochhaus zugegangen ist. Ob sie wirklich reingegangen ist, kann er nicht hundertprozentig beschwören. Er glaubt es.«

»Zumindest ist sie nicht in der entgegengesetzten Richtung verschwunden.«

»Das hat Walter auch gemeint.«

Fischer war schon im Weggehen, als er ein zweites Mal innehielt. »War er wieder beim Arzt?«

»Er spricht nicht darüber«, sagte Weningstedt und blätterte in seinen Unterlagen. Fischer begriff, wer hier nicht über etwas sprechen wollte, und eilte in sein Büro.

»Wo bleibst du so lange?« fragte Liz am Telefon. »Der Vater ist am Apparat, Robert Gebirg. Die Familie wohnt in dem Dorf Schild auf der Höh, sie besitzen eine Pension und ein Gasthaus, der Vater ist der Wirt. Er scheint nicht gut auf seine Tochter zu sprechen zu sein.«

»Das verbindet schon mal die beiden Fälle«, sagte Fischer. »Herr Gebirg? Hier ist Hauptkommissar Polonius Fischer. Eigentlich würde ich gern Ihre Tochter sprechen.«

»Die Sehnerl? Was wollen Sie von der? Die wohnt hier nicht mehr.«

»Wo wohnt sie denn?«

»Ist ihr was zugestoßen?«

»Ein Bekannter von ihr ist in einen Fall verwickelt, den wir bearbeiten, und wir würden Ihre Tochter gern befragen, aber der Bekannte weiß nicht, wo sie sich aufhält.«

»Was für ein Bekannter? Und wo soll sie schon sein?« sagte Gebirg und steckte sich eine Zigarette an. »Auf der Insel halt.«

»Auf welcher Insel?«

»Auf der Insel, wo das Kloster ist. Sie ist Nonne, wissen Sie das nicht?«

»Doch«, sagte Fischer. »Sie meinen Frauenchiemsee.«

»Da hat sie sich hingeflüchtet, weil sie angeblich nicht mehr zurechtgekommen ist mit ihrem Leben.«

Im Hintergrund hörte Fischer das Klappern von Geschirr und eine Frauenstimme.

»Wann haben Sie Ihre Tochter zum letztenmal gesehen?«

»Das ist über drei Jahre her. Was soll das für ein Bekannter sein? Die ist in einem Nonnenkloster! Was ist los? Sie können offen mit mir reden, ich verkrafte das schon. Ich hab schon ganz andere Sachen verkraftet.«

»Es könnte sein, daß Ihre Tochter das Kloster wieder verlassen hat.«

»Da hätte sie ja zur Abwechslung mal eine vernünftige Entscheidung getroffen. Und wo ist sie jetzt?«

»Das wissen wir nicht. Ich habe gehofft, Sie wüßten es.«

»Bei mir ist sie nicht, die traut sich nicht mehr heim.«

»Sie waren damals nicht einverstanden mit ihrer Entscheidung?«

»Ins Kloster! Wir haben hier ein Geschäft, eine Wirtschaft, die mein Vater aufgebaut hat. Wir vermieten an Sommergäste, und wir sind ein beliebtes Gasthaus. Meine Frau und ich haben sieben Tage die Woche geschuftet, und Sehnerl auch. Bis sie diesen Wahn gekriegt hat.«

»Was für einen Wahn?«

»Diesen Gottwahn!« Der Wirt hustete. »Ihre Mutter ist verunglückt, da hat sie angefangen zu beten und in die Kirche zu rennen. Ändert das was? Ich glaub nicht an Gott. Glauben Sie an Gott, als Polizist?«

»Ja«, sagte Fischer.

»Von mir aus.«

»Wie ist Ihre Frau verunglückt?«

»Im See. Ertrunken.« Gebirg verstummte.

Für einen Moment rang auch Fischer nach Worten. Er sah Liz die Treppe hochkommen und winkte sie herein.

»Noch was?« fragte Gebirg. »Gleich kommen die Gäste, wir haben Mittagsgeschäft, ich muß in die Küche.«

»Wie alt war Ines, als ihre Mutter verunglückte?«

»Sie war neun, die Sehnerl. Neun. Neun!«

»Und Ihre Frau ist ertrunken?«

»Die Aloisia? Ja, sie ist ertrunken. Wenn Sie die Sehnerl finden, sagen Sie ihr, sie kann ruhig wieder kommen, sie braucht sich nicht zu fürchten, ich bin nicht bös. Wenn sie freiwillig wieder raus ist aus dem Weiberknast, da hab ich Verständnis, das rechne ich ihr hoch an. Obwohl ich's ihr gleich gesagt hab, daß das ein Wahnsinn ist.«

»Haben Sie wieder geheiratet?«

»Nein. Aber ich hab eine Partnerin, die Frau Jessen, Elfriede, die ist schon lang bei uns im Haus, Köchin. Wir sind zusammen in der Küche, sie kennt das Geschäft. Aber verheiratet sind wir nicht, ich heirat nicht mehr.«

»Hat Ihre Tochter Freundinnen oder Bekannte von früher, bei denen sie sich jetzt aufhalten könnte?«

»Wüßt ich niemand. Ihre beste Freundin war die Neher Milena, aber das war ganz früher, als Kinder. Später haben die kaum noch Kontakt gehabt. Die Sehnerl war immer sehr einzlig.«

»Einzellig?«

»Einzlig, allein, für sich. Also, wenn Sie mit ihr reden, sagen Sie ihr, ich und die Friede, wir sind da für sie, wenn sie uns braucht. Hat ja keinen Sinn, daß man ewig jemand was nachträgt, nachher stirbt man, und was ist dann? Ich hab ja nichts gegen meine Tochter, ich hab sie halt nie verstanden, und das mit der Klosterei, das hat niemand kapiert, auch die Friede nicht, niemand im Haus, damit hat sie uns alle überrumpelt. Die Aloisia hätt das bestimmt nicht gewollt. Wer weiß? Wenn die Aloisia nicht gestorben wär, wär die Sehnerl vielleicht nicht so geworden. Sie können uns ja mal besuchen, für ein Wochenende, ist landschaftlich reizvoll. Schild auf der Höh. Ich hab in eine neue Hollywoodschaukel investiert, Stars and stripes, echt amerikanisch. Die erste Schaukel hab ich angeschafft, da war die Sehnerl noch ein kleines Mädchen. Die hat gar nicht mehr aufgehört zu schaukeln, und unsere Gäste waren begeistert. Das können Sie der Sehnerl ruhig erzählen von unserer Neuanschaffung, das ist vielleicht verlockend für sie. Ich muß jetzt in die Küche.«

»Ich melde mich wieder bei Ihnen«, sagte Fischer. Er legte den Hörer auf, stützte den Kopf in die Hand und sah Liz an, die sich vor seinem Schreibtisch auf den Stuhl gesetzt hatte.

»Sie mußten dem Typ Handschellen anlegen«, sagte sie. »Auf den ersten Blick wirkt er gar nicht so aggressiv. Er hat Emanuel die ganze Zeit angeschrien, aber der hat ihn schreien lassen.«

»Du mußt mir einen Gefallen tun«, sagte Fischer abwesend. »Ruf bitte auf Frauenchiemsee bei den Benediktinerinnen an und erkundige dich nach Ines Gebirg.«

»Das ist doch dein Gebiet.«

Zum erstenmal erlebte sie bei Fischer etwas, das sie bisher nur von verdächtigen Zeugen kannte: Er zerkleinerte seine Stimme mit Worten. »Ich muß noch zwei Gespräche führen und dann nach Hadern fahren. Frag einfach, ob Ines Gebirg tatsächlich dort gelebt hat, und wenn ja, in welchem Zeitraum und was der Grund für ihren Abschied war. Bitte.«

»Okay«, sagte Liz. »Weil du heute Geburtstag hast. Auch wenn ich dich nicht verstehe.«

»Daran mußt du dich gewöhnen.«

»Schonschon.« Sie stand auf. »Was hat dir der Typ da unten erzählt, daß du so drauf bist?«

»Was hat er damit zu tun?«

»Ich kenne dich zwar noch nicht gut«, sagte sie an der Tür, »aber undurchschaubar bist du nicht.«

Er sah ihr nach. Kurz bevor sie auf der Treppe verschwand, erwiderte sie seinen Blick.

Er rief einen Kollegen von der Streife an.

»Habt ihr das Auto gefunden?«

»Wir stehen direkt davor«, sagte der Polizist am Telefon. »Ein schwarzer Peugeot mit dem Kennzeichen M-LK 3285, der TÜV ist vor einem halben Jahr abgelaufen. Der Halter ist Sebastian Flies, mein Kollege hat den Namen gerade überprüft.«

»Lassen Sie den Wagen abschleppen«, sagte Fischer. »Er kommt in unsere Werkstatt.« Anschließend bat er die Spurensicherer, mit ihren Tests zu beginnen, sobald der Wagen abgeladen sei; er benötige die Ergebnisse noch im Verlauf des Nachmittags.

Als er den Hörer aus der Hand legte, dachte er: Sie werden etwas finden, aber nicht das, was wir uns erhoffen, etwas anderes, etwas, das in keiner Weise beruhigender sein wird.

Darin war er sich plötzlich sicher.

»Entschuldigen Sie, Herr Franz Wohlfahrt?«

»Ja?«

»Wir sollen Sie auf Anweisung von Hauptkommissar Fischer zu Ihrer Wohnung begleiten.«

»Ich möcht ungern mit einem Streifenwagen vorfahren, ich nehm ein Taxi, da bitt ich um Verständnis.«

»Wir fahren Sie, das ist eine Anweisung. Sie sind ein wichtiger Zeuge in einem Mordfall. Wenn Sie möchten, lassen wir Sie früher aussteigen, dann können Sie die letzten Meter zu Fuß gehen. Aber ehrlich gesagt, unsere Kollegen sind sowieso in dem Haus unterwegs, alle Mieter werden befragt, das können Sie sich ja denken.«

Wohlfahrt stellte den Rucksack ab, den er in der Hand getragen hatte. Er musterte die beiden uniformierten Polizisten und nickte. »Dann passen Sie bitte auf mein Gepäck auf, ich muß mal wohin.«

»Selbstverständlich.«

Während Wohlfahrt zu den Toiletten ging, folgten ihm die Polizisten, hielten Abstand und warteten vor der Tür.

In einer der Kabinen tippte Wohlfahrt eine Nummer in sein Handy.

»Wo bist du?« sagte er leise.

»Ich versteh dich schlecht, bist du das, Franz?«

»Ja, du siehst doch meine Nummer auf dem Display! Ich bin gerade gelandet, ich fahr jetzt in meine Wohnung, mit Begleitschutz.«

»Polizisten?«

»Was denn sonst? Engel? Ist da in meiner Wohnung irgendwas anders als vorher?«

»Denkst du, ich hab was mit dem Mord zu tun?«

»Ich hab auch nichts damit zu tun, und trotzdem werd ich halb verhaftet. Ich will keinen Ärger, ich will keine Erklärungen abgeben müssen, die ich mir erst ausdenken muß. Hast du deiner Freundin was von der Lottosache erzählt?«

»Kein Wort, das habe ich dir doch versprochen.«

»Ich komm nach Hause, und das Haus ist voller Polizei. Es ist also alles, wie es war? Keine halbvollen Schnapsflaschen, keine Kondome, die rumliegen? Du hast die Wohnung so sauber verlassen, wie du sie vorgefunden hast?«

»Sauberer nicht. Normal.«

»Normal. Ja. Wo bist du?«

»Unterwegs, auf dem Heimweg. Wie lang bleibst du in der Stadt?«

»Nicht länger als einen Tag, ich will morgen wieder weg, verdammt.«

»Falls du doch noch länger bleibst, könnten wir uns treffen.«

»Mal sehen.«

Er wusch sich die Hände und verließ die Toilette. Die Polizisten warteten im Durchgang. Als Wohlfahrt seinen Rucksack nehmen wollte, klingelte sein Handy.

»Hallo?«

»Polonius Fischer. Grüß Gott, Herr Wohlfahrt, endlich erreiche ich Sie, es war dauernd besetzt bei Ihnen.«

»Kann nicht sein, ich war auf der Toilette. Wahrscheinlich ist da kein Empfang.«

Warum lügt er? dachte Fischer und sagte: »Danke, daß Sie so schnell gekommen sind. Wir treffen uns in einer Stunde in Ihrer Wohnung, paßt Ihnen das?«

»Was bleibt mir übrig?«

»Das ist wahr«, sagte Fischer. »Und ich muß Sie gleich noch einmal fragen: Außer Ihnen hat niemand einen Schlüssel zu Ihrer Wohnung?«

»Nein.«

»Bestimmt?«

»Ja.«

»Kein Nachbar? Immerhin sind Sie oft lange verreist.«

»Nein.«

»Auch nicht Jossi Brug?«

»Jossi? Wie kommen Sie auf den?«

»Hat er einen Schlüssel zu Ihrer Wohnung?«

»Nein.«

»Danke«, sagte Fischer. »Und Sie haben vorhin nicht mit jemandem telefoniert?«

»Nein.«

»Aber Ihr Handy haben Sie gleich nach der Landung eingeschaltet.«

»Ich hab ein Geschäft, ich muß erreichbar bleiben.«

»Das verstehe ich«, sagte Fischer. »Wir sehen uns in einer Stunde.«

Das Lächeln der beiden jungen Polizisten behagte Franz Wohlfahrt nicht im geringsten. Auch das, was sein Freund zu ihm gesagt hatte, überzeugte ihn nicht. Auf jeden Fall wollte er zuerst allein in die Wohnung gehen, ohne seinen Begleitschutz. Sie können mich chauffieren, alles in Ordnung, aber in meine Wohnung kommt niemand ohne meine ausdrückliche Erlaubnis. Dieses Land ist immer noch ein Rechtsstaat, der die Privatsphäre seiner Bürger schützt!

»Darf ich rauchen?« fragte er.

»Nein«, sagte der Polizist auf dem Beifahrersitz. »Guten Flug gehabt?«

»Nein.«

»Von einem Tag auf den anderen«, sagte Liz Sinkel. »Keine ihrer Mitschwestern hat damit gerechnet. Am Morgen des vierzehnten August war sie verschwunden. Die Äbtissin Johanna hat betont, daß Ines Gebirg Ende letzten Jahres mit der ewigen Profeß begonnen und ihren Ring erhalten hat. Hattest du auch einen Ring?«

»Nein«, sagte Fischer. Er kniete auf dem Boden seines Büros, vor sich die Berichte seiner Kollegen, achtzehn engbeschriebene große Blätter, auf denen er wichtige Aussagen, Beobachtungen und Bewertungen mit einem gelben Leuchtstift markiert hatte. Liz saß auf dem Besucherdrehstuhl und achtete darauf, beim Hin- und Herrollen keines der Blätter zu berühren.

»Und die ewige Profeß dauert ewig«, sagte Liz.

»Ja. Welche Vermutungen stellt die Äbtissin an?«

»Sie glaubt, daß Ines immer mehr vereinsamt ist. Sie war sehr beliebt im Kloster, und ihre Arbeit in der Bibliothek machte ihr Freude, aber sie hat sich trotzdem abgeschottet. Übrigens nannte sie sich Irmengard. Hattest du auch einen anderen Namen als Mönch?«

»Ich blieb bei meinem Taufnamen«, sagte Fischer, legte mehrere Blätter übereinander und heftete sie mit einer roten Klammer zusammen.

»Die Äbtissin sagt, sie ist nicht die einzige, die in den letzten Jahren das Kloster wieder verlassen hat. Allerdings war Ines die einzige, die niemandem Bescheid gesagt hat, die mehr oder weniger geflüchtet ist. Bist du auch geflüchtet?«

Fischer unterbrach seine Sortierarbeit. »Du sollst mich nicht ausfragen, du sollst mir das Ergebnis deiner Recherche mitteilen.«

»Mach ich ja!« Sie rollte am Rand der Zettel entlang. »Mich interessiert das aber, wie das damals für dich war.«

»Ein andermal. Hat sich Ines noch einmal im Kloster gemeldet?«

»Ja, am nächsten Tag. Sie hat angerufen und der Äbtissin erklärt, daß ihr Abschied endgültig ist und daß sie in Zukunft ein anderes Leben führen will, dann hat sie aufgelegt. Kennst du die Äbtissin Johanna?«

»Woher denn?«

»Ich dachte, ihr im Kloster kennt euch alle.«

»So wie ich als Kind geglaubt habe, alle alten Leute würden sich kennen.«

»Ich auch!« sagte Liz. »Hab ich auch geglaubt.«

»Es muß eine Erklärung geben«, sagte Fischer.

»Die Äbtissin hat keine.«

»Sie wollte sie dir nicht sagen, vielleicht.«

»Hättst eben selber mit ihr sprechen sollen.«

»Mir hätte sie sie auch nicht gesagt.«

»Warum nicht?«

Fischer stützte sich ab und wuchtete sich in die Höhe. Er streckte sich, dann fuhr er sich mit den Fingern durch die Haare. »Wo könnte sie jetzt sein?«

»Die Äbtissin hat keine Ahnung«, sagte Liz. »Sie vermutet, daß Ines in ihr Elternhaus zurückgekehrt ist.«

»Gottferne möglicherweise«, sagte Fischer vor sich hin.

»Bitte?«

»Wenn Gott zu lange schweigt, fängt man an zu zweifeln, findet keine Erfüllung mehr im Gebet.«

»War das so bei dir?« Liz rollte vorsichtig auf ihn zu.

»Niemand hat sie als vermißt gemeldet«, sagte Fischer. Liz begriff, daß es die falsche Zeit war, um in seiner Vergangenheit herumzustochern.

»Wer sollte sie auch vermissen?« sagte sie. »Im Kloster hat sie sich einen Tag nach ihrer Flucht abgemeldet, der Kontakt zu ihrem Vater besteht nicht mehr, und sonst kennt sie niemanden.«

»Außer Sebastian Flies. Ich hoffe, die Zelle ernüchtert ihn.«

»Wenn er so weitertobt, bestimmt. Fährst du jetzt zum Tatort?«

»Hoffentlich ist es der Tatort«, sagte Fischer und zog den Knoten seiner Krawatte fest.

»Darf ich dich begleiten?«

»Du hast hier genug zu tun.«

Gemeinsam verließen sie das Büro. Liz fragte: »War das damals deine Empfindung: Gottferne?«

Fischer sah sie an und ging vor ihr die Treppe hinunter. An

der Tür zu Valeries Büro, die bereits das Protokoll der Flies-Vernehmung abtippte, blieb er stehen. »Gottferne«, sagte er, »und Menschenferne und Weltferne.«

Als er den leerstehenden ersten Stock erreichte, beugte Liz sich übers Geländer und rief ihm nach: »Das ist gut, daß du wieder unter die Menschen und in die Welt gegangen bist, da bin ich echt froh drüber!«

Sein Lächeln behielt Polonius Fischer für sich.

16

Das Buch Ines

Ihr Gesicht verriet nichts.

»Ich weiß nicht, ob das wirklich stimmt«, sagte Milena und rubbelte ihre Haare mit einem roten Handtuch ab.

Ines schaute zur Straße, auf der dorfeinwärts zwei Enten watschelten, als hätten sie den See satt oder das ganze Leben und hofften auf einen gnädigen Mehrtonnerdiesel.

»Wenn *du* das nicht weißt«, sagte Milena, »dann ist das nur Gerede. Bin mir nicht mehr sicher, wo ich's herhab, von meiner Mutter wahrscheinlich. Seit die im Gemeinderat hockt, quillt sie über vor Gerüchten. Vorgestern hat sie erzählt, der Biller-Bauer junior wär mit einer Künstlerin aus der Stadt zusammen, die wär zum Malen hergekommen und hätt drei Tage bei ihm auf dem Bauernhof gewohnt, die vermieten doch Zimmer, und da hätten die sich kennengelernt, und jetzt will er alles hinschmeißen und mit der Urschel in die Stadt ziehen.«

»Sie heißt Ursula?« fragte Ines.

»Weiß ich doch nicht! Was hast du, Sehnerl? Du wirst immer blasser. Du bist wieder viel zu lang geschwommen. Wart, wir haben noch eine Flasche Wasser, ich hol sie dir.«

»Nein«, sagte Ines und um eine andere Stimme zu hören als das Geheul in ihrem Kopf. »Was ist mit der Urschel?«

»Die will doch von dem Bauern nichts wissen!« Milena legte das Handtuch ans Fußende der Bastmatte, auf der sie mit gekreuzten Beinen saß, und setzte ihre blaue Sonnenbrille auf, rückte sie zurecht und zog den Bauch ein. »Auf jeden Fall ist er in die Stadt gefahren und erst zwei Tage später zurückgekommen, angeblich schwer depri. Der Typ ist vierundzwanzig, ist doch peinlich, sich so zu verhalten. Die arme Künstlerin.«

»Wieso?« sagte Ines.

»Möchtest du mit so einem Weichei was haben? Ich nicht. Ist dir schlecht? Du siehst aus, als würdst du gleich in Ohnmacht fallen.«

»Weißt du das von deiner Mutter oder von jemand anderem?« fragte Ines. »Das von vorhin. Hat sie dir das erzählt? Wie das vom jungen Billerbauern?

»Ich weiß nicht mehr.« Milena legte sich auf den Rücken und streckte die Beine. Ihre gebräunte Haut glänzte in der Sonne.

»Cremst du dich nicht ein?« sagte Ines.

»Nein, du?«

Vom Knien taten Ines die Beine weh, Schweiß lief ihr über die Wangen. Um sie herum spielten Kinder und kreischten, ein Junge weinte, Mütter riefen Namen über das schmale, von Buchen und Sträuchern bewachsene Gelände zwischen dem Kiesufer und der Durchgangsstraße. Einmal im Monat radelte Ines mit Milena oder Susi zur Ostseite des Sees, nicht ohne unterwegs am Stadlerkiosk, wo es nach gebeiztem Holz, Steckerleis und Zeitungen roch, eine Flasche Wasser und eine Tüte Weingummis zu kaufen.

»Haben wir noch Brotzeit?« sagte Milena in den Himmel hinauf.

Ines blickte zum Baum, an dem die Fahrräder lehnten; an den Lenkstangen baumelten ihre Taschen mit den hineingestopften Hosen und T-Shirts, und auf Milenas Gepäckträger befand sich der Proviant.

»Kein Wasser mehr«, sagte Ines.

»Und Schmatzis?«

Ines wollte ihre Frage beantwortet haben, sonst nichts. In ihr Schweigen hinein richtete Milena sich auf, stippte die blaue Brille auf die Nasenspitze und blickte streng drein; dieser Blick erinnerte Ines sofort an Milenas Mutter, die Rektorin der Grundschule. »Lebst du noch? Hab schon geglaubt, du wärst tot umgefallen!« Sie wandte den Kopf in Richtung Baum: »Hol ich mir die Schmatzis halt selber. Hast du schlechte Laune?«

»Sag mir, wer so was erzählt!« Ines schmeckte Schweiß auf der Zunge.

»Was denn? Ach so! Meine Mutter, glaub ich. Ist mir nur so eingefallen, weil du mir vorhin von deinem komischen Erlebnis auf dem See erzählt hast. Daß du am liebsten untergegangen wärst.«

»Stimmt doch gar nicht!«

Mit einem Satz sprang Milena auf, lief zum Fahrrad, hielt die Plastikflasche gegen die Sonne und schraubte sie auf.

»Ein Schluck ist noch drin.«

Dann drückte sie Ines die Flasche gegen die Brust, und ihre Freundin verlor fast das Gleichgewicht. Das Wasser war warm und schmeckte klebrig.

»Und jetzt will ich wissen, was mit dir los ist«, sagte Milena. »Alles war in Ordnung, bis du vom See zurückgekommen bist. Was ist da draußen passiert, Sehnerl?« Sie griff nach dem Arm ihrer Freundin und erschrak: »Wieso bist du so kalt?«

Wie so oft schwamm sie auf dem Rücken, paddelte mit halb geschlossenen Augen über den See, furchtlos, in willkürlichen Bögen; der Wind strich Sonne auf ihren Körper wie Oma Rosina Marmelade auf die Plätzchen im Advent.

Mitten im Juli, bei achtundzwanzig Grad, schmeckte Ines den Teig und roch den Duft, der aus dem alten Ofen strömte und das Holzhaus in ein Knusperhäuschen verwandelte, alle Jahre; sogar in jenem Jahr – daran erinnerte Ines sich plötzlich beim Gleiten über die Wasseroberfläche –, in dem ihre Mutter gestorben war.

Vielleicht löste dieser Gedanke, der einen August und einen Dezember umschloß, den ersten Ruck in ihr aus, eine Ahnung von Schwerkraft, gegen die jeder Widerstand zwecklos sein würde.

Etwas zog an ihr; etwas beschwerte und versöhnte sie gleichzeitig mit dem Wunsch, noch schwerer zu werden, das Wasser loszulassen und sich nicht länger an den Himmel zu krallen.

Sie kraulte knapp unter der Oberfläche, schluckte Wasser beim Luftholen, zog Kreise und spürte einen warmen Strom an ihren Beinen; etwas Glitzerndes lockte sie, vielleicht das diamantene Erdherz, dachte sie.

Sie schaute hin, durch das Wasser, und schlug heftig mit den Armen.

Dann hörte sie auf zu schlagen.

Sie ließ die Arme gleiten und sank; sie trudelte ein wenig; ihre Arme schlenkerten, und das Schimmern vor ihren Augen franste aus, entfernte sich von ihr. Darüber erschrak sie. Sie wollte nicht dorthin! Sie spürte das Gewicht und wollte es abstreifen. Sie warf den Kopf in den Nacken und streckte die Arme, griff nach den Wellen wie nach Sprossen einer Leiter. Sie sah das eindringende Licht, aber wie nah es war, konnte sie nicht abschätzen.

In ihrem Mund verfing sich ein ekelhafter Fetzen. Sie spuckte ihn aus, er blieb wieder zwischen ihren Zähnen hängen; es gelang ihr, ihn zu packen. So streckte sie sich weiter nach oben; alles um sie herum war schwarz und ölig.

Ihr Kopf tauchte auf. Und als wäre es zum Greifen nah, sah Ines das Haus ihrer Eltern. Sie streckte die Hand aus, die Hand mit dem schmierigen Fetzen, den sie jetzt losließ. Und sie versuchte die Hollywoodschaukel zu berühren, die ihr Vater schon im Dezember bestellt hatte, damit sie rechtzeitig geliefert wurde. Alle Sommergäste waren begeistert; alle freuten sich, auch eine Elster, die seither auf der Lehne hockte und den Wind um einen Schubs anpfiff.

Ines griff nach dem schwingenden Schaukelsitz, schwamm schneller, legte ihre ganze Kraft in das Rudern ihrer Arme und Beine. Die Schaukel war nah und leuchtete grün und gelb; an den Fingerkuppen glaubte Ines schon den Stoff zu spüren.

In dem Moment, als sie die Schaukel berühren wollte, erreichte sie das Ufer und fiel mit dem Gesicht voran auf den Kies, krümmte sich, würgte und wunderte sich, daß alle Sommergäste verschwunden waren.

Und sie flüsterte: »Heut ist doch gar kein Ruhetag.«

»Wer behauptet, daß meine Mutter nicht verunglückt ist?« fragte Ines.

»Soll ich dir was verraten?« Milena, die einen halben Kopf größer war als Ines, legte den Arm um die Schulter ihrer Freundin und senkte die Stimme. Drei Jungen beobachteten sie aus der Entfernung und schnitten Grimassen. »Ich hab mir schon immer gedacht, daß deine Mutter nicht einfach so untergegangen ist. Kann dir sagen, wieso: Die konnt viel zu gut schwimmen, noch besser als du. Und das weißt du auch, Sehnerl. Das hat damals schon meine Mama zu mir gesagt. Wie lang ist das jetzt her? Drei Jahre?«

»Fünf«, sagte Ines. In ihrem Bauch schlugen Flügel.

»Meine Mama hat damals schon gesagt, die Frau Gebirg hat das so gewollt. Wer geht schon um halb fünf in der Früh zum Schwimmen? Außer, er will was anderes als schwimmen.«

»Was denn?« sagte Ines leise, wie mit geborgter Stimme.

»Darüber muß doch bei euch mal gesprochen worden sein, das gibt's doch nicht!«

»Die Leute behaupten, meine Mutter hat sich umgebracht?«

»Frag deinen Vater, der wird's wissen.« Sie strich Ines durch die Haare. »Es soll nämlich schon vorgekommen sein, daß, wenn sich einer umbringt, vorher andere aus der Familie dasselbe getan haben. Hat mir meine Mama erzählt. Keine Ahnung, ob das stimmt. Hat sich schon mal jemand in deiner Familie umgebracht, Sehnerl?«

»Hör auf!« Ines stieß Milena weg und blickte auf den See hinaus, auf dem Boote fuhren. »Bei uns bringt sich niemand um! Das ist gemein! Wieso sagst du so was? Bist du nicht mehr meine beste Freundin? Ich will nach Hause.«

»Ich hab dir das erzählt, weil du gesagt hast, du wärst da draußen fast ertrunken und hättst ein starkes Gefühl dabei gehabt.«

»Das war kein starkes Gefühl!« sagte Ines.

»Dann halt ein gutes Gefühl. Jedenfalls kein schlechtes. Angst hast du nicht gehabt, hast du behauptet.«

»Stimmt ja auch.«

»Na also.«

»War trotzdem nicht stark, war total unheimlich.«

»Frag deinen Vater«, sagte Milena. »Und, Sehnerl, ich behaupte nichts, ich hab nur gesagt, was ich gehört hab. Und wenn deine Mutter sich wirklich umgebracht hat, wär's, find ich, wichtig rauszufinden, warum? Findst nicht?«

»Ja«, sagte Ines mit verebbender Stimme. »Das wär wahrscheinlich wichtig.«

»Willst du echt nach Haus?«

»Glaub schon.«

Er konnte nicht mehr schreien. Er röchelte und hatte keine Kraft mehr, mit den Fäusten gegen die Tür zu hämmern. Alles war lächerlich geworden. »Ich bin im Gefängnis«, krächzte er, hustete und zog den Rotz hoch.

So sehr hatte Sebastian Flies sich gewünscht, eines Tages nur noch für sich zu sein, in einem kleinen Raum mit einem kleinen Fenster, bei geschlossener Tür, abseits von Lärm und Gerede, in toilettaler Abgeschiedenheit, weg von den Leuten, die ihm Geld dafür gaben, daß er sie duzte und Hunderte Kilometer flog, um an von Handys verstrahlten Sitzungen teilzunehmen, in denen festangestellte Erkenntniserteiler einem Schreibknecht wie ihm das Einsehen diktierten.

»Daß es zum Beispiel geschickter ist«, sagte Flies mit heiserer Stimme in die Toilettenschüssel, vor der er kniete, »die einundzwanzigjährige Tochter der Hauptfigur in einen dreißigjährigen, zu Gewaltausbrüchen neigenden Bruder umzumodeln.« Er richtete sich auf. »Das ist doch einsehbar!« Dann beugte er sich wieder vor. »Yes! Und daß es raffinierter ist, die Zwillingstöchter der weiblichen Hauptfigur in deren verschollen geglaubten Vater zu verwandeln. Oder?« Er hob den Kopf und betrachtete seinen gekrümmten Zeigefinger. »Und daß es der Sache dienlicher ist, die Handlung von der Stadt aufs Land zu verlegen, und daß die einzige Lösung, um die Kuh vom Eis zu kriegen, darin liegt, aus dem Antagonisten den Protagonisten zu machen. Gell?«

Das alles hatte Flies eingesehen, wieder und wieder. Und deswegen steckte er jetzt den Mittelfinger in den Rachen und beugte sich über die Schüssel. Aber es kam nichts. Er würgte und hustete und schüttelte sich vor Lachen, das er aus sich herauspreßte, bis ein Heulkrampf ihn niederdrückte und zwang, auf dem Boden liegenzubleiben, die Finger in die Haare gekrallt. Dann schleppte er sich zur Tür und schmiegte seine Wange an den kalten Stahl.

»Die Namen hab ich alle vergessen«, flüsterte er und schmeckte salzigen Rotz auf den Lippen. »Die Namen der Erkenntniserteiler, vergessen. Die haben wahrscheinlich, psst, inzwischen eingesehen, daß das Einsehen ihrer Vorgesetzten, psst, der Sache noch dienlicher als ihr eigenes Einsehen gewesen ist, weswegen sie eingesehen haben, daß die staatliche Zusammenlegung von Arbeitslosen- und Sozialhilfe, psst, besonders für ehemalige festangestellte Erkenntniserteiler überhaupt die einzige Überlebenslösung ist. Gell?«

Mit der flachen Hand strich er über die Tür, ein Streicheln. Dann ließ er sich auf den Rücken fallen, rollte zur Seite und verharrte.

Nach einer weiteren, schmerzvollen Drehung kroch er, die Ellbogen vor dem Kopf wie jemand, der durch Sand robbt, auf das Bett zu und scheuerte mit dem Gesicht über den widerlich riechenden Linoleumboden.

»Zufrieden?« fragte ihr Vater, blies Rauch aus den Nasenlöchern, zog am Filter und trank aus dem Bierglas. Seine weiße, fleckige Schürze verrutschte. Ines ertrug kaum den Anblick seines riesigen Bauches. »Bring mir einen Schnitt, Brumm!« rief Robert Gebirg zum Tresen. »Und dann ist die Brotzeit zu Ende. Für dich auch«, sagte er zu Ines und warf Friede einen schnellen Blick zu, die, seit sie zu dritt am Tisch saßen, noch kein Wort gesprochen hatte.

Nach einem kurzen Schweigen klopfte Robert Gebirg mit seinem Feuerzeug auf den blanken Holztisch und zeigte auf Ines: »Ob das so was wie ein Fluch ist, kann ich dir nicht sagen. Du bist katholisch, du kennst dich mit so was besser aus. Ich nenn es Pech. Beschissen ist, daß du erst neun warst, als sie's getan hat. Wenn ich an sie denk, und das tu ich jede Nacht, dann sag ich zu ihr: Dir verzeih ich das nicht. Sie ist tot, sie kann mich nicht mehr hören, ich sag's trotzdem. Du warst erst neun. Hör auf, den Kopf zu schütteln, Friede. Das Kind zurücklassen! Die Familie. Kein Wort! Einen Tag nach ihrem Geburtstag! Wie willst du das nennen, Friede? Bösartig war das, was sie getan hat.«

Friede legte die Hände auf den Tisch, sah weder den Wirt noch Ines an, wartete, bis Brumm das schaumvolle Glas hinstellte. »Sie war krank, das hat Dr. Laurenz eindeutig bestätigt.«

»Bestätigt! Was nützt mir das? Daß Aloisia krank war, hab ich selber gewußt, und sie hat's auch gewußt!« Er hielt das Glas an den Mund, Schaum quoll über. Dann stellte er es wieder hin, an seinem Kinn hingen Flocken. »Ich war wenigstens schon vierzehn, als mein Vater in die Maibachschlucht gestürzt ist, ich hab besser damit umgehen können als du, Sehnerl. Außerdem hat mein Vater gesoffen, und wenn er zu war, hat er dauernd davon geredet, daß er die Dimension wechseln will. So hat der sich ausgedrückt: Dimension wechseln, darum ging's für den. Wir haben uns nie verstanden, das weißt du, Sehnerl.«

»Du warst so alt, wie ich jetzt bin, als er gestorben ist«, sagte Ines.

Friede strich ihr über die Hand und hielt sie fest.

»Und wenn wir schon dabei sind!« In einem Zug leerte Gebirg sein Glas, drehte sich nach hinten, doch Brumm stand nicht mehr hinter dem Tresen. »Die Oma von deiner Mutter, weißt du, wie die geheißen hat?«

»Eda.«

»Edeltraut Landauer, und weißt du, was die an einem bestimmten achten September um sechs Uhr in der Früh getan hat? Das, was die um diese Zeit noch nie getan hat: Sie hat gebadet. Nein, Sehnerl, nicht im See wie deine Mutter. Da, wo die Edeltraut gelebt hat, war kein See in der Nähe. In der Badewanne hat sie gebadet! Und ihre Tochter, deine Oma Rosina, hat noch geschlafen.«

»Und der Uropa?« fragte Ines.

»Edas Mann«, sagte Gebirg in ihre Worte hinein. »Der ist aus dem Krieg nicht mehr zurückgekommen, den gab's nicht mehr, richtig so, Friede?« Ob Friede nickte, wollte Ines nicht sehen, sie schaute nur ihren Vater an. »Sie ließ Wasser in die alte Zinkwanne laufen, legte sich rein und schnitt sich mit dem Brotmesser die Pulsadern auf. Als ihre kleine Tochter sich gewundert hat, wieso in der Küche alles dunkel ist und es nicht wie sonst nach Kaffee riecht, du stammst nämlich aus einer kaffeesüchtigen Familie, Sehnerl, da ist sie ins Bad gegangen, um sich die Zähne zu putzen. Und da lag ihre Mutter im roten Wasser und hat nicht mehr geatmet. So fing der erste Schultag deiner Oma an. Und jetzt sag ich dir noch was: Ich weiß nicht, wie viele in der Familie deiner Mutter noch auf diese Weise die Dimension gewechselt haben, kann ich dir nicht sagen. Mein Vater ist jedenfalls ganz normal verunglückt. Du stammst also nicht nur aus einer kaffeesüchtigen, sondern auch aus einer sichumbringsüchtigen Familie. Also paß auf, was du tust. Verstanden, Sehnerl?«

»Bist du auch dichumbringsüchtig, Papa?«

»Ich sauf bloß zu viel.«

»Hör auf damit!« rief Friede. Mit einer ungestümen Bewegung stand sie auf, griff nach Ines' leerem Colaglas und drückte es an ihren Bauch. »Und jetzt ist dieses Thema vorbei! Und zwar ein für allemal. Keine Fragen mehr, Ines!« Und zu Robert Gebirg, genauso laut: »Und du kümmerst dich ums Essen und hältst hier keine Reden! Ich mag das nicht, wenn in diesem Haus so geredet wird, Robert. Ich hab gedacht, du wärst wieder einigermaßen im Gleichgewicht. Für Sehnerl waren diese fünf Jahre ja auch eine fürchterliche Zeit. Aber wir können uns nicht hinsetzen und jammern und uns den Kopf darüber zermartern, was früher war und wer was getan hat in dieser Familie. Wir müssen an das denken, was kommt. Das verlangt deine Mama von uns, Sehnerl, die will, daß wir diese Prüfung bestehen und weitermachen und gute Gastgeber sind, für unsere Hausgäste und für alle anderen Gäste, die ihr

Geld bei uns lassen. Wir sind ein Gasthaus, keine Klagemauer. Und jetzt geht jeder an seine Arbeit.«

»In ihrem Sinn!« sagte Robert Gebirg abfällig in sein Glas. »Was war denn in ihrem Sinn? Was ist denn da vorgegangen, in dem Sinn von der Aloisia? Dasselbe wie in dem Sinn von der Edeltraut?« Er schob das Glas von sich weg.

»Ab heute trinkst du kein Bier mehr zum Mittagessen!« Friede kam um den Tisch herum, packte den Wirt am Arm und dirigierte ihn in die Küche. Als er verschwunden war, drehte sie sich um und sagte eine Weile nichts. Ines zupfte an ihrem T-Shirt und konnte die eine Frage in ihrem Kopf nicht abstellen.

Ob sie heute nachmittag auf dem See sichumbringsüchtig gewesen war.

»Woran denkst du?« fragte Friede, plötzlich nah bei ihr.

»Gar nichts«, sagte Ines. »Dann ist Mama also eine Selbstmörderin und die Uroma Eda auch, und ich bin vielleicht auch eine.«

»Du bist ein vernünftiges, gesundes Mädchen, und später wirst du eine vernünftige und gesunde Frau und die beste Wirtin, die sich die Gäste nur wünschen können, Sehnerl.«

»Ich glaub«, sagte sie, »ich möcht ab jetzt Ines heißen.«

»Magst du den Namen Sehnerl nicht mehr?«

»Ich mag ihn schon, ich will bloß nicht mehr so genannt werden, ich bin schon vierzehn.«

»Ach, Sehnerl.«

Das versöhnliche Licht der Abendsonne drang bis in die Kammer vor, in der Robert vor dem Fenster stand und Friede neben ihm; sie sprachen nicht; sie sahen sich an und dann, gleichzeitig, er zum Bett und sie nach draußen und hinunter auf die ungemähte Wiese. Es war ein Versuch gewesen, den sie hinauszögerten, als wüßten sie nicht, daß er längst mißlungen war.

Das störte sie nicht; sie waren allein im Haus; blamieren konnten sie sich nur, wenn sie etwas sagen würden; das taten sie nicht. Sie betrachteten ihre Hände, wie sie sich hielten, unterhalb des Fensterbretts, als könne die Elster, die neuerdings zu Besuch kam, ihre Vertrautheit stehlen, einen funkelnden Augenblick, der doch nur Straß war, wie sie beide wußten, der sich aber wunderbar anfühlte, zumindest für kurze Zeit; nicht lang genug, um zu vergessen, daß Aloisias Tod ihnen dieses flüchtige Obdach überhaupt erst ermöglicht hatte.

»Ach, Sehnerl.«

»Und du?« sagte Ines. »Woran denkst du?«

Mit lauter Stimme schreie ich zum Herrn, laut flehe ich zum Herrn um Gnade. Ich schütte vor ihm meine Klagen aus, eröffne ihm meine Not. Wenn auch mein Geist in mir verzagt, du kennst meinen Pfad. Auf dem Weg, den ich gehe, legten sie mir Schlingen. Ich blicke nach rechts und schaue aus, doch niemand ist da, der mich beachtet. Mir ist jede Zuflucht genommen, niemand fragt nach meinem Leben. Herr, ich schreie zu dir, ich sage: Meine Zuflucht bist du, mein Anteil im Land der Lebenden. Vernimm doch mein Flehen, denn ich bin arm und elend. Meinen Verfolgern entreiß mich, sie sind viel stärker als ich ...

Führe mich heraus aus dem Kerker, damit ich deinen Namen preise. Die Gerechten scharen sich um mich, weil du mir Gutes tust.

»Einen großen Psalm hast du dir ausgesucht, Ines.«

»Er beschreibt meine Demut, liebe Mutter.«

»Das ist von nun an dein Zimmer«, sagte die Äbtissin. »Dein Schrank, dein Bett, WC mit Dusche, alles, was du benötigst, um für dich zu sein, zu dir zu kommen, zu beten, zu lesen, zu schweigen. Fernsehen und Telefon gibt es nicht.«

»Ich brauch kein Fernsehen und kein Telefon«, sagte Ines.

»Danke noch mal für den Empfang und die Kette, ich werd sie in Ehren halten. Und danke auch für den schönen Gesang.«

»Einige Schwestern sind schon recht alt«, sagte Johanna Nehle. »Ihre Stimmen sind ein wenig brüchig, aber sie singen immer noch gern. Ist dir kalt? Die Fensterstöcke sind vor zwei Jahren erneuert worden, für die meisten Zimmer haben wir neue Matratzen angeschafft. Auch wenn der Staat uns oft wie eine Melkkuh behandelt, wissen wir doch zu wirtschaften und unser Geld zusammenzuhalten, und dann reicht's auch für Latexmatratzen!«

»Kann ich jetzt etwas tun, Mutter Johanna?«

»Gewöhne dich ein, Ines«, sagte die Äbtissin. »Lies, leg dich hin, wenn du möchtest. Um zwanzig nach fünf beginnt die Vesper, an der nimmst du teil. Bis dahin bleibst du einfach in deinem Zimmer. Natürlich darfst du auch in den Garten gehen, du bist ja nicht eingesperrt.«

Ines strich über den viereckigen Holztisch vor dem Fenster; hier, wie zu Hause, schaute sie auf einen See; er war weiter entfernt als im Dorf und viel größer, aber der Nebel löste eine bleierne Ahnung in ihr aus, die sie in den Jahren nach dem Tod ihrer Mutter oft heimgesucht hatte.

»Wenn ich die Probezeit besteh«, sagte sie, »und wenn ich im Noviziat alle Aufgaben zu Ihrer vollen Zufriedenheit erfüll und nach der zeitlichen Profeß übernommen werd, dann weiß ich schon einen Namen, den ich als Ordensschwester wählen möcht, wenn Sie einverstanden sind, liebe Mutter.«

»Welchen Namen?« fragte die Äbtissin, lächelnd; sie hielt die Hände vor dem Bauch gefaltet. Etwas an ihr erinnerte Ines an ihre Großmutter Rosina: das farblose, von weltinniger Klugheit beseelte Gesicht vielleicht, der breite, in sich wurzelnde Körper.

»Irmengard«, sagte Ines.

»Irmengard«, wiederholte die Äbtissin. »Die Selige. Das hat

alles noch Zeit, wir gehen einen Schritt nach dem anderen. Jetzt muß ich mich aber beeilen!«

»Und mein Habit?«

»Im Schrank«, erwiderte Schwester Johanna, schon im Gehen. »Du darfst ihn doch erst zu Beginn des Noviziats anziehen, hast du das vergessen?«

»Nein«, sagte Ines schnell, dann gleich: »Doch.«

»Anprobieren darfst du ihn. Und wenn du Nähzeug brauchst, wende dich an Schwester Maria. Sie ist für die Oblatinnen-Betreuung zuständig und für unsere Novizinnen und vor allem für unsere Garderobe.«

»Schwester Maria hat das Muttermal auf der Wange.«

»Richtig.« Die Äbtissin schloß die Tür; ihre Schritte verklangen schnell.

Ines starrte die schmale Tür an; sie zwang sich, genau hinzuhören. Und tatsächlich: Aus weiter Ferne drangen Geräusche zu ihr, Laute aus der bewohnten Welt.

Eine eigenartige Dunkelheit erfüllte das Zimmer. Überbleibsel schwarzer Gewänder, dachte Ines, das Schweigen von Frauen, die zwischen diesen Wänden gealtert sind und ihre Augen geschlossen haben, wenn es für sie nichts mehr zu sehen gab, nichts mehr zu erwarten, nichts mehr zu lesen, zu bewundern. Wenn ihr Staunen aufgebraucht und ihre Demut erschöpft waren, dachte Ines, wenn sie den Kopf zur Seite drehten und ihre Schmerzen als unbegreifliche Geschenke empfanden, Gaben des Erlösers, der ihnen bis zum Schluß Prüfungen auferlegte. Wenn sie mit zitternder Seele um Vergebung für etwas baten, das sie nie getan hatten oder tun hätten wollen oder können. Als wären sie Fische, dachte Ines, die an der Schuld ersticken, weil sie irgendwann mal, ganz ohne neidisch zu sein, den Flügelschlag der Möwen bewundert haben, so wie ich.

»Es war nicht leicht«, sagte Ines zur Tür und zum Schrank. »Es war nicht leicht, dein Schreien auszuhalten, deine Stimme, die ich nie vorher so gehört hab. Du hast nach Bier gerochen, aber das kenn ich schon, das ist normal. Es war nicht leicht, dazubleiben und zuzuhören, wie du mich beschimpft hast. Manchmal hast du harte Dinge zu mir gesagt, und ich versteh nicht, wieso. Wieso, Papa? Und ich versteh nicht, wieso du Brumm gegen mich aufgehetzt hast. Daß er mich nach der Sperrstunde angeglotzt hat wie einer, der was von mir will, und nichts Schönes, und der mir ins Gesicht sagt, ich bin eine verklemmte Ziege, und das kommt davon, wenn man schon so alt ist und keinen Mann hat. Und ich versteh nicht, wieso du der Traudl das alles erzählt hast, die geht das gar nichts an, die ist noch nicht so lang bei uns, daß sie bei so was mitreden darf! Und sogar die Helene hat gesagt, ich mach den größten Fehler meines Lebens und du hättst schon recht, wenn du sagst, meine Mama würd sich im Grab umdrehen, wenn sie das mitansehen müßt! Du glaubst doch gar nicht an den Himmel, Papa, wieso sagst du so was? Wie soll die Mama mich denn sehen, wenn's keinen Himmel gibt? Ich hab mich von dir beschimpfen lassen, und es war nicht leicht, nicht zurückzuschreien. Denn ich hätt auch viel zum Schreien gehabt. Davon hast du keine Ahnung, was ich alles unterdrückt hab, seit Mama gestorben ist und seit du mir die Wahrheit gesagt hast damals im Sommer. Aber ich hab nie geschrien. Ich bin in die Kirche gegangen, weil das Stillesein mir geglückt ist und das Schreien nicht. Wenn ich hab weinen müssen, hab ich mir den Mund zugehalten im Bett. Das weißt du alles gar nicht, und heut bin ich froh, daß du nichts weißt. Es war nicht leicht wegzugehen, ohne dir erklären zu können, wieso ich wirklich weggeh. Und es ist noch viel schwerer, hierzusein und nicht erklärt zu haben, wieso ich wirklich hier bin. Ich hab der Mutter Johanna die Wahrheit nicht sagen können, sie hätt mich wieder weggeschickt, und dann wär ich verloren gegangen für alle Zeit. Ich bin hier, weil ich nicht sterben möcht wie Mama und wie meine Uroma. Das verstehst du nicht, Papa, und ich bin dir nicht bös. Und jetzt freu ich mich aufs richtige Leben. Und ein guter Geist wird mich auf ebenem Pfad leiten, so wie es in den Psalmen geschrieben steht.«

Noch bevor Polonius Fischer den Dienstwagen erreicht hatte, intonierte sein Handy *Bad Bad Leroy Brown*.

»Könnten Sie kurz bei uns vorbeischauen?« sagte ein Wachmann im Polizeipräsidium. »Der Zeuge Flies ist in seiner Zelle unter das Bett gekrochen und weigert sich rauszukommen. Er will Sie sprechen, nur Sie, und sofort. Ich hab ihm erklärt, daß ich ihm das nicht versprechen kann.«

»Ich bin gleich da«, sagte Fischer. Dann tippte er eine Nummer. »Unser Treffen verschiebt sich um eine Stunde, Herr Wohlfahrt. Sind Sie in Ihrer Wohnung?«

»Ja.«

»Sind meine Kollegen bei Ihnen?«

»Ich hab sie gebeten, draußen zu warten.«

Das hatte Fischer befürchtet.

Er kehrte um und machte sich auf den Weg ins Präsidium am Rand der Fußgängerzone. Zwischendurch fiel ihm ein, daß sein Vater sich noch gar nicht gemeldet hatte, um ihm zum Geburtstag zu gratulieren.

17

Damit der schöne Tag nichts merkt

Auf Anweisung von Fischer hatte der Wachmann die Zellentür verriegelt.

»Das ist unüblich und gefährlich, das wissen Sie.«

»Ja«, sagte Fischer.

»Ich bleib auf jeden Fall in der Nähe.«

»Danke.« Dann hatte Fischer sich auf den Stuhl gesetzt, mit dem Gesicht zum Bett, und gewartet.

»Gehen Sie weg«, sagte Sebastian Flies nach einer Weile mit weinerlicher Stimme.

»Kommen Sie bitte da unten raus.«

Flies zog die Beine an und brummte vor sich hin.

»Kommen Sie bitte da unten raus.«

Die Stimme unter dem Bett war kaum zu verstehen. »Hauen Sie ab!«

Fischer stand auf, ging zum Bett, beugte sich hinunter, packte Flies am Arm und zog ihn aus seinem Versteck. Er griff ihm unter die Achseln, setzte ihn, mit schlenkernden Armen, wie ein Stofftier auf die Bettkante und hielt ihn an den Schultern fest.

Aus wäßrigen roten Augen starrte Flies an Fischer vorbei. Sein grauer Pullover war voller Staubschlieren, seine grüne Hose von dunklen Flecken übersät. Die Knoten der Schuhbänder hatten sich gelöst, er trug keine Socken. Er schlotterte, seine Beine zuckten.

Fischer ließ ihn los, und Flies schien augenblicklich zu erstarren.

»Soll ich einen Arzt rufen? Möchten Sie was trinken?«

Flies schüttelte den Kopf.

Aufrecht stand Fischer vor ihm, in seiner ganzen Größe, die Hände hinter dem Rücken verschränkt. »Wo hält Ines Gebirg sich auf, und was haben Sie ihr angetan? Haben Sie die Frage verstanden?«

»Nichts, was sie nicht wollte«, sagte Flies mit halber Stimme.

»Wo ist sie?«

»Wissen Sie, an welchem Tag Sie geboren sind, Mister Fischer?« Flies schaute zu ihm hinauf wie ein neugieriges Kind, leckte sich die Lippen, schniefte.

»An einem Donnerstag.«

»Ich denk, Sie beantworten keine Fragen.«

»Manche schon.«

»Ich am Mittwoch«, sagte Flies und krallte die Hände in die Matratze. »Da grabschte Schwester Antonia nach mir und hat mich rausgezerrt aus der reinen Finsternis, die mich umhüllt hat. Wenn ich nicht festgebunden gewesen wär, wär ich abgetaucht und weg. Und weg! Dann hätt die Schwester Antonia ins Leere gelangt.« Er kicherte. »Und der Pfarrer erst! Hätt sich große Worte einfallen lassen müssen, um die Rothaarige auf die Auferstehung zu vertrösten. Vom Bub. Riskant!« Sein Kopf schnellte nach oben. »Ich war ja noch ungetauft!« Wie im PF-Raum schob er die Unterlippe vor und gab sich einen schmollenden Gesichtsausdruck. »Aber: Das Glück existiert! Ich wurde ein blutiger Klumpen, zahnlos, konnt deswegen auch die Schnur nicht selber durchbeißen, Errungenschaft der Evolution, gell? Antonia zückte die Schere und reichte sie meinem Vater, der erledigte die Sache handwerklich sauber.«

Fischer stand da, eine mächtige Gestalt in der engen Zelle, ein unüberwindbares Hindernis.

»Am Schreibtisch«, sagte Flies, sah zu Fischers Gesicht hin-

auf, zur schweren, bedrohlich gekrümmten Nase.« Am Schreibtisch, innen, Nachmittag. Bub vor Büchern. Schnitt auf Hemd-
kragen: Durft geöffnet sein. Kommt Lufti nei! Bub malt einen
Berg, einen Fluß, einen Schornstein. Kommt Rauchi außi.
Kommt die rothaarige Frau rein, fragt der Bub, ob er nach
draußen dürft. Sagt sie: Es setzt gleich was! Also bleibt er sitzen. Und zeichnet. Und sein Rumlaufen fand nur im Kopferl
drinnen statt. Wissen Sie? Mister Fischer? Meine Fee hatte eine
Nase wie Sie. Kleiner. Aber: Selbe Biegung! Hat sich vielleicht
gebogen vor Vergnügen irgendwann. Die Rothaarige sagt: Die
ist häßlich, die taugt nichts. Wie sie selber! Psst. Nichts gesagt.
Gekuscht und an den Selbstgehorsam gekuschelt. Auch an
dem Tag in der Küche. Schnitt. Später. Vorabend.«

Er grinste, wartete, hörte auf zu grinsen. »Deswegen bin
ich ein Vorabendseifenopernopa geworden. Juckt's den Gott?
Ihren? Rückblende: Die Rothaarige schreit. Den Mann an,
meinen Vater. Das Mädchen an, meine Schwester. Ich hinter
Katalins Rücken. Die Frau schreit: Frei sein! Schreit: Sich verwirklichen! Hab ich zum erstenmal gehört, das Wort. Dann
haut sie ab. Um sich zu verwirklichen. Frag ich Katalin: Was
ist die denn vorher gewesen? Eine Erscheinung? Rotz an
Gotts Nasn? Ist ihr Schreien bloß Schneuzen gewesen? Vorabend, innen, nah: Tochter umarmt Vater. Totale: Sohn hockt
abseits. Kaut Worte. Schluckt sie runter. Schnitt: Ist nicht erstickt dran bis heut. Meine Stimme. Die da.«

Er riß den Mund auf und zeigte mit dem Finger hinein.
»Wollt bellen, die Stimme vom Wastl in der Unwirklichkeits-
hüttn. Wollt bellen, obwohl sie schon lang verreckt war.
Deswegen hat er doch aus dem Mund gestunken oft: weil im
Rachen ein Kadaver rumlag. Hätt sich aber gern getummelt.
Doch! Unter Lindenbäumen. Doch. Wär schon gern freiwil-
lig groß geworden im Arme der Götter. Doch. Klappte nicht.
Fiel der Rothaarigen in den Schoß. Rotzgeburt. Bis die weg-

ging und mich mit einem Blick aus ihrer Gegenwart blinzelte. Yes?«

Fischer sah auf ihn hinunter.

Flies schabte mit den Fingernägeln an der Matratze. »Sagt der Arzt: Erkennen kann ich nichts, und zieht den Holzstab wieder raus aus meinem Rachen. Lag dann unter der Zieche. Bleich. Wie ausgebleicht. Oder geblichen? Stutzt der festangestellte Redakteur zurecht! Statt der Götter umarmte mich Katalin. Das war ein Obdach. Durch das Obdach regnete es heraus. Weil: Ich wußt ja sonst nicht, wohin mit den Tränen. Die müssen ja raus. Ein anderer Arzt klopft mir auf den Kopf, und es fährt ein Güterzug durch. Fragt der Arzt: Tut s' Kopferl weh? Der Bub schüttelt den Zug. Auf der Straße geht er zehn bis elf Schritte hinter der blonden Frau her. Ist jetzt blond statt rot. Ist jetzt Pia, rechte Hand des Vaters. Zeigt der Bub in der Nähe des Hauptbahnhofs auf einen Zug, der nicht da ist. Sagt die Blonde: Was soll das? Und schlägt sein Zeigen entzwei. Schnitt: Im Bus haucht der Bub die Scheibe an. Hinterm Hauch kommt ein Baum zum Vorschein. Sitzen Beos da. Einer heißt Carlos. Hat einen gelben Schnabel. Wird verschleppt in eine deutsche Zoohandlung. Und der Bub wär gern auf dem Leben gewesen und nicht unten drunter.«

Flies keuchte mit offenem Mund. Dann riß er seine Hände von der Matratze los, ballte die Fäuste und hielt sie vor den Körper, als umklammere er eine Lenkstange. »Gotts letzter Dreck, gell? Hat mich und solche wie mich aus seinen Exkrementen geknetet. Und auserkoren! Auserkoren, die Welt zu verpesten und auch noch stolz zu sein. Stolz sein. Auf unsere kotigen Verbrechen! Nackt bis auf die Unterhosen durch die Jahrtausende. Solche wie ich. Heulen aus allen Poren. Weil wir wissen, wir wachen wieder auf. In einer Latrine. Hier. So. Und ungeniert dazu. Die hat das so wollen. Ich wollt das nicht. Die wollt das so. So. Die sagt: Drück zu. Drück zu! Drück zu! Die sagt: Drück zu! Ich drück zu. Hab sie entjungfert. Die Nonne. Die arme Frau. Die Nonne. Lieber kopfunter hängen in der Höhle. Und mit den Händen die Tränderln auffangen und zurückstopfen in die Augen. Reinstopfen wieder. Die kam. Und wohnt bei mir. Die Eltern. Die Mutter ist gestorben. Im See draußen. Untergegangen. Yes. Hat das so wollen. Wollt sonst niemand da draußen. Nur die Mutter. Mütter wollen, machen. Gehen weg. Gehen unter. Da bleibt das Kind am Wegesrand. Das schafft das schon, das Kind. Sehnerl. Sag Sehnerl, sagt sie zu mir. Will auch untergehen. Im Sommer. Draußen auf dem See. Sehnerl auf dem See. Geht unter. Kommt wieder hoch. Gerettet. Vorüber. Gehend. Geht ins Kloster. Wegen der Erlösung. Gell? Daß der Gott ein Einsehen hat. Hat er nie aber! Hat er noch nie gehabt aber! Stimmt's, Mister Fischer? Einsehen kann er nicht. Macht nichts. Geht auch so. Die ist wiedergekommen. Am Sonntag. War schon weg. Ist wiedergekommen. Hab sie umarmt. Man muß einen Menschen umarmen. Gell? Und sie sagt: Fahr mich raus nach Schild. Das Dorf. Wir fahren gleich los. Ich wollt nicht. Und dann doch. Sind durchs Dorf gefahren, unerkannt. Schön war's. Nachts am See. Hab sie entjungfert. Blut allüberall. Und sie: Drück zu! Und ich drück zu. Und sie: Drück zu! Und ich drück zu. Das war gut. Endlich was Lebendiges zwischen den Fingern. Da. Da dazwischen. Das Leben. Auf dem Leben in Schild auf der Höh. Das ist Vorsehung. So macht der Gott das mit uns. Sieht was vor für uns. Ist gut für uns. Hab immer drauf gewartet. Daß der Moment kommt. Der Moment, daß ich zupack und was schaff. Sie hat auch gewartet, lebenslang. Im Kloster. Nichts passiert. Gott weg. Hat die Schwester Oberin nicht kapiert. Dacht, da wär eine Seele, die bräucht eine Stille. Und eine Versenkung. Gut gespielt, Sehnerl! Jeden Morgen früh aufgestanden, gebetet und auf den Knien gerutscht. Untertänig. Schwester Oberin denkt: Brav und fleißig und gottsfürchtig. Ines aber möcht, daß der Schmerz aufhört. Der Schmerz aus dem Leichenschauhaus. Hat's gegeben früher, das Haus. In Schild auf der Höh. Heller stiller Morgen. Hab aufgepaßt, wenn sie gesprochen hat unterm Bett. Neben mir. Im Hotel. Gell? Das Gras frisch gemäht. Und in der Nähe die Glöckchen der Schafe. Am Waldhang. Sie wollt einen Blick durchs Fenster werfen. Nicht rein. Hat ihr Vater ihr verboten. Und der Pfarrer Lugmaier. Ganz allein. Ein Blick auf den Sarg da drin und niederknien im Gras, das duftet. Und die Hände vors Gesicht halten. Damit der schöne Tag nichts mitkriegt. Wie sie weint. Wie sie weint. Aus Versehen drückt sie die Klinke. Ist offen. Sechs Uhr in der Früh. Offen! War also die ganze Nacht offen. Hat der Pfarrer Lugmaier vergessen abzusperren! Und sie denkt, das ist Sünde, was sie tut. Ist das Sünde? Daß sie von Gott bestraft wird lebenslang. Denkt sie. Geht aber rein. Weil: Wenn Gott sie deswegen straft, dann läßt sie sich bestrafen. Und geht auch in die Hölle. Für ihre Mama im Tod. Ist ihr gleich, was der Gott von ihr denkt. Drinnen kalt. Sarg da. Nelkengebinde drauf. Vom Blumenhuber. Den hat sie mir gezeigt, als wir durchs Dorf gefahren sind, heimlich. Im Innern des Sarges hält ein Engel Wache. Erzählt vielleicht was. Zur Zerstreuung. Bis das Zimmer im Himmel saubergemacht ist. Sie ist doch zu früh, die Frau Gebirg! Wie im Hotel. Muß man warten, bis die Lisl die Betten frisch überzogen hat. Das Waschbecken und die Toilette und die Dusche desinfiziert hat. Und saubere Handtücher aufgehängt hat. Und den Teppich gestaubsaugt hat. Muß man warten. Erzählt der Engel was. Merkt Mama nicht, wie die Zeit vergeht. Und schon ist das Zimmer fertig, und sie kriegt den Schlüssel. Und darf nach oben gehen. Wieso ertrunken, Mister Fischer? Sie konnt schwimmen. Und hat nie Angst gehabt vor dem Wasser. Und wieso darf das Kind die Mutter nicht anschauen am Schluß? Hat sie mich gefragt unterm Bett im Hotel. Damals vor sechs Tagen, sagt sie zu mir unterm Bett, hat sie die Hand der Mutter zum letztenmal gestreichelt. Das ist nicht lange her. Aber ihre Haut war schon ganz hart, die Haut von der Sehnerl im Dorf Schild auf der Höh. Keine Umarmung mehr, nie mehr. Wenn man nicht umarmt wird, dann erfriert man. Naturgesetz. Wieso hat die Mutter die Sehnerl nicht mitgenommen? Hat dann gewartet. Hat dann aufgehört zu warten. Ist dann untergegangen. Und wieder aufgetaucht. Ist dann zum Vater und hat ihn zur Rede gestellt. Hat er alles zugegeben. Auch daß die Oma der Mutter sich umgebracht hat. Vor den Augen des Kindes. Wollt nicht länger am Leben bleiben. Ist untergegangen. Sehnerl draußen. Auch im Kloster. Hat die Schwester Oberin nicht mitgekriegt. Dachte: Ein Unfall. Aber: Sie ist rausgeschwommen und hat der Mutter gewinkt. Kamen zwei Ruderer und zerschlugen ihr Winken. Das Winken von der Sehnerl. Sie hat Tabletten genommen. Und weg da. Zu mir. Sollt sie ins Dorf fahren, und ich hab gedacht, sie will in die Familie zurück und in die Pension. Sie hat auf mich gewartet im Gesträuch am See. Wie schon jahrlang. Wart. Wart. Sie wollt jetzt endlich weg. Wie Mama. Und ich war zur Stelle. Da bin ich gewesen zur rechten Zeit am rechten Ort. Yes. Sie wollt das so. Hat mich geleitet. Ich wollt das nicht. Erst hinterher begriffen: Das hat so kommen müssen. Alles. Und Sie, Mister Fischer. Sie kommen auf einmal zum Chinesen rein, wo ich mein Hühnerfleisch eß. Wegen wem andern. Nicht wegen Sehnerl und ihrem Sehnen. Wegen der anderen Frau, die ich nicht kenn. Hat so sein müssen. Sie sind auch überrascht. Obwohl Sie ein Mönch gewesen sind und mit den göttlichen Dingen vertraut. Kommen da rein zum Chinesen, da sitz ich, Zeuge, und bezeug was ganz anderes. Verrottetes Leben. Ich wollt Sie wegschicken. Hab gleich gesagt: Hau ab! Aber du, aber Sie. Hau ab wär besser gewesen. Ich hab die Frau nicht ermordet. Die eine nicht und die andere nicht. Die Ines hab ich erlöst, weil sie das so wollt. Sie hat mich auserkoren. So ist das. Jetzt komm ich in die Sendung meiner Frau. Ich bin jetzt eine Tagesaktualität. Aber sie wird nichts kapieren. Und niemand. Hätt ich nicht tun dürfen. Das alles. Hätt rechtzeitig meine Hände wegnehmen sollen vom Hals. War in ihr. Hab sie dann zugedeckt und mich bekreuzigt. So.«

Flies bekeuzigte sich mit der rechten Faust und formte wieder den Lenkstangengriff. »Ist nicht auf der Welt angekommen. Sehnerl.«

Er ließ die Arme sinken und stieß einen Seufzer aus. Dann legte er die Hände auf die Knie und blickte zur Tür, nickte und schob die Unterlippe vor.

Polonius Fischer bewegte sich nicht von der Stelle. »Wissen Sie, was Idolatrie bedeutet?«

Flies sah ihn mißtrauisch an.

»Wo befindet sich die Leiche von Ines Gebirg? In ihrem Heimatdorf?«

Flies wischte sich über die nassen Augen. »Wo sonst?«

»Wo genau?«

Nach einem Moment des Schweigens stand Flies auf, überlegte und ging auf die Tür zu. »Kann einen Psalm. Weiß ich auswendig. Sag ich Ihnen unterwegs auf. Können Sie das Radio sparen!«

»Der geht so, der Psalm«, sagte er auf der Rückbank des Dienstwagens, die Hände im Schoß, mit Handschellen gefesselt.

Silvester Weningstedt begleitete Fischer nach Schild auf der Höh. Ihre Kollegen von der Spurensicherung fuhren ihnen hinterher, ihnen folgte ein zweiter Wagen der Mordkommission mit Emanuel Feldkirch und Liz Sinkel.

»Mit lauter Stimme schreie ich zum Herrn, laut flehe ich …«, begann Flies.

»Seien Sie still«, sagte Fischer.

»Ist ein Psalm.«

»Seien Sie still.«

»Den Psalm hat Ines mir beigebracht.«

Zur völligen Überraschung nicht nur seines Vorgesetzten, sondern auch der Kollegen in den Autos hinter ihm scherte Fischer auf den Seitenstreifen aus, schaltete die Warnblinkanlage ein und hielt an.

Zuerst blieb es still. Weningstedt, der sich verschämt unter seinem Sakko gekratzt hatte, wagte nicht, die Hand zu bewegen.

Fischer löste seinen Sicherheitsgurt und wandte sich nach hinten, wo Flies mit den Handschellen über seine Oberschenkel rieb. »Kein Wort mehr. Nur noch, wenn Sie als Zeuge befragt werden. Haben Sie das verstanden? Antworten Sie.«

»Ja.«

»Wenn Sie die Geschichten Ihrer Kindheit loswerden wollen, erzählen Sie sie Ihrem Anwalt oder dem Richter, aber erzählen Sie sie nicht mir. Ich habe ihnen notgedrungen zugehört, weil Sie für mich zu einer besonderen Spezies von Lügnern gehören. Sie sind allen Ernstes von sich überzeugt. Das sind die wenigsten. Die meisten wollen uns nur täuschen, uns, die Polizei, sie denken sich Strategien aus und halten eine Zeitlang daran fest und scheitern. Die meisten Lügner sind Dilettanten. Von jetzt an machen Sie nur noch Aussagen zur Sache, und ich bitte Sie, da ich es Ihnen nicht verbieten kann: Lassen Sie in meiner Gegenwart das Wort Gott weg. Haben Sie das verstanden?«

Flies starrte auf seine gefesselten Hände.

»Haben Sie das verstanden?«

»Yes.«

Fischer zögerte und fügte mit ruhiger Stimme hinzu: »Und nehmen Sie Ihr Leben nicht allzu persönlich, Herr Flies.«

Der Mann auf der Rückbank brachte den Mund nicht zu.

»Was?« sagte er tonlos. Fischer entgegnete nichts. »Wie …? Das ist … das einzige … was ich hab …«

»Nehmen Sie Ihr Leben nicht allzu persönlich«, wiederholte Fischer ohne besondere Betonung.

»Von mir aus, aber …«

Aber Fischer hörte nicht mehr zu. Er drehte den Zündschlüssel, drückte auf die Hupe als Zeichen für seine Kollegen und setzte die Fahrt auf der Autobahn fort.

Weningstedt kannte den Satz aus früheren Vernehmungen, und er beunruhigte ihn jedesmal. Im Grunde war es eine Erschütterung, die der lapidar dahingesprochene Satz beim Leiter der Mordkommission auslöste.

Sie lag auf einer schmutzigen Wolldecke, eingehüllt in ihr rotes Cape, im ehemaligen Leichenschauhaus von Schild auf der Höh, dort, wo Sebastian Flies sie nach der Tat am See abgelegt hatte. Offenbar hatte niemand ihn beobachtet, wie er mit einem Schraubenzieher das Schloß aufbrach und die tote Ines Gebirg von seinem Peugeot ins Innere des baufälligen, nur aus einem Raum bestehenden Hauses schleppte.

Flies bat darum, vor der Leiche niederknien zu dürfen, und Weningstedt erlaubte es ihm, gegen den Willen von Fischer.

Vor dem Haus, das sich am Rand einer blumenbunten Wiese und in unmittelbarer Nähe eines steilen Waldhangs befand, an dem Schafe grasten, hörte Fischer das helle Klingeln kleiner Glocken. Die Nachmittagssonne schien. Der Gesang der Vögel erfüllte die Luft, und auf den rotweißen Absperrbändern schaukelten Schmetterlinge.

Als sein Handy klingelte, reagierte Fischer nicht sofort, sondern sah erst noch eine Weile über die Wiese, zur Kirche mit dem Zwiebelturm und der weißen Friedhofsmauer.

Nach dem Telefonat fragte Weningstedt: »Ist der Vater von Ines Gebirg unterwegs?«

»Das war ein Kollege von der Streife«, sagte Fischer. »Die Tochter der toten Nele Schubart ist aufgetaucht. Sie ist bei ihrem Vater im Getränkemarkt.«

»Wie ist sie da hingekommen?«

»Angeblich hat jemand sie abgesetzt, aber sie sagt nicht, wer.«

»Ist sie verletzt?«

»Der Kollege sagt, Katinka sieht braungebrannt und entspannt aus, als käme sie direkt von einer Ferienreise.«

»Du fährst mit Liz sofort hin.«

In Schrittempo näherte sich ein Streifenwagen und hielt vor der Absperrung.

»Ich mach das«, sagte Weningstedt.

Aber Fischer war schon auf dem Weg. »Bleib du beim Täter«, sagte er.

Aus dem Streifenwagen wuchtete sich schwerfällig ein Mann in einer karierten Hose und einem weißen Kochhemd. Er sah den um zwei Köpfe größeren Kommissar auf sich zukommen, blinzelte gegen die Sonne und schwankte. Dann öffnete er weit den Mund, steckte die Knöchel seiner linken Faust zwischen die Zähne, starrte Fischer mit geweiteten Augen an und biß zu.

Ein langgezogener, hoher Schmerzenslaut entrang sich der Kehle von Robert Gebirg.

In einer Parkbucht, von der aus man den Laden gut erkennen konnte, kam das Auto zum Stehen.

»Tust du alles, was ich dir gesagt habe?« fragte der Mann.

»Ganz bestimmt«, sagte Katinka. »Mein Papa kriegt bestimmt einen Herzkasperl, wenn er mich sieht.«

»Lauf jetzt!«

»Und wann kommt meine Mama?«

»Bald«, sagte der Mann, beugte sich nach hinten und zog

den Türgriff auf. »Danke, daß du mit mir mitgekommen bist.«

»Das war so schön am Meer, schade, daß wir schon wieder wegfahren mußten. Aber jetzt bin ich ganz erlöst, Papa.«

»Du brauchst nicht mehr Papa zu mir sagen.«

Toni, der Elch, winkte dem Mann zu. Katinka nahm die Einkaufstasche aus schwarzem Leder, die der Mann ihr geschenkt hatte, sprang aus dem Auto und rannte los.

Als sie sich im Laufen noch einmal umdrehte, war das Auto aus der Parkbucht verschwunden.

DRITTER TEIL

Allein

18

Auf dem Arm des
großen Mannes

Er fuhr um den Block, bog vor einem indischen Restaurant in eine schmale Einbahnstraße und brachte den Wagen an der nächsten Ecke zum Stehen. Seine Hände zitterten. Er blickte in den Rückspiegel. Nichts an seinem Gesicht erinnerte an einen Aufenthalt an einem sonnigen Strand; tiefe Falten durchzogen die grauen Wangen, unter seinen von Müdigkeit gequälten Augen wölbten sich Halbmonde in einer schmutzigen Farbe. Er fragte sich, wie das Mädchen ihn die ganze Zeit so heiter ertragen hatte, ohne sich zu ekeln oder zu fürchten.

Vielleicht hat sie mir einfach was vorgespielt, dachte er und lehnte sich zurück, schloß die Augen und riß sie wieder auf. Er durfte auf keinen Fall einschlafen! In ein paar Minuten würde der erste Streifenwagen auftauchen, und dann würden andere Polizisten kommen und das Viertel nach ihm absuchen und Leute befragen. Das Mädchen hatte versprochen, nichts zu sagen, und er vertraute ihr. Sie würde ihren Vater dazu bringen, sie anzunehmen; falls er sich weigern und auf die Idee verfallen sollte, sie in ein Heim zu stecken oder zur Adoption freizugeben, würde er ihn angemessen zur Rechenschaft ziehen. Wie Frau Nele Schubart. Er hatte jetzt Übung darin.

Er startete den Motor. Nach Hause wollte er noch nicht. Er würde seine Frau anrufen und ihr erklären, er habe einen unerwarteten Auftrag in Augsburg oder Regensburg zu erledigen und komme erst morgen abend zurück. Er freue sich, sie wiederzusehen, er habe sie vermißt.

Er fuhr los, in Richtung Rosenheimer Berg.

Es war nicht die Schuld seiner Frau, daß er sie nie vermißte, daß er nie jemanden vermißte. Vermißte sie ihn? Er vermutete es. Schließlich wartete sie von dem Moment an auf ihn, in dem er durch die Tür ging, und er wußte, sie winkte ihm hinter der Gardine; aber er drehte sich nie um. Auf offener Straße jemandem zu winken, der nicht zu sehen war, kam ihm kindisch vor und lächerlich. Seine Frau hatte ein schwieriges Wesen. Manchmal redete sie tagelang nur das Nötigste und weinte nachts hinter vorgehaltenen Händen. Er hatte gelernt, nachsichtig zu sein. Vielleicht war er nur gleichgültig. Aber er war da, er war gern da. In ihrer Nähe ermordete er sich seltener als anderswo.

Als er die Eintrittskarte für das Dampfbad kaufte, drehte er erschrocken den Kopf, weil er sich eingebildet hatte, die Stimme seiner Frau zu hören. Doch an der Eingangstür stand bloß ein alter Mann, preßte eine mit Handtüchern vollgestopfte Plastiktüte an seine Wange und murmelte vor sich hin.

Sie saß vor dem Laden auf einem weißen Plastikstuhl, die Arme auf die Lehnen gestützt, mit baumelnden Beinen, und reckte – mit ernster, konzentrierter Miene wie eine Urlauberin, die ihren Genuß zelebriert – ihr Gesicht in die Sonne. Polonius Fischer saß auf einem wackeligen Holzstuhl, den er sich aus dem Blumengeschäft nebenan geliehen hatte, vornübergebeugt, mit gefalteten Händen, angespannt. Eigentlich bedeutete das für alle »zwölf Apostel« überraschende Auftauchen des Mädchens einen gewaltigen Fahndungsschritt nach vorn; normalerweise hätten sie innegehalten und die Strategie der letzten vor ihnen liegenden Meter auf eine Weise geplant, die es ihnen ermöglichen würde, den Fall innerhalb der nächsten Tage abzuschließen.

Doch das Mädchen verweigerte die Aussage. Zumindest erzählte sie nichts, was den geringsten Hinweis auf ihren Aufenthaltsort oder die Person, die bei ihr gewesen war, gegeben hätte. Vielmehr tat sie so, als wäre überhaupt nichts Dramatisches geschehen, als käme sie von einem Ausflug zurück, der ihr Freude bereitet und den sie freiwillig unternommen hatte. »Bist du am Meer gewesen?« hatte Fischer gefragt. Und sie, zustimmend: »Hmm.« »Warst du allein dort?« Sie schüttelte den Kopf. »Wer war mit dir am Meer?« Sie blinzelte, weil die Sonne sie blendete, sah Fischer an, griff nach dem Stoffelch, der in ihrem Schoß saß, und hob sein rechtes Vorderbein. »Der Elch war mit dir am Meer«, sagte Fischer. Und sie: »Hmm.«

»Sonst niemand?« hatte Fischer weitergefragt und keine Antwort erhalten.

Niemand hatte Katinka Schubart bisher mitgeteilt, daß ihre Mutter nicht mehr lebte.

Ihr Vater bediente Kunden in dem Getränkeladen, vor dem Katinka und Fischer saßen. Sobeck hatte in der Burgstraße angerufen, nachdem sein Kind plötzlich aufgetaucht war. Wie er später gegenüber Fischer und Liz Sinkel erklärte – beide waren nach einer kurzen Vernehmung von Robert Gebirg aus Schild auf der Höh nach München zurückgefahren –, hatten er und seine Tochter kein einziges Wort gewechselt. Sie habe nur hallo gesagt, sich umgesehen und dann auf den Stuhl auf dem Bürgersteig gesetzt. In die Einkaufstasche, die sie bei sich trug, habe er nicht reingeschaut, betonte Heiner Sobeck. Wie Fischer feststellte, befanden sich Kinderunterwäsche und zwei T-Shirts darin, außerdem eine Sonnenmilch mit Schutzfaktor 30, eine Sonnencreme für Kinder, eine halbvolle Plastikflasche mit Maracujasaft, eine kleine rote Sonnenbrille und Sand. »Ich muß die Tasche mitnehmen«, hatte Fischer gesagt. Und Katinka, gleichmütig: »Okay.« Kurz darauf fuhr ein Streifenwagen vor. Fischer übergab die Sachen einem Kollegen, der sie im Labor der Spurensicherung ablieferte.

Da das Mädchen einen unversehrten, verschlossenen, aber nicht bedrückten Eindruck vermittelte, wollte Fischer noch damit warten, sie zu einem Arzt und Psychologen zu bringen.

Während Liz ein Polaroidfoto von Katinka machte – sie blickte in die Kamera, verzog keine Miene, rückte den Elch in ihrem Schoß zurecht, schlenkerte mit den Beinen – und das Bild anschließend Passanten zeigte, beobachtete Fischer das Mädchen und verwünschte seine Unbeholfenheit.

Wenn er es mit Kindern zu tun bekam, neigte er zu mentalem Stottern: Er verhedderte sich in einem Knäuel von Gedanken, die den aktuellen Fall oft nur am Rande betrafen, ihn selbst dafür um so mehr. Dieser Zustand, den er nicht kontrollieren konnte, ärgerte und verunsicherte ihn und ließ ihn an seiner Professionalität zweifeln, was eine solche Wut in ihm auslöste, daß er zeitweise einen Zeugen wie einen Gegner wahrnahm, der ihn persönlich bedrohte; als wäre er, Polonius, zehn Jahre alt und der andere ein gerissener, hinterhältiger Mitschüler, der ihm die bessere Note neidete oder die neuen Turnschuhe und auf Rache sann. Hinterher schämte sich Fischer vor sich selbst. Doch immer dauerte es viel zu lange, bis die Bilder verblaßten; bis er seinen Vater nicht mehr sah, der ihm neue Schuhe schenkte, um ihn zu trösten; bis das Zeugnis unlesbar geworden war, für das er sich so angestrengt hatte, weil er seiner Mutter, die ihm vom Himmel aus zuschaute, eine Freude bereiten wollte.

»Wenn du nicht mit mir sprichst, muß ich dich mitnehmen«, sagte er.

Das Mädchen schlug die Sandalen, in denen es barfuß war, aneinander und legte beide Hände auf das Stofftier. Nach einiger Zeit sagte es: »Nein.«

Fischer richtete sich auf, und sie schaute ihn an. »Hat der Mann, der mit dir am Meer war, gesagt, warum er dich mitgenommen hat?« Die Möglichkeit, daß das Mädchen mit einer

Frau unterwegs gewesen war, schloß der Kommissar aus, obwohl er keinen Beweis dafür hatte.

»Nein«, sagte das Mädchen.

Wenigstens einen Zentimeter vorwärts, dachte Fischer und sagte: »Hat er dir die rote Sonnenbrille geschenkt?«

»Hmm.«

»Die ist schön. Du bekommst sie wieder, wir untersuchen sie nur.«

»Die Brille ist doch nicht krank!« Katinka bewegte den Elch hin und her und ließ ihn auf ihren Knien hüpfen.

»Wir müssen wissen, wer der Mann ist«, sagte Fischer. Dann wollte er eine Frage stellen, aber Katinka kam ihm zuvor.

»Wo bleibt meine Mama so lang?«

Sie sah ihn unentwegt an. Er streckte den Arm aus, um nach ihrem Stuhl zu greifen. Aber mitten in der Bewegung erstarrte er – Katinka blinzelte und rutschte zum erstenmal auf dem Sitz so weit nach vorn, daß ihre Füße den Boden berührten –, zog den Arm zurück und zupfte am Knoten seiner Krawatte, den er schon vor einer halben Stunde gelockert hatte.

Möglicherweise hätte er jetzt aufstehen und sich vor sie hinknien oder seinen Stuhl in ihre Richtung stellen oder ihre Hand nehmen müssen. Statt dessen erwiderte er, ohne ihr den Kopf zuzuwenden: »Deine Mama kommt nicht mehr.«

»Warum nicht?« Sie sah Fischer nicht mehr an, nur noch ihren Freund Toni.

»Deine Mama ist gestorben.« Er holte Luft, um noch etwas hinzuzufügen.

»Das glaub ich nicht«, sagte Katinka. »Papa hat versprochen, sie kommt bald wieder.«

»Dein Papa?«

»Das hätt ich nicht sagen dürfen, Entschuldigung!« Sie zog den Kopf ein und hielt den Elch vor ihr Gesicht.

»Was ist mit mir?«

In der Tür war Heiner Sobeck aufgetaucht. Er trug einen weißen Kittel, Schweiß lief ihm über die Schläfen.

Fischer erhob sich und glaubte für einen Moment zu schwanken. »Waren Sie mit Ihrer Tochter verreist?«

Sobeck kniff die Augen zusammen, dann zog er eine Pakkung Zigaretten aus der Brusttasche. »Ist was, Herr Kommissar? Haben Sie Ausfallerscheinungen wegen der Hitze?« Er verschwand in seinem Laden und kam mit der brennenden Zigarette zurück.

Fischer ging vor dem Mädchen in die Hocke. »Du meinst nicht deinen richtigen Papa, sondern den Mann, mit dem du am Meer warst.«

Wieder druckste das Mädchen herum, bevor es, geduckt hinter dem großen Stofftier, nickte.

»Du nennst ihn Papa.«

»Wen?« sagte Sobeck laut. »Wen nennt die Papa außer mir?«

Ohne das Tier wegzunehmen, sprang Katinka auf die Beine und blieb vor dem Stuhl stehen, stumm, den Kopf ins flauschige Fell gedrückt.

»Ich hab's Ihnen gesagt!« Sobeck zog am Filter, blies Rauch durch die Nasenlöcher. »Kind und ich, das paßt nicht. Was machen wir jetzt? Ist ja schön, daß sie wohlauf wieder da ist. Aber ohne Mutter?«

Katinka fuhr herum und warf den Elch auf den Asphalt. »Wieso kommt die Mama nicht? Wo ist sie denn? Hast du sie tot gemacht?«

»Spinnst du?« Sobeck nahm die Zigarette aus dem Mund und klemmte sie zwischen Daumen und Zeigefinger. Eine Sekunde lang dachte Fischer, er würde die Kippe auf seine Tochter schnippen; aber er ließ sie nur fallen und trat die Glut aus. »Frag den Kommissar, der kennt sich aus. Ich muß weitermachen!« Sein Blick streifte noch einmal das Mädchen, ratlos und abweisend; kurz darauf blaffte er im Laden einen seiner Mitarbeiter an.

Katinka kniete sich hin und rieb ihr Kinn an den Ohren des Elchs, hörte nicht damit auf.

Siebzehn verschiedene Sätze hörte Fischer in sich widerhallen – und er brachte keinen einzigen heraus; er fand einfach nicht den richtigen. Er setzte an, etwas zu sagen, verstummte, streckte den Arm aus. Dann störte ihn die Entfernung. Absurd, dachte er, senkte den Arm, sah das Mädchen an. Die Veränderung in ihren Augen blieb ihm verborgen, weil er zu versponnen in sich selber war, im Licht der Abendsonne, die wie gezielt genau auf die Stelle vor dem Getränkemarkt schien, wo der große Mann und das kniende Mädchen reglos ausharrten.

Die Sonne blendete ihn. Er wünschte, sie würde hinter den Dächern versinken und seinen Blick freigeben, den Blick auf den einen Satz, der sein Schweigen und das Schweigen des Mädchens beendete.

Katinka bog ihren Körper zur Seite, umklammerte den Elch mit einem Arm, streckte erst das eine Bein aus, dann das andere, legte sich auf den Bauch, drückte das Tier mit beiden Armen an sich, vergrub ihren Kopf im Fell und lag quer auf dem Bürgersteig. Im Sonnenlicht wirkten ihre Jeans meerblau und ihr T-Shirt sonnenblumengelb; in schwarzen Wellen ergossen sich ihre Haare über den Asphalt.

Nicht weit entfernt blieb eine Frau stehen. Als Fischer aufschaute, erkannte er seine Kollegin Liz. Vor Schreck fiel ihr das Foto aus der Hand, und sie traute sich nicht, es aufzuheben.

Ein Zittern durchlief den schmächtigen Körper des Mädchens. Fischer hörte das Klacken der Sandalen, die von den zuckenden Beinen aneinandergeschlagen wurden, und ein erbarmungswürdiges Schluchzen.

Aus dem Blumenladen trat eine junge Frau, aus den hochgesteckten Haaren ragten bunte Schmetterlinge. Ein dürrer Mann mit einem schiefen Schnurrbart, einer von Sobecks Mitarbeitern, reckte den Kopf nach draußen und trank Bier aus einer Flasche. Liz bückte sich ungelenk und griff nach dem Foto, machte einen Schritt und wartete auf eine Reaktion von Fischer. Auf der Warngaustraße hielt ein Auto und wurde von einem fluchenden Fahrradfahrer überholt.

Das Schluchzen wurde lauter. Der Elch bebte wie das Mädchen.

»Steh bitte auf.«

Fischer dachte, er müsse sich niederknien und Katinkas Rücken streicheln, sie in den Arm nehmen, ihr etwas sagen, das sie verstehen könne. Er wußte, er durfte nicht länger dastehen. Die Leute um ihn herum delegierten ihre Ratlosigkeit an ihn. Er war Polizist, ein Kriminalbeamter, der solche Situationen kannte und Lösungen parat hatte. Zaudern war verboten. Wenn er Pech hatte, würde sein Verhalten morgen in den Zeitungen diskutiert und bewertet werden. Er mußte handeln, er war die Hauptfigur.

Und er kniete sich hin und strich dem weinenden Mädchen über den Kopf. Er drückte sie, als sie ihren Widerstand aufgab, fest an sich und achtete darauf, daß ihr der Elch nicht entglitt.

Dann stand er achtsam auf.

Er setzte Katinka auf seinen Arm und hielt sie mit der anderen Hand fest. Ihr Gesicht war naß von Tränen, sie hatte einen Schluckauf, der sie schüttelte. Fischer tupfte ihr die Wangen und Augen mit einem Taschentuch ab, ließ sie schneuzen und steckte das Tuch wieder ein.

Sie zu tragen fiel ihm nicht schwer, doch wohin er sie bringen sollte, wußte er nicht.

Er ging ein paar Schritte auf und ab. Das Mädchen klemmte

den Elch zwischen sich und ihn und hörte zu weinen auf. Dann steuerte sie schüchtern ihre Hand auf seine Nase zu und biß sich auf die Lippen. Weil er lächelte, kniff sie ihm mit Daumen und Zeigefinger in die fleischige Nase und strich an der Krümmung entlang, mehrmals hintereinander.

»Auf deiner Nase kann man fast reiten«, sagte sie und schniefte. Sie nahm Tonis Vorderlauf und ließ ihn über die mächtige Nase fahren, nahm ihn schnell wieder weg, bevor der Mann vielleicht böse wurde. Der Mann war fast so nett wie der, den sie Papa nennen durfte, obwohl er gar nicht ihr Papa war, nur auf der Reise ans Meer. Die Zeit ist so schnell umgewesen. Das dachte sie jetzt alles auf einmal, weil der große Mann sie schaukelte und auf dem Arm trug, als wäre sie leicht wie ein Vogel. Sie dachte: Meine Mama ist tot, und ich weiß nicht, warum; aber warum, das hatte sie noch nie gewußt. Und sie dachte: Warum muß ich zu Hause bleiben, wenn Mama weggeht und weg ist den ganzen Tag und die ganze halbe Nacht? Das hab ich noch nie gewußt, warum sie mich einsperrt, obwohl ich nichts getan hab, und mich in meinem Zimmer allein läßt? Das hab ich noch nie gewußt, warum ich nach der Schule immer in das Kaufhaus gehen und dort bleiben muß in einem kalten Zimmer und Hausaufgaben machen und lernen muß und nie was spielen darf, wo tausend Spielzeuge im Kaufhaus liegen. Das hab ich noch nie gewußt, warum meine Mama immer böse ist, wenn sie jemanden besucht und dann zurückkommt und mich schimpft, weil nicht aufgeräumt ist und ich aber alles aufgeräumt hab, überall in der Wohnung, und mich einsperrt, und ich darf nicht sprechen? Und sie dachte auf dem Arm des großen Mannes: Das hab ich noch nie gewußt, warum ich nicht hab reden dürfen eine Woche lang daheim, bloß weil ich einen Dreier geschrieben hab und keinen Zweier oder spielen wollt im Zimmer oder draußen bleiben wollt am Spielplatz oder nicht mitkommen wollt ins Kaufhaus oder in der Nacht aufgewacht bin, weil ich Angst gehabt hab. Das hab ich noch nie gewußt, warum meine Mama einen Freund hat und ich den nicht kennenlernen darf und warum meine Mama immer arbeitet und nie Zeit für mich hat und warum ich an allem schuld bin und sie nie und warum sie mich nicht mag und ich sie doch so sehr und warum sie wieder weggegangen ist und nicht zurückgekommen ist und warum dann der hinkende Mann die Tür aufgesperrt und mich an der Hand genommen hat und warum ich gleich mitgegangen bin, ohne auf die Mama zu warten. Und sie dachte, als der Mann mit der buckligen Nase, auf der man fast reiten konnte, sie in sein Auto setzte: Das hab ich noch nie gewußt, warum meine Mama nie mit mir ans Meer gefahren ist und warum der Mann das hat tun müssen, den ich Papa nennen durfte, obwohl er mein Papa gar nicht ist.

»Möchtest du mir etwas sagen?« fragte Fischer vor dem grünen Haus am Bordeauxplatz.

»Vielleicht später«, sagte Katinka.

19

Das schwarze Glück

Auf allen vieren kroch Polonius Fischer durch sein Büro und überflog die Aussagen und Berichte auf den herumliegenden Blättern. Seine rote Krawatte hatte er über die Schulter geworfen, seine Schuhe ausgezogen. Sosehr er auch aufpaßte, jedesmal, wenn er die Richtung wechselte, brachte er seine nur für ihn erkennbare Ordnung durcheinander. Derweil las Silvester Weningstedt an der Tür die Nachricht, die ihm Emanuel Feldkirch aus Schild gemailt und die er soeben mit der neuesten Mitteilung aus dem Labor ausgedruckt hatte. Der Erste Kriminalhauptkommissar sah blaß aus und mußte sich zweimal bücken, weil ihm die Blätter aus der Hand gefallen waren.

»Endlich haben wir eine definitive Übereinstimmung von Fingerspuren aus der Tiefgarage und der Wohnung am Nothkaufplatz«, sagte Weningstedt. »Und, noch nicht hundertprozentig, aber fast, Obacht: Sie stimmen nach der ersten Analyse mit Abdrücken auf der roten Brille des Mädchens überein.« Er schwenkte den Ausdruck in der Luft. »Endlich!« wiederholte er.

Mit einer schwungvollen Drehung, die mehrere Zettel aufwirbelte, stemmte Fischer sich in die Höhe. Er tippte auf das oberste der drei Blätter in seiner Hand. »Das ist die vollständige Aussage des Zeugen, der Katinka mit dem hinkenden Mann gesehen haben will ...«

»Er hat den Mann gesehen, ganz sicher«, sagte Weningstedt. »Er hat nur betont, daß er niemanden anschwärzen möchte, deswegen hat er sich so vorsichtig ausgedrückt.«

»Hier steht, er glaube, daß der hinkende Mann in ein Auto

in der Nähe des Spielplatzes gestiegen ist, und es könnte weiß gewesen sein. Ein weißes Fahrzeug. Wer in der Nachbarschaft von Nele Schubart fährt einen weißen Wagen?«

»Nichtwissen.«

»Warum nicht?«

»Was?« entgegnete Weningstedt unwirsch. »Du fragst schon wie Liz. Warum? Warum? Entscheidend ist, daß der Mann hinkt, und nicht, welchen Wagen er fährt!« Er schüttelte den Kopf.

»Beides ist entscheidend.« Fischer legte das Blatt auf den Tisch und sah sich um. »Wo ist die Wasserflasche, die hier stand?«

»Hat sich Walter ausgeliehen, entschuldige, daß er dich nicht angerufen und um Erlaubnis gefragt hat.«

Fischer zog den Knoten seiner Krawatte enger und schaute auf die Uhr. Es war siebzehn Uhr achtundzwanzig. Dann richtete er seinen Blick auf Weningstedt, ohne etwas zu sagen.

Nachdem er eine Weile auf die Papiere in seiner Hand gestarrt hatte, sagte Weningstedt und deutete mit dem Finger auf einzelne Sätze: »Gesa und Emanuel waren mit Sebastian Flies am mutmaßlichen Tatort. Er hat sie hingeführt, eine bewaldete Stelle am See mit Sträuchern und Buchen. Es hat in der Zwischenzeit geregnet, aber die Kollegen haben Haare gefunden, die sie der Toten zuordnen. Die DNA folgt, außerdem Blutspuren. Flies beteuert, daß die Tat dort passiert sei, allerdings habe er auf Verlangen gehandelt. Er habe sie ermordet, weil sie ihn darum gebeten habe. Er gibt alles zu, nur nicht vorsätzliches Handeln. Danach fuhren Gesa und Emanuel mit ihm durchs Dorf, er zeigte ihnen die Plätze, wo er sich angeblich mit Ines Gebirg während des Tages aufgehalten hat. Seiner Aussage nach sind er und die Frau den ganzen Sonntag herumgefahren. Zeugen gibt's bisher nicht. Genausowenig wie ein Motiv.«

»Er hat die Frau erwürgt«, sagte Fischer. »Er hat Lust dabei empfunden, er wollte, daß die Frau stirbt. Unsere Beweisakte wird auf eine Anklage wegen Mordes hinauslaufen.«

Weningstedt las noch einmal die Nachricht seiner Kollegen. »Der Vater, Robert Gebirg, schließt nicht aus, daß seine Tochter selbstmordgefährdet war, genauso wie seine Frau, die in den See gegangen ist, und deren Großmutter, die sich in der Badewanne die Pulsadern aufgeschnitten hat. Es gibt die Theorie des vererbten Selbstmordes.«

»Ja«, sagte Fischer.

Hinter Weningstedt tauchte Liz auf und blieb stehen, wie ferngehalten von Fischers starrem Blick. »Ich weiß, daß in Amerika mehr junge Menschen an Selbstmord als an Aids sterben, und die Aids-Zahlen sind ziemlich hoch. Freud hat den Suizid als verhinderten Mord bezeichnet; seiner Ansicht nach will man mit dem bewußt gewählten eigenen Tod seine Mitmenschen bestrafen, die versagt, die nicht aufgepaßt, die unser wahres Wesen nicht erkannt haben. Ich weiß, daß sich in Deutschland jedes Jahr mehr als zehntausend Menschen umbringen. Der Selbstmord ist ein Tabu. Er ist eine Macht, in gewisser Weise ein Schöpfungsakt, zerstörerisch, aber kreativ, die vollkommene Freiheit.«

»Warum kann man solchen Menschen nicht rechtzeitig helfen?« fragte Liz aus der Entfernung. *Was* Fischer sagte, erschütterte sie weniger als die Art, *wie* er es sagte: mit harter, fast kalter Stimme, unwillig, mürrisch, beinah aggressiv, aber ohne Regung im Gesicht, mit einem eigenartig verächtlichen Unterton, den Liz noch nie bei ihm gehört hatte.

»Sie sind krank«, sagte er und ließ Liz nicht aus den Augen. »Sie sind depressiv, sie haben eine Veranlagung zum Selbstmord, ihr Serotonin-Haushalt ist gestört. Die Vorstellung, sich selbst auslöschen zu können, erregt sie und treibt sie an. Sie entwickeln eine Sehnsucht und empfinden sie wie ein schwarzes Glück, das sie befreit, von aller Last und dem Schmerz, der ihnen die lebenslange Einbildung verursacht hat, sie wären verkehrt auf diesem Planeten. Wer ihnen helfen will, den betrügen sie, sie sind geübt in der Kunst der Verstellung und des schönen Scheins, sie überlisten sich selbst. Jedenfalls die meisten von ihnen. Oder sie trinken, und der Rausch bestärkt sie in dem Wunsch, Rache an jenen zu nehmen, die sie aufwachsen ließen und denen sie nicht entkommen sind, an den Blinden, die sie nie wirklich gesehen haben, und an den Tauben, die ihnen nie wirklich zugehört haben.«

Fischer machte eine Pause, bevor er weitersprach. »Vor allem aber wollen sie Rache nehmen an sich selbst. Weil sie so lange geduckt und verhuscht durchs Leben geschlichen sind und deswegen verspottet wurden. Rache für die Zeit der Verachtung, Rache für die Zeit der Qualen im Gefängnis ihrer Familie, Rache für ihre verhunzte Kindheit und ihr noch viel verhunzteres Erwachsenendasein. Rache und immer grausamere Rache. Bis zu dem Moment, an dem sie mit ihrer Rache am Ende sind und den großen, den größten, den ersten wahrhaftig eigenen Schritt tun können. Und dann, Liz, kann ihnen niemand mehr helfen. Und ich weiß nicht einmal, ob wir helfen sollten.«

Im zweiten Stock klingelte ein Telefon, sonst war es still. Eine Minute lang. Weningstedt drehte sich zu Liz um. Sie sahen sich an und brachten kein Wort heraus. Von der anderen Seite des Flurs, wohin er sich zurückgezogen hatte, um Fischer in ihrem gemeinsamen Büro in Ruhe arbeiten zu lassen, tauchte Walter Gabler auf, eine Mineralwasserflasche in der Hand. Er stutzte, wollte etwas sagen und verschwand wieder.

»Und wenn es so war?« fragte Weningstedt. »Wenn die Frau in diesem Zustand gewesen ist, den du beschrieben hast? Wenn sie tatsächlich Selbstmord begehen wollte?«

»Welche Anklage erwartet Flies dann?« Fischer nahm sein

Sakko von der Lehne seines Schreibtischstuhls und zog es an. »Beihilfe zum Selbstmord durch Erwürgen?«

»Beihilfe zum Selbstmord ist strafbar«, sagte Liz und kam sich altklug vor.

»Erwürgen auch«, sagte Fischer und lächelte. Auch Weningstedt lächelte, aber es sah traurig aus. Und er fühlte sich traurig.

»Ich muß endlich in diese Hochhauswohnung«, sagte Fischer. »Wohlfahrt wartet seit Stunden auf mich.«

»Neues aus der Lupenabteilung«, sagte Liz Sinkel und trat ins Zimmer. »Sie haben einen Abdruck auf der roten Brille eindeutig identifiziert, er stimmt mit den anderen überein. Das heißt, der Mann, der Katinka entführt hat, hat ihre Mutter ermordet. Gibst du das an die Presse?«

Weningstedt rollte die Papiere zusammen. »Natürlich. Aber erst morgen. Heute vermelden wir, daß das Mädchen wohlbehalten wieder da ist und bei Verwandten untergebracht wurde. Unser Täter hält sich vermutlich in der Stadt auf, und er will in der Zeitung lesen, daß das Mädchen ihn nicht verraten hat.«

»Aber warum?« Ungeduldig sah Liz vom einen zum anderen.

»Sie soll sich ausschlafen«, sagte Fischer. In seiner Jackentasche erklang die Melodie von *Bad Bad Leroy Brown*. »Morgen früh sprechen wir mit ihr, du und ich.«

»Bringen wir sie her?« fragte Liz.

»Auf keinen Fall.« Fischer zog sein Handy aus der Tasche.

»Alles Gute zum Geburtstag«, sagte Leonhard Fischer. »Tut mir leid, daß ich erst so spät anruf, aber ich hab bis Mittag gepennt, und dann hab ich mein Match mit Richy beenden müssen, und dann war der Nachmittag schon wieder um. Wie geht's dir so?«

»Gut, danke.«

»Geht's voran?«

»Ja.«

»Und gesundheitlich? Mit einundfünfzig jetzt?«

»Ich bin gesund.«

»Dann geh bloß nicht zum Arzt!«

»Wie geht's dir, Papa?«

»Schlecht.«

»Wieso?«

»Ich hab versucht, Kontakt zu einem weiblichen Gast herzustellen, etwas jünger als ich, ist gescheitert, die Dame fand mich aufdringlich.«

»Das bist du manchmal.«

»Anders kommt man nicht voran. Was macht deine Christin?«

»Sie heißt immer noch Kristin.«

»Und was macht sie so?«

»Sie fährt immer noch Taxi.«

»Dann halt ich dich nicht länger auf. Stimmt das, daß das Mädchen wieder aufgetaucht ist?«

»Ja.«

»Das ist praktisch für euch, wenn jemand freiwillig zurückkommt.«

»Ja.«

»Noch mal alles Gute, schau mal wieder vorbei. Moment! Alles Gute auch von Richy.«

»Danke. Und danke für deinen Anruf.«

»Kill the killers!«

Leonhard Fischer gab seinem Freund Richard Hopf das Handy zurück und beugte sich über den Tisch. Zwischen England und Uruguay stand es drei zu null, und der alte Fischer, der England war, hatte nur noch fünf Minuten Zeit, um den

Rückstand aufzuholen. Mehrmals im Jahr spielten die beiden Männer internationale Fußballturniere mit Tippkick-Figuren nach, und wer ein Spiel verlor, mußte einen Euro bezahlen. Am Ende warfen sie das Geld in einen Topf und kauften davon einen neuen Kasten Bier.

Seit dreizehn Jahren lebte Leonhard Fischer in der kleinen Pension am Tassiloplatz, die sein Schulfreund Hopf betrieb; an seinem sechzigsten Geburtstag war er in das Haus gegenüber einer Tankstelle eingezogen, nachdem er sein Mobiliar verscherbelt und den Großteil seiner Kleidungsstücke in die Altkleidersammlung gegeben hatte. Und er hatte nicht vor, noch einmal auszuziehen, auch wenn Hopf seine Drohung wahrmachen und die Pension schließen sollte. Dann würden sie beide trotzdem in den Räumen wohnen bleiben; schließlich befand sich im Erdgeschoß ihr Stammlokal, der Tassilogarten. Niemand, das hatten sie sich gegenseitig geschworen, würde es schaffen, sie auf die Straße zu setzen, auch nicht Claudine, Hopfs vierzehn Jahre jüngere Lebensgefährtin, die, wie der alte Fischer vermutete, geheime Pläne schmiedete und eifersüchtig auf ihn war.

Mit seinem Sohn hatte Leonhard regelmäßig Kontakt, aber sie redeten wenig, am Todestag von Mathilda Fischer über die Vergangenheit, sofern der alte Mann nicht beschlossen hatte, bereits zum Frühstück ein Bier zu öffnen. Dann trank er den Tag über durch und schlief irgendwann ein, ohne viel gesprochen oder besonders aufmerksam zugehört zu haben. Damals, als sein Sohn ihm mitgeteilt hatte, daß er ins Kloster gehen würde, hatte sein Vater ihn vorübergehend für hirnlos gehalten. Später löcherte er ihn mit Fragen nach seinem Leben als Mönch und wollte erfahren, wie es war, wenn man keine Frauen mehr vermißte. Fischer ging nicht darauf ein, und nach einem Jahr hörte sein Vater auf, Fragen zu stellen. Eine Zeitlang sahen und sprachen sie sich nicht; einen Besuch im Kloster lehnte Leonhard Fischer ab. Wenn Polonius von ihm wissen wollte, ob er an Gott glaube, erhielt er immer dieselbe Antwort: »Am Todestag deiner Mutter, sonst nicht.«

Warum sie mit fünfunddreißig Jahren hatte sterben müssen und was genau vor ihrem Tod auf dem See passiert war, wußte Leonhard Fischer nicht; der einzige Zeuge hatte geschwiegen, obwohl er ihn tagelang angeschrien und sogar geschlagen hatte, um die Wahrheit zu erfahren. Doch sein Sohn schwieg bis heute.

Daß Polonius Fischer nach all den Jahren nun mit dem Schicksal einer Frau konfrontiert wurde, deren Mutter im See ertrunken war und die ihr Leben bedingungslos Gott unterworfen hatte, erschien ihm wie eine Heimsuchung, zumal die junge Frau – so wie er – aus dem Kloster geflohen war, weil sie – so wie er – am Glauben gescheitert war.

Doch da war ein Gedanke, an den Fischer sich klammerte: *Seine* Mutter hatte nicht Selbstmord begangen! *Seine* Mutter war ertrunken, weil ...

Seine Mutter war ertrunken, weil sie nicht gut schwimmen konnte.

Und weil ...

Und er war nicht in den Orden eingetreten, weil ...

Er war in den Orden eingetreten, weil seine Innenweltkarte nur noch aus weißen Flecken bestanden und weil er seine wahre Orientierung im Glauben erkannt hatte.

Und weil ...

Für den Abschluß der Akte Flies/Gebirg waren seine Kollegen Mehling und Feldkirch zuständig, nicht er; er war zuständig für die Akte Schubart; er war zuständig für das siebenjährige Mädchen und den unbekannten hinkenden Mann; er war auf dem Weg zum Tatort.

Nach dem Ende des Telefonats mit seinem Vater hatte er

aufgehört, an seinen Geburtstag zu denken. Und als er die Heiglhofstraße erreichte, hatte er den Geburtstag vergessen.

In der Wohnung roch es nach Putzmitteln, Rasierwasser und dem abgestandenen Qualm von Zigaretten. Keiner der Gerüche, die sich mit der durch die weit geöffneten Fenster hereinströmenden Luft eines milden Sommerabends mischten, kam Fischer natürlich vor. Gebückt stand er im Türrahmen, sah zum Balkon, den eine Markise verschattete, horchte auf die Stimmen aus der Grünanlage und betrachtete lange den Fußboden mit seinen Kratzern und Schleifspuren und den kleinen runden Abdrücken. Im Halbdunkel des Flurs wartete Franz Wohlfahrt darauf, etwas sagen zu dürfen; aber der Kommissar hatte ihn gebeten, sich ruhig zu verhalten.

Eine der Holzlehnen des alten, geblümten Sofas ragte schief aus der Verankerung. Vermutlich war die Lehne herausgerissen worden, und Wohlfahrt hatte sie mit einem Kissen abgestützt, damit der Bruch nicht auffiel. Fischer hatte die Hände in den Hosentaschen und würde nicht das geringste anrühren, solange er sich an diesem inszenierten Ort aufhielt. Daß der Boden, zumindest im Wohnzimmer, aus Laminat bestand, bedeutete geradezu ein Geschenk für seine Kollegen, die Lupenabteilung, wie Liz sie nannte: In der Kunststoffbeschichtung blieben Spuren aller Art wochenlang erhalten, man konnte sie problemlos abkratzen, abtupfen, abkleben und identifizieren. War das Verbrechen in diesem Zimmer begangen worden, dann wäre Wohlfahrts Säuberungsaktion zwecklos gewesen.

»Außer Ihnen«, sagte Fischer, »besitzt niemand einen Schlüssel zu dieser Wohnung?«

»Das haben Sie mich schon mehrmals gefragt«, sagte Wohlfahrt und kam näher. Fischer nahm die Unsicherheit des Mannes wie einen Geruch wahr, er brauchte sich nicht einmal zu ihm umzudrehen.

»Also nein.«

»Nein«, sagte Wohlfahrt.

»Und Sie waren seit zwei Monaten nicht mehr hier?«

»Ganz genau.«

»Sie lügen, Herr Wohlfahrt.«

»Ich lüge nicht.«

»Sie lügen, weil Sie mir nicht sagen, daß jemand in der Zwischenzeit hier war.«

»Wer denn?«

Zum zweitenmal trat Fischer ins Zimmer und drehte sich, wie vorhin kurz nach seinem Eintreffen, langsam im Kreis, ließ seinen Blick schweifen, über die ramponierte Couch, die zwei Stühle mit den geblümten Sitzkissen, den Tisch mit der weißen Decke, den dunklen Schrank mit den breiten Schubladen, die kahlen Wände, den Mann im kurzärmeligen Hemd, der sich die Hände rieb, als friere er.

»Die Dinge auf Ihrem Parkplatz im Keller«, sagte Fischer, »die Skier, der Schrank, das Regal, das alles gehörte Ihrem Vormieter, dem verstorbenen Herrn Sacher.«

»Selbstverständlich. Mir doch nicht!«

»Rauchen Sie viel?«

Als habe er die Frage nicht richtig verstanden, beugte Wohlfahrt sich vor und hielt die rechte Hand hinters Ohr. »Bitte? Was?«

»Rauchen Sie viel?«

»Nein. Gelegentlich. Warum?«

»Sie haben die Wohnung geputzt, bevor ich gekommen bin.«

»Ein bißchen drübergewischt«, sagte Wohlfahrt, verschränkte die Arme, ließ sie aber, als er weiterredete, wieder baumeln. »Da sammelt sich Staub, logisch, ich beschäftige ja keine Putzfrau in meiner Abwesenheit, und Sie sehen ja: alles praktisch leer. Bald, wie gesagt, brech ich die letzten Zelte ab.« Er grinste unbeholfen. »Die Stadt ist meine Heimat, aber was wollen Sie machen, wenn Sie ein Meermensch sind? Dann müssen Sie hin zum Meer. Ich hätt ein Bier im Kühlschrank, möchten Sie ein Glas?«

»Haben Sie das Bier aus Mallorca mitgebracht?«

»Bitte? Nein, gekauft, vorhin, vorn im Supermarkt.«

»Haben meine Kollegen Sie weggehen sehen?«

Etwas wie ein Schlag schien Wohlfahrt getroffen zu haben; er zuckte zusammen, stützte sich am Türrahmen ab und hustete. »Ihre Kollegen ...« Er bemühte sich, die Fassung wiederzuerlangen, hustete noch einmal und hob die Schultern. »Das kann ich nicht sagen, ob die mich gesehen haben. Ich sag Ihnen jetzt was: Sie haben keine offizielle Erlaubnis, meine Wohnung zu durchsuchen, Sie dürften gar nicht hiersein, Sie ...«

»Das habe ich Ihnen erklärt«, sagte Fischer und machte einen Schritt auf die Tür zu. Und allein wegen der mächtigen Figur des Kommissars wich Wohlfahrt unwillkürlich zurück. »Es handelt sich um Gefahr im Verzug, und Sie tun, was ich Ihnen sage, oder ich muß Sie in Gewahrsam nehmen. Der richterliche Beschluß liegt morgen vor. Und jetzt, Herr Wohlfahrt, belehre ich Sie, daß Sie als Zeuge verpflichtet sind, eine Aussage zu machen, es sei denn, Sie belasten sich oder Angehörige damit. Haben Sie die Belehrung verstanden?«

»Bitte? Moment.« Er hob beide Hände, hielt inne, verschränkte wieder die Arme vor der Brust, und sah hinauf zu Fischers Gesicht. »Erstens möcht ich jetzt telefonieren, daran können Sie mich nicht hindern ...«

»Stimmt«, sagte Fischer.

»Genau, stimmt. Also. Ich hab nichts getan, ich hab Ihnen sogar mein Flugticket gezeigt, damit Sie mir glauben, daß ich wirklich heut angekommen bin, ich hätt ja auch nur so tun und Ihre Kollegen am Flughafen austricksen können. Hab ich nicht getan. Erstens muß ich jetzt telefonieren.«

»Tun Sie das.«

»Nicht in Ihrer Gegenwart. Das ist ein Rechtsstaat hier, ich hab ein Recht auf meine Privatsphäre.«

»Sie haben noch zwei Zimmer zur Verfügung.«

Wohlfahrt kratzte sich am Hals. »Ich war seit vier Monaten nicht in dieser Wohnung, ich weiß nicht, was passiert ist, ich war nicht da. Ich hab ein Geschäft in Palma, ich laß mir doch nicht meine Zukunft kaputtmachen! Nur weil die Leiche da unten in der Tiefgarage gelegen ist, heißt das noch nicht, daß das was mit meiner Wohnung zu tun hat!«

Mit den Händen in den Hosentaschen ging Fischer in den Flur, an Wohlfahrt vorbei und setzte sich in der Küche auf einen Stuhl. Fischer hörte, wie nebenan eine Tür zugeschlagen wurde; er lehnte sich zurück und legte seine Hände auf die Oberschenkel. Wie so oft elektrisierte nicht die Erzählung des Tatorts seine Sinne, sondern dessen Geruch und die Ausdünstungen der Lügen im Raum.

»Was verheimlichst du mir?« flüsterte Franz Wohlfahrt in sein Handy. »Ich laß mir doch von dir nicht mein Leben versauen!«

»Um dich geht's doch gar nicht, kapierst du das nicht?«

»Ich glaub …« Wohlfahrt sprang von der Bettkante auf, horchte, ging mit leisen Schritten zur Tür, drückte sein Ohr dagegen und schlich zum Bett zurück. »Ich sag, daß du da warst, ist mir doch gleich! Die ganze Bude war dreckig! Und mein Sofa ist kaputt! Und jetzt hab ich mich auch noch verraten wegen deinem Scheißbier im Kühlschrank! Wieso säufst du dein Zeug nicht aus?«

»Ich hab gedacht, du freust dich über einen Begrüßungsschluck.«

»Was war hier los?« Aus Versehen hatte Wohlfahrt lauter gesprochen; er riß das Handy vom Ohr, lauschte, ging zum Fenster und hielt die Hand vor das Telefon. »Rück endlich mit der Wahrheit raus! Wenn nichts war, dann kann ich doch sagen, daß du hier warst. Obwohl ich dann als Lügner dasteh, weil ich behauptet hab, niemand außer mir hätt einen Schlüssel.«

»Bleib einfach dabei.«

»Die kommen gleich mit ihrem Rollkommando!« Wohlfahrt warf einen kurzen Blick hinüber zum Koloß des Klinikums Großhadern und wandte sich zur Tür um. »Die finden was! Und dann wissen die, daß ich gelogen hab. Die finden immer was!«

»Die finden nichts.«

»Hier hat's nach Pisse gestunken wie in einer Latrine! Was habt ihr hier gemacht? Und wieso hab ich dich die ganze Zeit nicht erreicht? Wo bist du?«

»Noch unterwegs.«

»Du hast gesagt, du kommst heut zurück!«

»Das wollte ich auch, aber es ist was dazwischengekommen.«

»Was denn? Eine Frau? Wieso hat das hier so gerochen? Ekelhaft war das. Zum Glück konnt ich die zwei Polizisten davon abbringen, gleich mit reinzukommen. Dann wär ich geliefert gewesen. Die hätten doch sofort gewußt, daß die Wohnung nicht dauernd leerstand. Und jetzt rede!«

»Die werden nichts finden. Du brauchst keine Angst zu haben.«

»Ich muß mit deiner Freundin sprechen.«

»Die ist verreist.«

»Gib mir ihre Telefonnummer.«

»Nein. Vergiß die Frau.«

»Wie du willst. Ich geh jetzt raus und sag dem Kommissar, daß du hier warst, ist mir egal, ich laß mir meine Zukunft nicht von dir zerstören, verstanden?«

»Ich war nicht bei dir.«

»Was?«

»Ich war nicht da.«

»Du bist der einzige, der noch einen Schlüssel hat, mein Freund.«

»Ich hab ihn verloren.«

»Was?«

»Ich hab deinen Schlüssel nicht mehr. Bleib ruhig, Franz, bleib bei deiner Strategie, laß dich nicht mürbe machen, die können dir nichts nachweisen, die bluffen, das ist ihr Job.«

»Auf meinem Parkplatz im Keller ist eine Leiche gefunden worden!«

»Du bist das ideale Opfer, ein Steuerflüchtling, und die Polizei wird von unseren Steuern finanziert, verstehst du das? Du bist ein Feindbild für die. Und jetzt sei kein Weichei, sondern tu was für deine Zukunft, verteidige deinen Besitz und deine Pläne und deine Träume. Du bist kurz davor, alles zu erreichen, was du dir vorgestellt hast! Bleib dabei! Du darfst nie dich selber aus den Augen verlieren, das hab ich dir schon mal gesagt!«

»Ja«, sagte Wohlfahrt. Dann dachte er nach. Er ging zur Tür, horchte und dämpfte seine Stimme mit der Hand. »Hast du die Frau umgebracht?«

Die Antwort ließ auf sich warten. Wohlfahrt wollte schon erneut fragen, da hörte er die Stimme seines Bekannten. »Nein. Nein.« Und nach einer Stille: »Nein, Franz.«

Zu seinem Erschrecken empfand Wohlfahrt nicht die mindeste Erleichterung.

Endlich war es dunkel geworden.

Es ist eine Fügung, dachte die alte Frau, daß du heute nicht nach Hause kommst.

Dann drückte sie die Zigarette im Glasaschenbecher aus und legte die Hände in den Schoß, preßte die Fäuste aneinander und sog den strengen Duft der Lilien ein. Plötzlich wußte sie, daß sie hernach eine Sünde begehen würde. Sie wollte eine Blüte abschneiden und mit ins Schlafzimmer nehmen. Und ihr Mann würde sie deswegen ausschimpfen. Ihr gutaussehender, tatkräftiger junger Mann.

20

Jenseits der Nacht,
diesseits des Morgens

»Bist du nicht müde?« fragte Ann-Kristin Seliger am Telefon.

»Doch«, sagte Polonius Fischer, »aber ich kann nicht schlafen. Wo bist du?«

»Fahr grade von Neuaubing zurück, hab einen gutgekleideten Herrn und seine sehr betrunkene Begleiterin vor deren Wohnung abgesetzt; lange kennen die sich noch nicht, höchstens ein paar Stunden. Und du hast eine zweite tote Frau, eine Nonne, hab ich in den Nachrichten gehört.«

»Der Täter behauptet, sie wollte, daß er sie erwürgt.«

»Bei so einem Geständnis hat der Staatsanwalt zur Abwechslung mal ein leichtes Spiel.«

»Vermutlich«, sagte Fischer. Er trank einen Schluck Bier aus der Flasche und lehnte sich ins Eck seines Strandkorbs. »Trotzdem glaube ich, daß er die Wahrheit sagt.«

»Bist du betrunken?«

»Noch lange nicht.«

Am Straßenrand, im Dunkel eines Hauseingangs, winkte ein Mann. Ann-Kristin schaltete die Beleuchtung des Taxischilds aus. »Kein Mensch will erwürgt werden.«

»Es spielt sowieso keine Rolle, was ich denke. Er wird wegen Mordes angeklagt werden, darauf läuft unsere Beweiserhebung hinaus.«

»Eine Nonne«, sagte Ann-Kristin. »Was hat die Äbtissin ihres Klosters dir erzählt?«

»Ich habe nicht mit ihr gesprochen, sondern Liz. Im Kloster hat die Frau sich anscheinend unauffällig verhalten.«

»Wieso hast du nicht mit der Äbtissin gesprochen?«

Fischer trank, stellte die Flasche auf das ausgeklappte Holzbrett an der Seite des Strandkorbs und blickte hinunter auf die Straße, wo kaum noch Autos fuhren; im Haus auf der anderen Seite waren die meisten Fenster dunkel.

»Ich konnte nicht«, sagte er.

»Wieso nicht?«

»In ihren Augen bin ich ein Feigling vor dem Herrn, und ich hatte keine Zeit für eine Diskussion.«

»Ausnahmsweise nimmst *du* etwas zu persönlich.«

»Ja«, sagte Fischer. Er klemmte das tragbare Telefon zwischen Schulter und Wange und knöpfte sein Hemd auf. »Und bei diesem Fall muß ich mir das Persönliche verbieten.«

»Aber wenn du überzeugt wärst, daß die Frau sterben wollte, dann müßtest du diesen Aspekt in deinem Bericht berücksichtigen, oder nicht?«

»Überzeugt«, sagte Fischer, »kann ich nicht sein. Ich kannte die Frau nicht.«

»Und was ist mit dem Mädchen? Hat sie inzwischen gesagt, wer sie entführt hat?«

»Nein. Vielleicht vertraut sie mir morgen etwas an.«

»Wir haben schon heute, mein Herzensriese.«

»Wie spät?«

»Fünf nach halb zwei.«

»Kommst du noch vorbei?«

»Du mußt schlafen«, sagte Ann-Kristin.

»Ja«, sagte Fischer, »mit dir.«

»Übernimm dich nicht mit deinen einundfünfzig Jahren.«

Da fiel ihm wieder ein, daß er gestern Geburtstag gehabt hatte.

»Hat er sich über das Geschenk gefreut?« fragte Margret Weningstedt. Sie goß frischen Früchtetee in die Tasse ihres Mannes und warf einen Blick auf den ohne Ton laufenden Fernseher.

»Offensichtlich«, sagte er und rieb sich die Brust. »Er hat sogar gelacht.«

»Worüber denn?«

»Über die roten Ohren des Buddhas.«

»Seit wann hat ein Buddha rote Ohren? Schämt er sich?«

»Die sind angemalt.« Er zeigte auf seine Ohrmuschel. »Da hinten.«

»Ein buddhistischer Gott für einen ehemaligen katholischen Mönch! Ein gewagtes Geschenk.«

»P-F kommt mit allen Göttern gut aus«, sagte Weningstedt; er streckte die Beine auf der Couch aus und stöhnte.

»Alles in Ordnung?« fragte seine Frau.

»Zu lange gesessen.« Er wollte nicht darüber sprechen. Gemeinsam schauten sie eine Weile die Nachrichtensendung an, ohne den Ton laut zu stellen.

»Flirtet er immer noch mit eurer jungen Kollegin?«

»Nein, sie flirtet mit ihm, oder so was Ähnliches.«

Sie schwiegen, blickten zum Fernseher, griffen fast gleichzeitig zu ihren Teetassen.

»Das beschäftigt mich«, sagte Margret und blies in ihre Tasse, »daß Polonius die Ermittlungen in dem Nonnenfall an Gesa und Georg abgegeben hat. Hat er Angst, mit seiner Vergangenheit konfrontiert zu werden?«

Weningstedt stellte die Tasse auf die Glasplatte des Servierwagens. »Der Fall ist mehr oder weniger abgeschlossen, der Täter ist geständig, die Kollegen ermitteln nicht mehr, sie tragen nur noch Informationen zusammen. P-F muß sich um die Sache Schubart kümmern, wir stehen vor dem Durchbruch.«

Margret setzte ihre Tasse ebenfalls ab und schob den Wagen zur Seite. »Ich hatte immer schon den Eindruck, daß der Grund, warum er ins Kloster eingetreten war, irgendwas mit dem Tod seiner Mutter zu tun gehabt hat. Glaubst du nicht?«

»Das sagst du mir seit Jahren.« Weningstedt suchte die Fernbedienung, und als er sie unter einem Kissen entdeckte, betrachtete er sie lange, bevor er einen Knopf drückte. »Kann ja sein. Er spricht nicht darüber, auch nicht an seinem Geburtstag, auch nicht am Todestag seiner Mutter.«

»Ist der jetzt?«

»Heute«, sagte Weningstedt und schaltete den Ton ein. »Ich hab mir das Datum mal notiert. Er hat kein Wort darüber verloren. Morgen regnet's wieder.«

Vor einer Landkarte fuchtelte ein Meteorologe mit den Händen.

»Ich würd gern am Wochenende wieder mal die Breitlings einladen, was hältst du davon?« fragte sie.

»Wahrscheinlich habe ich Dienst«, sagte Weningstedt mürrisch.

»Wie geht's Walter?« fragte Margret. »War er beim Arzt?«

»Gestern. Sein EKG ist in Ordnung.«

Margret sah ihren Mann an, der zum Bildschirm starrte, als wolle er die Temperaturen auswendig lernen.

Walter Gabler schaltete den Fernseher aus, das Licht im Wohnzimmer und im Flur und schlurfte ins Schlafzimmer, kippte das Fenster und legte sich ins Bett. Er hatte vergessen, wie der Wert hieß, mit dem der Zustand seiner Prostata gemessen wurde. Das einzige, was er wußte, war, daß der Wert zu hoch war. Zwar meinte der Arzt, er solle sich nicht beunruhigen, er würde erst noch einige Tests durchführen, ehe er sicher sagen könne, ob eine Operation notwendig sei. Aber die Bitte, er möge sich nicht beunruhigen, öffnete in Gabler die Urquelle aller Beunruhigungen.

Auch wenn seine beiden Exfrauen ihn zeit ihrer Ehen einen

Hypochonder genannt und seine Arztbesuche nie einen ernsthaften Befund ergeben hatten, hatte er es nicht geschafft, seine Panikattacken unter Kontrolle zu bringen. Außerdem handelte es sich dieses Mal nicht um eine Panikattacke. Dieses Mal hatte er tatsächlich einen zu hohen Wert, ganz gleich, wie dieser hieß, und er war in einem Alter, in dem solche Werte eine bedrohliche Rolle spielten.

Er drehte sich auf die Seite und schloß die Augen. Dann öffnete er sie wieder und legte sich auf den Rücken. Er tastete seinen Bauch ab und spürte eine Vergrößerung oder eine Verhärtung. Er drückte fester und verspürte einen Schmerz; möglicherweise hatte er zu fest gedrückt. Außerdem hatte er spät gegessen, Lasagne, die ihm im Magen lag.

Er dachte an die Befragungen, die er morgen im Fall Schubart durchführen mußte, um die Aussagen des Mädchens, die P-F ihm hoffentlich entlocken würde, zu überprüfen, damit sie später eine solide Informationsbasis für die Vernehmung des Entführers hatten. Einundfünfzig ist P-F geworden, dabei sieht er aus wie höchstens Mitte Vierzig, dachte Gabler, während ich wie mindestens Mitte Sechzig aussehe.

Er schloß die Augen und öffnete sie wieder. Vielleicht hing die Höhe des Wertes mit seinem kläglichen Sexualleben zusammen. Im Grunde hatte er überhaupt kein Sexualleben, nicht einmal ein klägliches. Sein Sexleben war ein Antisexleben, seit Jahren. Vor drei Jahren hatte er zum letztenmal mit einer Frau geschlafen, ein einmaliges, kurzes, unerwartetes Ereignis mit zu vielen komplizierten Gedanken hinterher. Sie hatten es beide nicht gewollt. Sie waren auf einer Tagung in Wien gewesen, hatten ein paar Gläser Wein getrunken, und seltsamerweise lagen ihre Zimmer im Hotel direkt nebeneinander. Nach ihrer Rückkehr nach München sprachen sie nie wieder darüber, obwohl er versucht hatte, Esther Barbarov noch einmal zu einem, wie er betonte, zwanglosen Abendessen einzuladen. Sie lehnte ab. Seitdem lebte er wie ein Mönch. Schlimmer als ein Mönch, weil: Er war ja keiner!

Noch einmal knetete Walter Gabler mit beiden Händen den unteren Teil seines Bauches. Am Freitag mußte er unter allen Umständen ein weiteres Mal seinen Urologen konsultieren.

»Was ich dich schon lang mal fragen wollte: Hat sich Walter dir eigentlich wieder mal genähert?«

»Genähert? Der nähert sich täglich!«

»Du weißt schon, wie ich das meine.«

»Nein, hat er nicht«, sagte Esther Barbarov. »Das ist Vergangenheit.«

»Manchmal bild ich mir ein, er läßt seine Blicke hinter dir herschweifen.«

»Konzentrier dich auf deine Arbeit, Gesa, und nicht auf irgendwelche schweifenden Blicke!« Esther drehte die chinesischen Kugeln in der Hand, das leise Klirren löste bei ihr ein wohliges Empfinden aus. »Erklär mir lieber was.«

»Was?« Gesa Mehling zupfte ein gelbes Blatt vom Hibiskus auf dem Fensterbrett und goß Wasser in die Schale.

»Warum gibt dieser Kerl zu, die Nonne getötet zu haben, und denkt sich gleichzeitig diese Geschichte dazu aus, er hätte auf Verlangen gehandelt und so weiter? Was ist das für ein Typ?«

»Er hat uns die Stelle gezeigt«, sagte Gesa, »er nennt uns Details des Ablaufs. Anscheinend verheimlicht er uns nichts. Wir sind beide noch nicht schlau aus ihm geworden, Georg und ich.«

»Er will sich rausreden.«

»Eine andere Erklärung haben wir nicht«, sagte Gesa. Sie stellte die gelbe Plastikkanne neben die Zimmerpalme und ging mit dem Telefon in die Küche, um ihr Käsebrot weiterzuessen.

Esther hielt im Drehen der Kugeln inne. »Hat P-F irgendeine Bemerkung fallenlassen, daß ausgerechnet eine ehemalige Nonne das Opfer ist? Das muß ihn doch seltsam berühren.«

»Keinen Ton«, sagte Gesa. »Entschuldige, aber ich brauch was im Magen, sonst werd ich grantig.« Sie kaute, schluckte und leckte sich die Lippen. »Er hat fast so getan, als wär es ihm völlig gleichgültig, daß die Frau eine Nonne ist, oder war. Was bedeutet das? Du kennst ihn doch, Esther.«

»Ich kenn ihn genausogut wie du.«

»Du kennst ihn besser, nämlich auch unbekleidet.«

»Wir haben nicht miteinander geschlafen.«

»Das willst du mir jedesmal weismachen.« Gesa wischte sich mit einem Stück Küchenrolle den Mund ab und schmatzte, immer noch hungrig. »Jedenfalls scheint P-F seine Klosterzeit vollständig aus seinem Leben verbannt zu haben, so wie er sich heute verhalten hat.«

Esther nahm die Kugeln in die andere Hand und drehte sie. Das Klirren klang lauter. »Und wann kriegt dich dein Georg rum?«

»Gar nicht, Frau Kollegin!«

»Komm doch ins Bett, morgen früh um sechs maulst du wieder.«

»Komm sofort«, sagte Georg Ohnmus. Vor ihm lagen Fotos und Skizzen, die er aus dem Kommissariat mitgebracht hatte, was er gelegentlich tat, unter dem Protest seines Vorgesetzten. Er bildete sich ein, durch den Abstand vom Büro gewisse Nuancen klarer und unscheinbare Zusammenhänge besser erkennen zu können.

»Du hast mir versprochen, keine Akten mehr anzuschleppen.«

Das stimmte. Er hatte es Hella versprochen gehabt; aber dann hatte er nicht mehr daran gedacht.

»Entschuldige«, sagte er.

»Vergiß nicht, den Wecker zu stellen.«

»Nein.«

»Gute Nacht.«

»Ich komm sofort.« Er saß mit dem Rücken zur Tür seines Arbeitszimmers und hob die Hand. Hella schloß die Tür.

Neben den Kopien lag sein Diktiergerät. Zwei Kassetten hatte Sebastian Flies vollgesprochen, als sie mit ihm durch das Dorf gefahren und dann fast eine Stunde am Seeufer geblieben waren, wo er ihnen die Tat schilderte. Der macht sich wichtig, dachte Ohnmus; eine andere Erklärung hielt er für ausgeschlossen. Auf einem der Fotoabzüge war die tote Frau mit dem roten Cape zu sehen, auf einem anderen die tote Frau im grünen Kleid. Und die einzige Verbindung zwischen beiden Fällen stellte der Mann aus dem Ost-West-Hotel dar, und der hatte sich eine aberwitzige Variante des Leugnens zurechtgelegt. Ohnmus betrachtete das Blatt mit den Namen, Pfeilen, Uhrzeiten und Ortsbezeichnungen, dann das Foto von Sebastian Flies am Seeufer. Er drehte sich zur Tür um und schaute sie lange an, erfüllt von einem tiefen Verständnis für seine Frau, die Einblicke in seinen aus oftmals unbegreiflichen menschlichen Handlungsweisen bestehenden Alltag so konsequent wie möglich vermied.

Dann mußte er an den überraschenden Ausbruch seines Kollegen während der Besprechung denken.

Es war ihm peinlich, aber es passierte ihm immer wieder. Nach dem Ende der Geschichte blieb er eine Weile liegen, hörte dem gleichmäßigen Atmen seiner Tochter zu und schlief ein. Manchmal schlief er drei Stunden durch.

Diesmal wachte er nach einer Viertelstunde auf, gab Isabel einen Kuß auf die Wange, strich, nachdem er behutsam aus ihrer Umarmung geglitten war, die Bettdecke glatt, legte ihren

Arm um den Stoffbären und verließ auf Zehenspitzen das Kinderzimmer. Als Nadine noch lebte, war sie jeden Abend zu Isabel ins Bett gekrochen und hatte ihr eine Geschichte vorgelesen oder sich mit ihr über die Ereignisse des Tages unterhalten.

Nach Nadines Ermordung hatte er die Rolle des Traumbegleiters übernommen. Am Anfang hatte er so lange ausgeharrt, bis Isabel eingeschlafen war, bevor er anfing zu weinen.

Inzwischen weinten sie manchmal beide und hielten sich fest. Er bebte fast vor Haß, und sie fragte ihn leise, warum sein Bauch so heftig auf und ab hüpfte, und er antwortete, er habe heute wieder keine Zeit zum Essen gehabt, deswegen mache sein Magen so einen Aufstand. Dann streichelte sie ihm das Gesicht und ermahnte ihn, sich sofort ein Brot zu schmieren, wenn sie eingeschlafen sei. Und wenn sie eingeschlafen war, ging er in die Küche und trank ein Bier auf ex.

Er stand in der Küche und trank die Flasche leer, stellte sie in den Kasten und unterdrückte ein Rülpsen. Seine Tochter hatte ihm von Luisa und dem neuen Freund von Luisas Mutter erzählt, und er hatte nicht zugehört; sie hatte ihm den Termin für einen Ausflug in den Naturpark genannt, den Paula, ihr neuer Freund und die beiden Mädchen unternehmen wollten, und er hatte ihn schon wieder vergessen; sie hatte ihm ein Lied vorgesummt, und er war eingeschlafen.

Jetzt war er wach. Und innerhalb der nächsten fünf Stunden würde er nicht wieder einschlafen können. Er fluchte, weil er vergessen hatte, sich nach einem Fernseher zu erkundigen. Er fluchte, weil er keine Zeit für Isabel hatte, obwohl Ferien waren und er sie jeden Tag zu Paula bringen mußte.

Er fluchte, weil er nicht verstand, wieso das Mädchen den Namen ihres Entführers nicht sagen wollte, der ihre Mama erhängt und die Leiche in einem Schrank abgelegt hatte.

Er fluchte, weil der Mörder, der die Nonne erwürgt hatte,

vermutlich mit Totschlag davonkommen würde und sie den Mann nicht zwingen durften, die Wahrheit zu gestehen.

Er fluchte, weil er zu fluchen begonnen hatte und keinen Grund sah, damit aufzuhören.

An der offenen Balkontür fluchte er auf die Clemensstraße hinaus.

Plötzlich hörte er eine schlaftrunkene Stimme hinter sich.

»Papa, darf ich morgen zu Lukas und Moritz?«

In ihrem knielangen weißen Nachthemd, auf dem ein fetter grüner Frosch prangte, stand Isabel im Zimmer, mit zerzausten Haaren, die kreuz und quer vor ihrem Gesicht hingen, ihren Bären im Arm.

Das Nudel-Desaster neigte sich dem Ende zu, und Emanuel Feldkirch schloß die Litanei seiner Ermahnungen mit dem Satz: »Und jetzt wird der Salat gerecht verteilt!« Darin waren sich seine Kinder sofort einig: Ihre Mutter bekam den gesamten restlichen Berg, sie und ihr Vater nichts, und damit war die gerechte Verteilung beendet.

»Vitamine schaden nicht«, sagte Susanne Feldkirch zum ungefähr achthundertachtzigstenmal in ihrem Leben, und der achtjährige Lukas meinte: »Hab ich schon gehabt, heut in der Zitronenlimo!« Und der zehnjährige Moritz erklärte: »Vitamine sind für Opas.« Dann sprangen sie auf und rannten in ihr Zimmer. Ihre Teller waren rotverschmiert, ihre Servietten zerrupft und die Tischdecke dort, wo sie gesessen hatten, mit dunklen Spritzern übersät. Seit Moritz von einem Besuch bei Micha, dem Kollegen seines Vaters, mit dem Rezept nach Hause gekommen war, daß Rigatoni und sämtliche anderen Sorten von Nudeln noch besser schmeckten, wenn man sie mit einer Überdosis Maggi würzte, probierten ihre Söhne von Susannes raffiniert ausgetüftelten Saucen nur, um ihr, wie sie ungeniert zugaben, eine Freude zu bereiten, aber auch nur einen Löffel; damit der Maggigeschmack nicht verloren ging!

»Zum Wohl«, sagte Susanne und hob ihr Weinglas. »Sie wollen morgen mit Isa ins Ungererbad, da geh ich mit.«

»Gute Idee«, sagte Feldkirch. »Micha ist zur Zeit ziemlich angespannt, und seine Bekannte Paula kann sich auch nicht dauernd um Isa kümmern. Vielleicht können wir die beiden am Wochenende einladen, wenn wir bis dahin die aktuellen Fälle geklärt haben und keine Überstunden einschieben müssen.«

»Wie weit seid ihr?«

»Morgen ist P-F wieder dran.« Beim Anblick der verschmutzten Tischdecke schüttelte der Kommissar den Kopf. »Gegenüber Kindern wirkt er etwas gehemmt, fast schüchtern.«

»Schüchternheit ist mir bei Polonius noch nie aufgefallen.«

»Was meinst du damit?«

»Er ist ein sehr anwesender Mann.«

»Was ist ein anwesender Mann?« Feldkirch hielt die Weinflasche schräg, überlegte, schenkte seiner Frau nach und stellte die Flasche hin.

»Einer, der nicht schüchtern ist. Schau nicht so eifersüchtig.«

»Ich schau nicht eifersüchtig«, sagte Feldkirch. »Wieso können die Jungs nicht mal in den Ferien etwas länger am Tisch sitzen bleiben?«

»Zum Wohl«, sagte Susanne und wartete mit dem erhobenen Glas, bis Feldkirch mit ihr anstieß.

Obwohl ihr Mann oft zwölf Stunden arbeitete, gelegentlich auch am Wochenende, und nicht das geringste Talent zum Planen von Urlaubsreisen und sonstigen Freizeitaktivitäten besaß, obwohl er die Erziehung seiner Kinder mehr oder weniger ihr allein überließ und obwohl er – wenn sie ehrlich war –

nicht gerade ein begnadeter Liebhaber war, hätte sie sich nie vorstellen können, ihn zu betrügen oder gar zu verlassen. Auf seine eigene, sehr spezielle Weise war auch er ein anwesender Mann, nicht unbedingt aufgrund seines Aussehens und Auftretens, eher wegen seiner unbedingten Zuverlässigkeit und Vertrauenswürdigkeit, die ihr unerschütterlich erschienen. Genau so einen Mann hatte sie sich als junge Frau gewünscht und keinen anderen, auch keinen Polonius Fischer, der sie auf der Weihnachtsfeier im Präsidium manchmal zum Tanzen aufforderte und in dessen Armen sie – wenn sie ehrlich war – schon eine Reihe beunruhigender Momente durchgestanden hatte.

»Ich darf nicht vergessen«, sagte Emanuel Feldkirch, »morgen den Prospekt von der Pension in Venedig mitzunehmen, wo wir im letzten Jahr waren. Neidhard möchte mit seiner Verlobten eventuell Weihnachten dort verbringen.«

Sie sah ihm an, was er dachte, küßte ihn auf den Bauch und fuhr mit dem Finger auf seinem Oberschenkel auf und ab. Er spürte die Erregung zurückkehren und räusperte sich. »Warte«, sagte Neidhard Moll.

Den Kopf auf seinen Bauch gebettet, schaute sie ihn an. »Ich mag aber nicht warten.«

Er legte die Hand in ihren Nacken, streichelte ihre Schulter, betrachtete ihren nackten Körper; sie hatte die Beine angewinkelt und streckte den Hintern heraus, dessen Haut im Kerzenlicht milchig und provozierend wirkte. Der Anblick brachte Neidhards Geschlecht wieder in Stimmung. Jana stöhnte und packte zu.

»Warte«, sagte er wieder.

Jana Woelk hatte ihr Gesicht nicht von ihm abgewandt. »Ich weiß genau, was du denkst«, sagte sie mit leiser Stimme, und er spürte ihre Fingernägel.

»Was denn?«

Sie lächelte und strich mit der Zunge über seinen behaarten Bauch. »Aber es ist alles genau richtig, so wie es ist, und ich werd dich heiraten, da kommst du nicht aus, und wenn du willst, geb ich's dir schriftlich. Dann kannst du eine polizeiliche Akte draus machen, daß ich nichts drauf geb, ob du sechzehn Jahre älter bist und noch dazu ein Beamter.«

Er spreizte die Beine, weil er nicht anders konnte. »Ja«, sagte er. »Ja, aber ich bin sogar siebzehn Jahre älter.«

Sie drückte so fest zu, daß er einen Schrei ausstieß und husten mußte. »Ja. Du bist ja neulich schon dreiundfünfzig geworden. Um so besser!« Und sie drehte den Kopf in die andere Richtung und öffnete den Mund.

Später sagte er: »Vielleicht verreisen wir über Weihnachten.«

»Das ist ja noch so lang hin.«

»Dafür bleiben wir dann eine ganze Woche oder zehn Tage.«

»Und wohin?«

»Das sage ich dir, wenn ich alles geregelt habe.«

Als sie sich unter der seidenen Decke, die er extra für sie gekauft hatte, wieder an ihn schmiegte, fragte Jana: »Wer ist Nick?«

»Nick? Sigi Nick?«

»Er hat nur Nick gesagt; entschuldige, das hab ich vergessen, dir auszurichten. Er rief an, als du unter der Dusche warst. Er hat dich gebeten, morgen zwei Packungen Kaffee mitzubringen. Weil du doch diesen besonderen Laden unten im Haus hast.«

»Das ist kein besonderer Laden, es ist einfach nur ein Kaffeegeschäft.«

»Er hat ›besonderer Laden‹ gesagt. Wieso kann er sich den Kaffee nicht selber kaufen?«

»Er hatte heut keine Zeit mehr dazu, und morgen früh vergißt er es. Und wir trinken fast nur den Kaffee von Frau Lindmayr.«

Jana schlang ihr Bein um seines, und er wünschte, er würde nicht sofort einschlafen. Er schlief ein und hörte nicht mehr, wie sie ihm zuflüsterte: »Beamte und ihre Gewohnheiten!«

Er humpelte aus der Halle, bestellte in der Sendlinger Sportgaststätte eine Apfelsaftschorle, rieb sich das linke Knie und winkte ab, als der Wirt ihm eine Zigarette anbot.

»Rauchst du nicht mehr?«

»Doch«, sagte Hauptkommissar Sigi Nick. Er trank die Hälfte des Glases in einem Zug aus und brummte vor sich hin.

»Spiel verloren?« fragte der Wirt.

»Drei-drei hat's gestanden, als ich raus bin. Ich hätt heut nicht mitspielen sollen, war eh zu spät dran.«

»Du bist ihr Joker«, sagte der Wirt, während er Bier zapfte.

»Und morgen muß ich in der Arbeit auch noch Kaffee für alle kochen!« Er trank den Rest der Schorle.

»Was?« Der Wirt grinste und stellte die Gläser mit dem frischen Bier auf ein Tablett. »Gibt's keine Damen mehr bei euch, die für so was zuständig sind?«

»Jeder kommt mal dran.« Nick streckte das linke Bein und winkelte es ab, mehrmals hintereinander. »Ich bin der Kaffeebeauftragte für September.«

Der Wirt kam um den Tresen herum. »Und da denkt man immer, in so einer Mordkommission sitzen lauter seriöse Leut.« Er trug das Tablett zu einem Tisch, an dem zwei Männer und eine Frau Karten spielten. Als er zurückkam, bestellte Nick ein Bier und nahm sich vor, den Kaffeejob an die neue Kollegin abzugeben, die seiner Meinung nach sowieso zu viel Zeit damit verplemperte, um Fischer herumzuscharwenzeln und dem Großmogul schöne Augen zu machen.

»Zum Wohlsein, Kommissar!« sagte der Wirt und plazierte das Glas auf dem Deckel.

»Jetzt möcht ich doch eine Zigarette«, sagte Sigi Nick.

Das erste Buch verfehlte sie nur knapp, das zweite traf sie an der Schulter. Sie hob den Arm, stürzte auf ihren Freund zu und schlug ihm ins Gesicht. Er lachte, stieß sie von sich weg, und sie schlug mit dem Rücken gegen den Türrahmen.

»Hau endlich ab!« schrie Liz Sinkel. »Raus hier!« Sie ging zur Wohnungstür und riß sie auf. Auf dem Weg durchs Zimmer fegte sie mit dem Fuß die Scherben der Teller beiseite, die sie in der vergangenen Stunde nach Bert und er nach ihr geworfen hatte.

Der junge Mann sah sich noch einmal um. »Du kapierst gar nichts«, sagte er an der Tür, nah vor Liz' Gesicht. »Du hast nie Zeit, du rufst mich an und sagst mir, daß es später wird, weil wieder ein wichtiger Mord passiert ist und weil du die ganze Nacht ermitteln mußt. Dann ermittel doch die ganze Nacht! Dann eifer doch deinem großen Vorbild nach, Tag und Nacht, diesem Superfischer. Du brauchst sonst eh keinen Menschen. Du bist so karrieregeil, daß du schon stinkst!«

Sein Arm schnellte nach oben, denn er hatte ihren Schlag kommen sehen. »Reiß dich zusammen, du bist jetzt eine Staatsbeamtin.« Er ließ ihren Arm los, strich ihr mit der flachen Hand flüchtig übers Gesicht und stieg die Treppe hinunter.

»Ruf ja nie wieder an!« rief Liz ihm hinterher.

Er reagierte nicht.

Mit einer heftigen Geste, als verscheuche sie jemanden, drehte sie sich um und schlug die Tür zu. Sie holte Luft, rammte den Ellbogen gegen die Tür und stieß einen Schrei aus. Dann rannte sie ins Wohnzimmer, trat aus Versehen auf eine Scherbe, schrie erneut auf und durchwühlte die Papiere auf ihrem Schreibtisch. Das blaue Band war unter einen Aktenordner gerutscht.

»So ein Dreck!« rief Liz und zerrte so lange an dem Band, bis es zerriß. Sie feuerte die zwei Hälften in den Papierkorb. »So was ist so was von out! Und Silikon ist so was von ungesund!«

Dann taumelte sie schluchzend durchs Zimmer, bückte sich nach einem der Bücher, die er aus dem Regal gezogen und nach ihr geworfen hatte, und hob es auf. Es war eine Sammlung mit Gedichten.

Liz hockte sich auf den Boden und warf einen letzten, müden Blick zur Tür, zum Flur. Sie schlug eine Seite des Buches auf und begann zu lesen, leise zuerst, dann lauter; am Ende begann sie noch einmal von vorn, wie bei einem Gesang.

»Werkleute sind wir«, las sie, »Knappen, Jünger, Meister, und bauen dich, du hohes Mittelschiff. Und manchmal kommt ein ernster Hergereister ...«

»... geht wie ein Glanz durch unsere hundert Geister ...«, las Valerie Roland, »und zeigt uns zitternd einen neuen Griff. Wir steigen in die wiegenden Gerüste, in unsern Händen hängt der Hammer schwer, bis eine Stunde uns die Stirnen küßte, die strahlend und als ob sie alles wüßte von dir kommt, wie der Wind vom Meer.«

Sie horchte, ob ihr Mann noch zuhörte, und las weiter. »Dann ist ein Hallen von dem vielen Hämmern und durch die Berge geht es Stoß um Stoß. Erst wenn es dunkelt lassen wir dich los: Und deine kommenden Konturen dämmern. Gott, du bist groß.«

Sie legte das Buch auf den Tisch neben dem Bett und küßte ihren schlafenden Mann auf die Stirn. Seit einer Woche lag er mit einer fiebrigen Erkältung zu Hause, und er hatte ihr verboten, deswegen freizunehmen.

Valerie Roland hätte im Stehen einschlafen können, aber sie wollte noch einen frisch gewaschenen Schlafanzug für Hendrik bügeln, und sie durfte nicht vergessen, das Brot für ihn aus dem Gefrierfach zu nehmen. Denn sie arbeitete lange genug in der Mordkommission, um zu ahnen, daß sie morgen nicht vor Mitternacht nach Hause kommen würde.

21

Unser Alleinunterhalter

»Komm«, sagte Jan-Erich Schubart und streckte den Arm aus.

»Ist das denn erlaubt?« fragte Freya Schubart. Sie blickte zur Couch, auf der das Mädchen vor einer Tasse Schokolade saß, mit gewaschenen, geföhnten Haaren.

»Wir haben Katinkas Vater informiert«, sagte Polonius Fischer. »Wir haben ihn heute morgen gebeten, uns zu begleiten, er hat abgelehnt, das wissen Sie. Alles, was das Mädchen sagt, wird von meiner Kollegin protokolliert.«

»Sie macht aber nicht den Eindruck, als würde sie was sagen wollen.« Der Zahnarzt betrachtete seine Enkelin. »Sie hat auch zu uns nur bitte und danke gesagt.«

»Aber sie hat tief und fest geschlafen«, sagte seine Frau. Katinka hatte die Nacht im Doppelbett des Gästezimmers verbracht. Als Fischer und Liz Sinkel kurz nach halb neun in die Wohnung gekommen waren, hatte sie auf der Bettkante gesessen und leise mit ihrem Elch gesprochen; Fischer hatte an der angelehnten Tür zugehört, aber kein Wort verstanden. Kurz darauf war sie wortlos ins Wohnzimmer gegangen, ohne auf die Begrüßung des Kommissars zu reagieren.

»Nach spätestens zwanzig Minuten machen wir eine Pause«, sagte Fischer. »Lassen Sie uns bitte allein.«

»Wie soll ...«, begann Freya Schubart. Sie seufzte, griff nach der Hand ihres Mannes, und sie verließen das Zimmer.

»Danke«, sagte Liz und schloß die Tür.

»Ich setze mich in den Sessel«, sagte Fischer zu Katinka – ein wenig zu betont, wie Liz fand, zu kindermäßig.

Kaum hatte Fischer entschieden, wie er in dem niedrigen Sessel seine langen Beine einigermaßen entspannt plazieren konnte, hob das Mädchen den Kopf. »Du darfst nicht zuhören!« sagte sie zu Liz.

»Warum?« fragte die Oberkommissarin verdutzt.

»Weil ich kenn dich nicht.«

»Den Herrn Fischer kennst du doch auch nicht«, erwiderte Liz – ein wenig zu naiv, wie der Kommissar fand, zu unprofessionell.

Katinka lehnte sich zurück, klemmte die Hände zwischen die Knie und kümmerte sich nicht um den Elch, der neben ihr umgefallen war.

Fischer versuchte mit dem Sessel näher an den Tisch zu rücken, was ihm nicht gelang, er brachte seine Beine nicht richtig in Position. »Wir müssen alles aufschreiben, was du uns erzählst.« Er wartete auf eine Reaktion. »Ich muß dich noch einmal fragen, ob du verstanden hast, was wir hier tun und was du tun sollst.«

Katinka kniff das linke Auge zu, dann nickte sie; dann kniff sie das rechte Auge zu, als teste sie ihre Sehfähigkeit.

»Du hast also verstanden, daß du eine Zeugin bist und daß du, wenn du möchtest, schweigen darfst. Wenn du schon erwachsen wärst, hättest du die Pflicht, als Zeugin auszusagen, aber mit sieben Jahren noch nicht.«

Was er da sagte, kam ihm verkrampft und auf eine bestimmte Weise unaufrichtig vor. Natürlich würde er in einem Mordfall auch ein Kind so lange befragen, bis er geklärt hatte, welchen Beitrag es zur Aufklärung leisten konnte.

Wenn er Katinka ansah, zweifelte er keinen Moment daran, daß sie ihren Mund nicht krampfhaft verschloß, weil sie jemandem oder sich selbst versprochen hatte, unter keinen Umständen ein Geheimnis preiszugeben; vielmehr gierte ihr Blick nach dem einzig erlösenden Wort, das sie aus ihrer Anspannung befreien und ihr Vertrauen einflößen würde. Bei Erwachsenen genügte manchmal eine Geste, eine scherzhafte Bemerkung, eine scheinbar belanglose Abschweifung, und ihre inneren Schlüssel, mit denen sie sich selbst ausgesperrt hatten, fingen zu klirren an. Bei Kindern und Jugendlichen trug oft die bloße Umgebung eines Kommissariats zur Einschüchterung bei, und ihre bruchstückhaft gezimmerten Schutzwälle klappten nach wenigen gezielten Fragen wie Kartenhäuser in sich zusammen.

Immer wieder hatte Fischer solche Situationen erlebt und selten besondere Tricks anwenden müssen, um den Weg zu verkürzen.

Und Katinka Schubart: Sie schaute an ihm vorbei zum Fenster.

Er fühlte sich unbehaglich. Das Sitzen in dem weichen Sessel strengte ihn an. Am liebsten wäre er aufgestanden. Doch er wollte dem Kind seine körperliche Größe nicht zumuten.

»Wir machen eine Ausnahme«, sagte er zu Liz. »Ich schreibe hinterher ein formloses Gedächtnisprotokoll. Notfalls führen wir eine zweite Befragung durch.« Er wandte sich an das Mädchen. »Aber ich glaube, das wird nicht nötig sein.«

Woher er diese Gewißheit nahm, wußte er nicht.

»Riskant ist das«, sagte Liz. »Aber immer noch besser hierzusein, als im Büro Kaffee zu kochen.« Vergeblich hatte Sigi Nick versucht, seinen Servicedienst an sie abzutreten.

Sie zog die Tür hinter sich zu und ging in die Küche, wo das Ehepaar Schubart, vertieft in Zeitungen, Kaffee trank und die Berichte über die ermordeten Frauen und Katinkas überraschendes Auftauchen las. Liz setzte sich und nahm hungrig den Korb mit den frischen Semmeln und Brezeln entgegen, den Freya Schubart ihr anbot.

»Der Idiot von Sobeck kommt nicht gut weg«, sagte Jan-Erich Schubart und zeigte auf ein Foto von Katinkas Vater.

Ihre kleinen Hände waren von der Sonne gebräunt und wirkten, wenn sie sie still im Schoß hielt, auf dem weißen Faltenröckchen noch dunkler, genau wie ihre dünnen Beine, die von der Sofakante baumelten. Die gelbe Bluse mit dem Rüschenkragen stammte aus der Wohnung am Nothkaufplatz, ebenso die weißen Söckchen und die Sportschuhe, die Katinka trug. Micha Schell hatte die Sachen mit einigen anderen Kleidungsstücken am Vortag geholt. Fischer war sich nicht sicher, ob die Auswahl, die sein Kollege getroffen hatte, dem Mädchen gefiel; ständig zupfte sie am Rock oder am Kragen und kratzte sich schüchtern am Bein.

Obwohl Liz vor fünf Minuten das Zimmer verlassen hatte, sah Katinka den Kommissar immer noch nicht an. Dabei hatte er ihr bereits Fragen gestellt und sie geantwortet.

»Hast du verstanden, was ich von dir möchte?«

»Ja.«

»Möchtest du also mit mir sprechen?«

»Vielleicht.«

»Hast du gut geschlafen?«

»Ja.«

»Hast du zum erstenmal hier übernachtet?«

»Glaub schon.«

»Weißt du noch, was du geträumt hast?«

Sie schüttelte den Kopf; plötzlich sagte sie: »Steh doch mal auf.«

Als hätte er nur auf die Aufforderung gewartet, wuchtete Fischer sich in die Höhe. Katinka streckte den Kopf in den Nacken.

»Du bist supergroß, wie groß bist du?«

»Einen Meter zweiundneunzig.«

»Wenn du am Kopf eine Lampe hättst, die sich dreht, dann könntst du als Leuchtturm arbeiten!«

Fischer lachte, seine rote Krawatte hüpfte auf seinem Bauch.

Er lachte eine ganze Weile, seine Stimme dröhnte zur halb geöffneten Balkontür hinaus. Katinka verzog ihr Gesicht nur ein wenig.

»Das wäre gar nicht schlecht«, sagte Fischer und überlegte, ob er stehenbleiben sollte. »Dann hätte ich immer das Meer nah bei mir.«

»Das Meer ist das Schönste«, sagte Katinka.

»Du kommst gerade vom Meer«, sagte er und ging in die Hocke, stützte sich mit einer Hand auf dem Tisch ab und kniete sich vor die Couch. »An welchem Meer bist du gewesen?«

Katinka sah ihm in die Augen. Trotz der Bräune in ihrem Gesicht fiel ihm auf, daß ihre Wangen gerötet waren. Ihre Augen wirkten traurig; vielleicht täuschte er sich. »Kannst du nicht stehenbleiben?« fragte sie. »Das sieht viel polizistiger aus.«

»Polizistiger?«

»Du bist doch Polizist oder nicht?«

»Doch«, sagte Fischer, erhob sich wieder und strich mit den Fingern durch seine Haare. »Ich bin Hauptkommissar, ich habe dir doch meinen Ausweis gezeigt. Willst du ihn noch mal sehen?«

Sie schüttelte den Kopf; dann sagte sie: »Ja.«

Er zog die Plastikkarte aus der Innentasche seines Sakkos und hielt sie Katinka hin; sie griff nach seiner Hand und umklammerte sie, während sie las.

»Po-lo-ni-us. Du hast ja gleich drei Vornamen!«

»Das war der Wunsch meiner Mutter«, sagte Fischer.

»Po-lo-ni-us«, wiederholte Katinka. »Ni-ko-lai, Ma-ri-a. Einen Mädchennamen hast du auch! Drei Namen. Aber du bist ja auch dreimal so groß wie andere Menschen.« Sie rutschte auf der Couch bis zur Rückenlehne, beugte sich vor, öffnete die Schnallen der Sandalen, streifte die Schuhe ab, stellte die Beine auf das Sitzpolster und zog sie eng an den Körper.

Fischer steckte den Ausweis ein.

»Wenn du bis ganz zum Schrank gehst«, sagte Katinka, »dann brauch ich nicht zu dir hochschauen, dann sind wir fast gleich groß.«

»Gute Idee!« Er machte fünf Schritte rückwärts und blieb stehen. »Jetzt sind wir aber weit voneinander entfernt.«

»Hörst du mich noch?« Katinka lächelte.

»Klar und deutlich.« Wieder fiel sein Blick auf ihre kleinen Hände; sie umklammerten den Rocksaum, befingerten die Ärmel der Bluse, den Kragen, schwebten in der Luft und landeten mit einem leisen Patschen auf den Beinen. Die Hände erzählten eine andere Geschichte als die Augen. Wenn Katinka aufsah, verurteilte sie ihre Hände zum Schweigen, sie legte sie in den Schoß und hörte nicht mehr auf zu kratzen.

»Sehe ich jetzt polizistig aus?« fragte Fischer.

Sie nickte; dann beugte sie sich mit einem Ruck nach vorn, streckte den Arm nach der braunen Ledermappe aus, die wie vor zwei Tagen auf dem Tisch lag, tippte mit dem Zeigefinger darauf und ließ sich wieder gegen die Lehne fallen, mit angezogenen Beinen, die Hände auf den Knien.

»Weißt du noch, wie der Ort am Meer hieß, wo du warst?« Vom Flur her hörte Fischer eine Stimme. Liz telefonierte.

»Da, wo der schiefe Turm steht«, sagte Katinka.

»Pisa.«

Katinka kratzte sich an den Knien, erst mit der einen, dann mit der anderen Hand. Sie hörte auf und zog die Stirn in Falten. »Das darf ich dir gar nicht sagen, das haben wir so ausgemacht.«

»Mit wem hast du das ausgemacht?«

»Mit Toni. Gell, stimmt's, Toni?« Sie griff nach dem Elch und ließ ihn nicken.

»Und mit wem noch?«

So fest sie konnte, kniff sie die Lippen zusammen und drückte das Stofftier an sich, klemmte es zwischen Beine und Bauch.

»Warst du schwimmen im Meer?« fragte Fischer. Die Entfernung zu dem Mädchen schwächte seine Konzentration, es fiel ihm schwer, sich nicht bewegen zu dürfen. Wieso eigentlich nicht? dachte er und machte einen Schritt auf die Couch zu. Katinka zuckte zusammen und verbarg ihr Gesicht hinter dem zotteligen Tier.

»Seid ihr in einem weißen Auto gefahren?« Er war stehengeblieben, unschlüssig, mißgestimmt.

Katinka rührte sich nicht. Fischer überlegte, ob er sich wieder hinknien oder besser setzen oder weiter stehen, ob er das Mädchen in die Burgstraße mitnehmen, ob er mit ihr in die Wohnung am Nothkaufplatz fahren, ob er neben ihr Platz nehmen, ob er zurück zum Schrank gehen sollte, um polizistig zu wirken. Und er überlegte, ob er innerlich zu schrumpfen anfing, weil er sich solche Fragen stellte.

Wenn seine Kollegen das Fahrzeug identifiziert und eine konkrete Spur zum Aufenthaltsort des hinkenden Mannes entdeckt hatten, mußte er deren Erkenntnisse, ohne Zeit zu verlieren, mit den Ergebnissen seiner Vernehmungen abgleichen; und wenn er nichts Wesentliches zur Klärung des Verhältnisses zwischen dem Entführer und Mörder und dem Mädchen beitragen könnte, würden ihre Ermittlungen schlagartig an Konsistenz verlieren. Also mußte er jetzt zumindest *einen* grundlegenden Punkt klären.

»Die zwanzig Minuten sind bestimmt schon lang um«, sagte Katinka und sah ihn an. Für einen Augenblick verlor er die Kontrolle.

»Das macht doch nichts«, sagte er mit einem grollenden Unterton, der das Mädchen erschreckte. »Entschuldige. Aber

ich muß wissen, ob der Mann, mit dem du am Meer warst, ge-
hinkt hat. Ist er so gelaufen?« Fischer drehte sich um und ging,
indem er das rechte Bein nachzog, zur Tür und auf die gleiche
Weise wieder zurück. »So?«

Mit großen Augen lugte Katinka hinter dem Geweih hervor; abwechselnd schaute sie Fischer ins Gesicht und auf sein
Bein.

Jemand klopfte zaghaft an die Tür.

»Moment!« rief Fischer. Er stand da, die Hand auf seinem
rechten Oberschenkel, und hatte den Eindruck, die Gegenwart des Kindes katapultiere ihn wieder einmal aus jeder ver-
nünftigen Umlaufbahn in ein sinnloses, weltfremdes All, wo
er dazu verdammt sei, nichts als eine polizistige Witzfigur abzugeben.

Warum hatte er überhaupt zugelassen, daß Liz den Raum
verließ? Warum hatte er bei der ersten Konfrontation mit
dem Kind klein beigegeben? Warum hatte er anstelle von Liz
nicht Micha Schell mitgenommen, der eine Tochter im gleichen Alter wie Katinka hatte und ein kluger, trotz oder vermutlich gerade wegen seines Schmerzes umsichtiger, wachsa-
mer Vater war und sich nicht von den Launen eines Kindes
einschüchtern ließ? Woher rührte seine Scheu vor Kindern,
seine geradezu lächerliche Verdrucksheit und sein irrer
Glaube, er habe endlich aus seinen Fehlern und Defekten gelernt?

»Eigentlich müßtest du vier Vornamen haben«, sagte Katinka mit zaghafter Stimme; entschlossen legte sie den Elch
neben sich und stellte die Beine auf den Boden. »Du mußt mit
dem anderen Bein so laufen, dann ist es richtig.«

»So?« Das linke Bein nachziehend, ging er zur Tür.

»Jetzt sag ich aber nichts mehr!«

Fischer zögerte und öffnete die Tür.

Im Flur wartete Liz.

»Weningstedt hat angerufen«, sagte sie leise. »In Wohlfahrts Wohnung im Hochhaus wurden Blut- und Urinspuren gefunden und Fingerabdrücke, die mit denen in der Tiefgarage übereinstimmen.«

»Die Frau wurde in der Wohnung erhängt«, sagte Fischer.

»Mit allergrößter Wahrscheinlichkeit.« Weil die Küchentür offenstand, senkte Liz ihre Stimme noch mehr. »Wohlfahrt streitet alles ab, er behauptet, er wisse von nichts. Einen Namen hat er noch nicht genannt. Seine Fingerabdrücke stimmen jedenfalls mit keinen anderen überein, das war ja auch nicht zu erwarten. Weningstedt sagt, in spätestens zwei bis drei Stunden hat er Wohlfahrt so weit, daß er aufgibt. Mit wem war das Mädchen unterwegs?«

Fischer antwortete nicht sofort. Statt dessen stellte er eine Gegenfrage. »Hat jemand das weiße Auto gesehen?«

»Das Auto, genau!« Liz blätterte in ihrem Block, den sie in der Hand hielt. »Vermutlich ein VW Passat, Zeugen wollen ihn auf dem Parkplatz des Müllerschen Volksbades am Rosenheimer Berg und vor einer Pension in der Gollierstraße im Westend gesehen haben. Im Umkreis des Nothkaufplatzes gibt es, das hat Micha recherchiert, tatsächlich zwei Leute, die einen Passat besitzen, allerdings in unterschiedlichen Weiß- beziehungsweise Beigetönen, Micha hat beide noch nicht erreicht. Ein Zufall ist das nicht, was meinst du?«

»Hoffentlich nicht.« Von der Tür aus sah Fischer, wie Katinka wieder mit dem Finger die braune Mappe berührte und die Hand dann rasch zurückzog.

»Wer hat sie entführt?« fragte Liz.

»Ich weiß es noch nicht.«

»Bitte? Warum nicht?«

»Sie hat's mir noch nicht verraten.«

»Warum nicht?« Aus Versehen hatte sie lauter gesprochen; Katinka schaute zu den beiden her. Ohne Erklärung ließ Fischer seine Kollegin stehen, ging zurück ins Wohnzimmer und beugte sich zu dem Mädchen hinunter. »Möchtest du am Meer sitzen? Mit mir? Jetzt?«

Sie sah ihn mit gerunzelter Stirn an. »Am Meer?«

»Wir fahren mit dem Auto hin, dauert keine halbe Stunde.«

»Hier gibt's doch gar kein Meer!« sagte Katinka.

»Du mußt nur die Augen aufmachen.«

»Mach ich doch schon.«

»Noch weiter.«

»Nein!« Sie kniff die Augen zusammen und schüttelte den Kopf.

»Wenn's dir nicht gefällt, bring ich dich sofort zu deinem Opa und deiner Oma zurück.« Er streckte ihr die Hand hin.

Liz war ins Zimmer getreten.

»Komm, Katinka.«

Sie biß sich auf die Lippen.

»Toni darfst du mitnehmen«, sagte Fischer.

Katinka preßte das Tier an sich und sprang auf. »Aber wehe, du lügst, dann sprech ich nie wieder mit dir! Nie, nie wieder!«

»Wo ist er hingefahren?« fragte Silvester Weningstedt ungläubig.

»Ich konnt's ihm nicht ausreden«, sagte Liz, die die Treppe heraufgelaufen kam. »Er hat mich abgesetzt und ist gleich weiter.«

»Kinder bringen ihn jedesmal aus dem Konzept.«

»Warum eigentlich?«

»Das weiß niemand.« Weningstedts Telefon klingelte; er nahm den Hörer und hielt die Sprechmuschel zu. »Du mußt mit Emanuel in die Pension im Westend, der Wirt hat wohl ein paar interessante Zeitungsausschnitte gefunden, außerdem überprüfen wir gerade die Telefonverbindungen. Der Mann hat von seinem Zimmer aus das Haustelefon benutzt. Und Micha hat gerade einen der beiden Besitzer eines hellen Passats am Nothkaufplatz erwischt, einen Rentner, Micha ist mit Esther schon auf dem Weg zu ihm. Beeil dich, bitte! Emanuel wartet im Vernehmungsraum auf dich.«

Außer über die kleine P-F-Kammer im zweiten verfügte die Mordkommission über ein geräumiges Zimmer im dritten Stock, in dem Fischers Kollegen ihre Vernehmungen von Zeugen und Tatverdächtigen und an der verspiegelten Wand Gegenüberstellungen durchführten; zudem war der Raum mit einer Mithöranlage und drei digitalen Kameras ausgestattet.

Als Liz die Tür aufzog, wischte sich Franz Wohlfahrt gerade mit einem Taschentuch den Schweiß aus dem Nacken, während Emanuel Feldkirch drohend mit dem Finger auf ihn zeigte.

Sie schwitzte, obwohl die Sonne gar nicht schien, aber trinken wollte sie nichts. Sie hatte den Elch neben sich gesetzt, machte einen schiefen Mund und rührte das Wasserglas auf dem kleinen Holzbrett nicht an. Sie hatte gleich gewußt, daß er log; es gab kein Meer in der Stadt, das hätte sie doch längst bemerkt! Und dann hätten sie auch nicht so weit fahren müssen, der Mann, den sie Papa nennen durfte, und sie. Das Weitwegfahren war viel schöner als das Dableiben.

Sie hatte Durst. Sie leckte sich die Lippen, sie schmeckten nicht wie am Meer. Plötzlich stand der große Mann neben ihr.

»Siehst du das Meer?« fragte er.

»Du bist ein Lügner!« sagte Katinka. »Ich sprech nicht mehr mit dir, nie mehr!«

Fischer nahm den Elch und setzte sich neben das Mädchen in den Strandkorb. Er hielt das Stofftier fest in der Hand, es fühlte sich warm und freundlich an.

»Trink doch einen Schluck«, sagte er.

Das Mädchen blickte vor sich hin, ihre Lippen waren trokken und ihre Wangen gerötet.

»Wenn ich auf dem Balkon sitze, mitten in der Stadt«, sagte Fischer, »dann sehe ich das Meer wie von selber, und ich schmecke das Salz und den Sand auf der Zunge. Im Sommer setze ich mich jeden Morgen in den Strandkorb, bevor ich zur Arbeit fahre, ich schau dann so lange das Haus da drüben an, bis es blau wird. Bis es blau ist und rauscht und glitzert und brummt und mir eine Geschichte erzählt.«

Katinka preßte die Lippen aufeinander.

Fischer hatte es nur so gesagt, weil er mit seinem Vorgesetzten telefoniert und dieser ihm den aktuellen Stand der Ermittlungen mitgeteilt und ihn außerdem gefragt hatte, welche seltsame Strategie er verfolge, indem er eine Hauptzeugin ausgerechnet in der unoffiziellsten Umgebung, nämlich in seiner Wohnung, befrage; worauf Fischer in einem Anfall von Lässigkeit erwidert hatte: »Nicht in meiner Wohnung, in meinem Strandkorb!«

Dieser Anfall war längst vorüber.

Und alles, was er zu erzählen hatte, stammte aus dem Buch, das er so gut kannte wie kein zweites.

»Die Geschichte von den hungrigen und durstigen Menschen«, sagte Fischer und kraulte dem Elch den Bauch. »Jesus war mit einem Boot über das Wasser gefahren. Es war Abend; er ging an Land, seine Jünger warteten schon auf ihn. Sie wollten die vielen Leute, die sich versammelt hatten, nach Hause schicken. Das verbot er ihnen. Er forderte alle auf, sich in die Wiese zu setzen und mit ihm gemeinsam zu essen. Aber die Jünger meinten, sie hätten nur fünf Brote und zwei Fische und um sie herum säßen Tausende Menschen. Das kümmerte Jesus nicht; er nahm die Brote und die Fische, schaute zum Himmel hinauf, sprach ein Lobgebet, brach die Brote und gab sie seinen Freunden zurück, damit sie sie verteilten; das taten sie, und es reichte für alle, und alle wurden satt; und als man die Reste einsammelte, konnte man noch zwölf Körbe damit füllen. Weißt du, wie viele Menschen von den fünf Broten und den zwei Fischen gegessen haben?«

Katinka schüttelte den Kopf.

»Mehr als fünftausend Männer, dazu ihre Frauen und Kinder.«

»Da haben die aber Glück gehabt, daß der Jesus gerade vorbeigekommen ist«, sagte Katinka und nahm vorsichtig das Glas vom Holzbrett, trank einen kleinen Schluck und hielt Fischer das Glas hin.

»Jetzt nicht, danke«, sagte er. Sie stellte das Glas ab und rückte es vom Rand weg.

»Später hat Jesus die Menschen in ihre Dörfer zurückgeschickt. Dann stieg er auf einen Berg, weil er beten wollte, allein, weit weg von den anderen.«

»Auch von seinen Freunden?«

»Er mußte ganz für sich sein, um Gott im Gebet nahezukommen.«

»Ach so.«

»Vier Nächte blieb er auf dem Berg«, fuhr Fischer fort. »Seine Jünger waren längst wieder in ihr Boot gestiegen und losgefahren; doch ein Sturm kam auf und warf das Boot hin und her; Jesus bemerkte es, stieg von dem Berg und ging zu ihnen.«

»Über das Wasser?« rief Katinka und hielt sich erschrocken die Hand vor den Mund.

Fischer legte den Arm um sie, und sie lehnte sich an ihn. »Hier kannst du ruhig laut sprechen, unten auf der Straße ist es ja auch laut. Ja, er ist über das Wasser gegangen, und seine Freunde sind genauso erschrocken wie du, sie haben geglaubt, ein Gespenst kommt auf sie zu in der Nacht.«

Katinka kicherte.

»Sie haben geschrien vor Furcht«, erzählte er. »Aber dann hörten sie die Stimme ihres Herrn und beruhigten sich. Habt Vertrauen, sagte er, fürchtet euch nicht. Fürchtet euch nicht.«

Katinka seufzte und grub ihre Hand in das Fell des Elchs, den Fischer immer noch festhielt.

»Einer seiner Jünger war sich nicht ganz sicher, und er rief in die Dunkelheit: Wenn du es bist, Jesus, dann befiehl mir, daß ich zu dir über das Wasser komme! Und Jesus sagte: Dann komm! Petrus, so hieß der Jünger, stieg über den Bootsrand und stellte sich aufs Wasser. Und er konnte tatsächlich auf den Wellen gehen.«

»So wie Jesus.«

»So wie Jesus. Aber der Sturm wurde noch stärker, und Petrus bekam Angst, das ist verständlich. Er schwankte, und je heftiger der Wind blies, desto kraftloser wurde Petrus, und er begann zu sinken. Er sank und rief: Hilf mir, Jesus! Und Jesus griff nach seiner Hand und hielt ihn fest. Und weißt du, wie er Petrus genannt hat? Einen Kleingläubigen! Weil er kein Vertrauen hatte, weil er nur einen Beweis für die Kraft und die göttliche Macht von Jesus haben wollte. Und das gefiel Jesus nicht. Sie stiegen ins Boot, und von einer Sekunde zur andern hörte der Wind auf, und die Wellen peitschten nicht mehr gegen die Planken, und es wurde ganz still auf dem See. Und die Jünger fielen vor Jesus auf die Knie und beteten zu ihm und glaubten ihm.«

Nach einer Weile sagte Katinka: »Und wie geht's weiter?«

»Am nächsten Morgen kamen sie in das Dorf Gennesaret. Aber das erzähle ich dir ein andermal.«

»Woher weißt du das alles?«

Bevor er antwortete, tat Fischer etwas, das er lange nicht mehr und bei einem Kind, das er als Zeugen vernehmen mußte, noch nie getan hatte: Er küßte das Mädchen ins Haar.

Und weil er ihre Nähe wie eine eigentümliche Art von Obhut empfand, küßte er sie ein zweites Mal. Katinka zeigte keine Reaktion.

»Ich war früher Mönch, ich habe jeden Tag und jede Nacht gebetet und in der Bibel gelesen.«

»Ach so«, sagte Katinka. Dann seufzte sie wieder und zupfte an ihrem Rock.

»Der Mann, mit dem du am Meer gewesen bist und zu dem du Papa sagen durftest«, sagte Fischer. »Wie heißt der?«

Katinka hob die rechte Hand, packte Fischers Nase und zog seinen Kopf zu sich herunter; dann hielt sie die linke Hand an sein Ohr.

»Jonathan«, flüsterte sie.

Den Namen hatte Fischer im Lauf der Ermittlungen schon einmal gehört.

»Und sein Familienname?« sagte er leise.

»Den weiß ich nicht.«

»Bin gleich wieder da«, sagte Fischer und stand auf. Das Handy steckte in seiner Jacke, und diese hatte er über einen Stuhl im Zimmer gehängt.

Obwohl er Liz' Nummer gewählt hatte, ging Georg Ohnmus ans Telefon.

»Liz ist im Westend, kann ich dir helfen?«

»Such mir bitte auf der Liste den Namen Jonathan heraus, es eilt.«

Bei jeder Ermittlung fertigten sie ein Verzeichnis aller Namen an, die ihnen unterkamen.

Nach einer Minute nahm Ohnmus wieder den Hörer in die Hand. »Jonathan und Elisabeth Badura, Barbierstraße, am Nothkaufplatz.«

»Die alte Frau mit den Lilien«, sagte Fischer. »Bitte ruf sie an.«

»Das hat Micha schon versucht; Badura besitzt einen weißen VW Passat. Aber weder er noch seine Frau sind zu erreichen.«

Fischer ging zurück auf den Balkon und sah, daß Katinka aus dem Wasserglas getrunken hatte. Er nahm den Elch und setzte sich neben sie.

»Ich bring dich zu deinen Großeltern zurück«, sagte er. »Ich weiß noch nicht, wo du in Zukunft leben wirst. Würdest du gern bei deinen Großeltern wohnen?«

Wie unter Schmerzen zog Katinka die rechte Schulter hoch. Gekrümmt verharrte sie. »Weiß nicht«, sagte sie, kaum hörbar. Dann drehte sie mit einem Ruck den Kopf. »Wenn du ganz lang im Kloster gewesen bist, dann weißt du bestimmt, was der liebe Gott von Beruf ist.«

Wie viele Jahre, dachte Polonius Fischer, mußte ein polizistiger Mann in seinem Job verbringen, um so eine Frage gestellt zu bekommen?

Wie viele Lügen mußte er über sich ergehen lassen, bis er gezwungen wurde, selbst zu lügen?

Wie viele Tricks mußte er ausprobiert haben, um auf einen Menschen zu treffen, den er niemals austricksen könnte, weil es plötzlich nicht mehr um die Wahrheit ging, die man beweisen konnte, sondern um jene, die unbeweisbar bleiben mußte, die letzte und höchste und vielleicht einzige Wahrheit im Universum der menschlichen Unwissenheit.

Wenn du ganz lang im Kloster gewesen bist, dann weißt du bestimmt, was der liebe Gott von Beruf ist.

Vielleicht hatte er irgendwann darüber nachgedacht und dann nie wieder.

Vielleicht kehrte für Sekunden das Gefühl der Obhut zurück, das ihn vorhin überwältigt hatte.

Vielleicht meinte er, was er sagte.

»Alleinunterhalter.«

Katinka hörte nicht auf, ihn anzusehen; dann lächelte sie,

blinzelte und stieß einen Seufzer aus. »Das ist toll«, sagte sie. »Dann ist dem lieben Gott nie langweilig.« Und sie drückte Fischer einen flüchtigen Kuß auf die Wange, schmiegte sich an ihn, strich dem Elch über den Kopf und sagte zu ihm: »Schau, Toni, da drüben ist das Meer. Wenn du magst, kannst du das Salz aus der Luft lecken.«

Und sie machte es ihm vor.

22

Das fünfte Gebot

Von der Sonnenstraße, wo er wohnte, bis zur Pension Ludwig im Westend ging Polonius Fischer zu Fuß, durch den unentschlossenen Vormittag, an dem die Sonne durch die Wolkendecke spitzte und zehn Minuten später Regentropfen fielen, wie verirrt, an bestimmten Ecken der Stadt.

Lieber hätte er das Mädchen persönlich zurück zu den Großeltern gebracht, aber Liz und Feldkirch hatten ihn gebeten, sofort zu kommen; also forderte er einen Streifenwagen an. Wortlos hatte Katinka ihm an der Tür die Hand gegeben; dann fiel ihr Blick auf das rote, zerknitterte Geschenkpapier, das obenauf in einer Abfalltüte im Flur lag, und sie lächelte zaghaft. Aber sie fragte nichts, sondern folgte der jungen uniformierten Polizistin die Treppe hinunter und sah sich nicht mehr um. Innerhalb von zehn Minuten hatte Fischer daraufhin ein Gedächtnisprotokoll auf seinem Laptop verfaßt und den engbeschriebenen zweiseitigen Bericht in die Burgstraße gemailt. An der Tür fiel ihm ein, daß er das Glas noch vom Balkon holen wollte; doch als er vor dem Strandkorb stand, zögerte er; er schaute hinunter auf die Straße und die Trambahnschienen und hinüber zum grauen Gebäude, er beugte sich über die Brüstung und wünschte, Ann-Kristin würde mit ihrem Taxi vorüberfahren und er könnte ihr winken. Dann ging er und ließ das halbvolle Glas auf dem ausgeklappten kleinen Brett stehen.

Von Weningstedt wußte er, daß im Haus des Ehepaars Badura nach wie vor niemand öffnete. Esther Barbarov und Micha Schell observierten weiter die Gegend.

Laut Meldezettel hieß der Mann, der die vergangene Nacht in der Pension Ludwig verbracht hatte und vermutlich einen weißen Passat fuhr, Andreas Mohrhold. In der INPOL-Datei hatte Ohnmus keinen Hinweis auf ihn gefunden.

Zumindest fiel dem Zeugen Wohlfahrt, wie Weningstedt den Kollegen, die außerhalb des Büros ermittelten, berichtet hatte, das Leugnen zunehmend schwer. Falls er den Namen Badura bestätigen sollte, würde die richterliche Erlaubnis zum gewaltsamen Öffnen und zur Durchsuchung der Wohnung in der Barbierstraße nicht lange auf sich warten lassen.

Auf dem Weg ins Westend, vorbei am Hauptbahnhof und den neu errichteten Luxushotels, die in einer Umgebung abgasverschmutzter, heruntergewirtschafteter Lokale und wahllos vermieteter Billigläden ihre architektonische Wirkung nur mühsam entfalteten, folgte Fischer seinen Gedanken in die Arktis der Gespräche, die hinter ihm lagen. Er mußte den Knopf seines Sakkos schließen und sich zwingen, nicht krampfhaft zum Himmel zu blicken, in der Hoffnung auf einen Fetzen Sonne für die nackten, schlotternden Gestalten in seinem Kopf. Vor allem mußte er sich vor diesem Mantel aus Mitleid hüten, den er manchmal – entgegen aller Vernunft, seiner Erfahrung zum Trotz und mit einer fast hämischen Theatralik – hervorkramte und der ihm schon während seiner Jahre in der Zelle niemals Linderung oder Geborgenheit verschafft, sondern ihn mit Selbsthaß erfüllt hatte.

Mitleid war für Fischer ein unwürdiges Gefühl.

Und doch.

Und doch.

Der Herr aber schickte einen großen Fisch, der Jona verschlang. Jona war drei Tage und drei Nächte im Bauch des Fisches, und er betete im Bauch des Fisches zum Herrn, seinem Gott: In meiner Not rief ich zum Herrn, und er erhörte mich.

Aus der Tiefe der Unterwelt schrie ich um Hilfe, und du hörtest mein Rufen.

Seine Blicke schweiften zum Bahndamm ab und blieben für Sekunden in den mit farbigen Bildern und aufreizenden Schlagzeilen dekorierten Schaufenstern eines Verlagshauses hängen. Er hörte die Stimme von Sebastian Flies widerhallen; die Worte feierten das heroische Verlangen einer Frau, die außerhalb der Umarmung Gottes ihren Atem nicht länger verschleudern wollte. Das konnte die Wahrheit gewesen sein. Und die Nonne hätte ewiges Mitleid verdient gehabt.

Und Sebastian Flies?

Sebastian Flies hatte vielleicht getötet, weil er sein Leben lang einen Mörder in sich beherbergt und, unbewußt und angstvoll, auf eine einmalige Gelegenheit zum Morden gewartet hatte.

Und Ines Gebirg? Sie hatte vielleicht ihr Leben lang eine Selbstmörderin in sich beherbergt und, bewußt und furchtlos, auf den einzigen Moment gehofft, in dem sich ihr Schicksal erfüllen würde.

Die Beweise, die sie zusammengetragen hatten – sie, die wachsamen, unbestechlichen *Apostel* –, reichten nicht fürs Gegenteil, die Beweise reichten für das, was sein mußte: eine Anklageerhebung nach den Paragraphen des Strafgesetzbuches. Und Fischer fühlte den Saum des Mantels – es war ein samtener, ultramarinblau schimmernder schwerer Mantel – und spürte ein Frösteln; er wandte den Kopf und sah in die Gesichter derer, die sich ihm jahrzehntelang anvertraut hatten. In ihren Augen war ein gottloses Schauen, denn sie waren unrettbar aus dem Glauben gestürzt. Und doch.

Und doch.

Ich dachte: Ich bin aus deiner Nähe verstoßen. Wie kann ich deinen Heiligen Tempel wieder erblicken? Das Wasser reichte mir bis an die Kehle, die Urflut umschloß mich. Schilf-

gras umschlang meinen Kopf. Bis zu den Wurzeln der Berge, tief in die Erde kam ich hinab, ihre Riegel schlossen mich ein für immer. Doch du holtest mich lebendig aus dem Grab herauf, Herr, mein Gott.

Da schlug in der Nähe eine Kirchturmuhr, oder er stolperte über eine Steinkante, oder sein Herz murrte so laut, daß er erschrak und begriff, wo er sich eigentlich befand und wie sein wirkliches Gehen funktionierte.

Oder jemand rief nach ihm.

»Wir sind hier! Hier in der Einfahrt!«

Aus einem Hinterhof auf der anderen Seite der Gollierstraße winkte Liz ihm zu. In Begleitung von Emanuel Feldkirch redete sie auf einen Mann ein, der mit ausgebreiteten Armen gestikulierte.

»Das ist Herr Bockdorf«, sagte Liz zu Fischer, »ihm gehört die Pension Ludwig. Der Passat soll auf diesem Parkplatz gestanden haben.«

Zwischen dem Haus, in dem sich Wohnungen, die Pension und im Parterre eine Schnellbäckerei befanden, und einer unverputzten Steinmauer zum Nachbargrundstück erstreckte sich ein schmaler, geteerter Weg mit Markierungen für drei Parkplätze; auf einem stand ein verbeulter Fiat, die anderen beiden waren unbesetzt.

»Ein Gast ist gekommen und hat gemeint, da steht ein verdächtiges Auto.« Bockdorf hatte sich an Fischer gewandt, der mindestens zwei Köpfe größer war als er, und schwang die Arme. »Sag ich: Wieso verdächtig? Ja, sagt der Gast, hat er grade im Radio gehört, und so weiter. Wo steht die Kiste? sag ich. Sind wir raus, die Kiste war weg. Und jetzt sagt Ihre Kollegin, Sie stellen mir gleich die Bude auf den Kopf, Fingerabdrücke und so weiter, muß das sein? Ich bin eine kleine Pension, ich hab Gäste, die sind oft gern ungestört, und wenn jetzt die Polizei überall ist ...«

»Vorerst nur im Zimmer des besagten Gastes«, erklärte Feldkirch.

»Den anderen Gast hab ich schon angerufen«, sagte Liz zu Fischer. »Er ist sich ganz sicher mit dem weißen Passat. Die Nummer weiß er nicht, nur daß es eine hiesige ist.«

Fischer blickte an der Fassade hinauf. Im zweiten Stock waren die Fenster weit geöffnet. »Was wolltet ihr mir so dringend zeigen?«

»Komm mit!« Liz griff nach seiner Hand, ließ sie aber nach einem Schritt los, überholte Fischer und stieg vor ihm die Treppe hinauf.

Feldkirch blieb beim Wirt, dessen Gesten immer ausholender wurden.

Vor der geöffneten Tür mit der Nummer 19 stand ein Streifenpolizist. Am Ende des Flurs trat eine junge Frau mit Kopftuch nach einem runden Staubsauger und schubste ihn in den nächsten Raum.

»Stapelweise Zeitungen«, sagte Liz und zeigte auf den Tisch.

Im engen Zimmer befanden sich ein Doppelbett mit einem Nachtkästchen, ein graugestrichener Schrank, ein mickriger Tisch mit zwei Stühlen und ein Séparée mit Toilette, Dusche und Waschbecken.

»Er wollte rausfinden, was wir wissen.« Liz reichte Fischer eine der Zeitungen, die aussah, als wäre sie zerknüllt gewesen und hinterher glatt gestrichen worden. »Die lag im Papierkorb, sie ist von heute, aber er hat sie anscheinend gestern abend in einem Lokal gekauft. Es fehlt eine Seite.«

»Welche Seite?« fragte Fischer. Er entdeckte Berichte über die verschwundene Katinka und ihre Rückkehr, über die tote Nonne in Schild auf der Höh, Fotos von dem Haus am Nothkaufplatz sowie von Nele Schubart und ihrer Tochter; die Reporter rätselten über die Zusammenhänge zwischen den beiden Verbrechen und kritisierten die ihrer Meinung nach zu defensive Informationsstrategie der Kripo.

»Im Haus gibt's diese Zeitung nicht«, sagte Liz, »und wir hatten noch keine Zeit, vom Kiosk ein neues Exemplar zu holen, wir haben erst die übrigen Gäste befragt und ein paar Nachbarn. Niemand konnte den Mann besonders gut beschreiben, aber alle waren sich sicher, daß er hinkt. Wie heißt er?«

»Jonathan Badura.« Fischer sah sich um, steckte die Hände in die Hosentaschen und warf einen Blick ins Bad. »War er allein?«

»Ja. Was bedeutet der Name Andreas Mohrhold?«

»Ich werde ihn fragen.« Er ging zur Tür. »Laß uns eine Zeitung holen.«

Im Hinterhof bat er Feldkirch, auf die Kollegen von der Spurensicherung zu warten; er wolle mit Liz noch einmal in die Barbierstraße fahren und versuchen, auch ohne richterlichen Beschluß Zugang zu Baduras Haus zu finden.

In einem Coffeeshop in der Kazmairstraße, wo der Dienstwagen stand, tranken Fischer und Liz, nachdem sie die Zeitung gekauft hatten, Espresso und lasen abwechselnd jeden Artikel, der ihre Fälle betraf.

Lange betrachtete Fischer die Seite, die in der anderen Ausgabe gefehlt hatte und zur Hälfte aus einer Werbeanzeige bestand; im oberen Teil waren zwei Fotos und ein knapp gehaltener Stimmungsbericht aus der Landwehrstraße abgedruckt. Fischer las den Artikel, kommentierte ihn nicht, sondern gab ihn an Liz weiter, die ihn überflog und etwas sagen wollte. Aber Fischer war schon aufgestanden. Er wischte sich die Hände an einer Serviette ab und warf die Zeitung auf einen Beistelltisch, auf dem mehrere Illustrierte lagen.

»Warum redest du nicht mehr?« fragte Liz auf dem Weg zum Auto.

»Wir machen einen Umweg«, sagte Fischer und wartete an der Beifahrertür, bis Liz aufsperrte. »Weißt du, wie du von hier am schnellsten in die Landwehrstraße kommst?«

»Ungefähr.«

Sie nahmen die Schwanthalerstraße, bogen zehn Minuten später von der Goethestraße rechts ab und näherten sich, weil der Verkehr wegen eines rangierenden Transporters stockte, im Schrittempo dem Ost-West-Hotel. Sie fuhren am *Blue Dragon* vorüber und hielten vor einem Handyladen.

»Schau doch!« rief Liz. »Deine Ahnung hat dich mal wieder nicht getäuscht.«

Fischer hatte bereits hingesehen.

Direkt vor dem Eingang des Ost-West-Hotels parkte ein weißer VW Passat voller dunkler Schmutzschlieren; das Fenster auf der Fahrerseite war offen. Hinter dem Lenkrad saß ein Mann in einem weißen Hemd.

»Soll ich die Kollegen alarmieren?« fragte Liz.

»Warte«, sagte Fischer und stieg aus.

»Du darfst nicht allein hingehen!«

»Mach dir keine Sorgen.«

»Mach ich mir aber.«

Er überquerte die Straße und beugte sich zum Wagenfenster hinunter. »Sie sind Jonathan Badura?«

Der Mann im weißen Hemd sah Fischer aus geröteten Augen an. »Ja.«

Fischer zog seinen Dienstausweis aus der Tasche. »Sind Sie bewaffnet?«

»Wozu denn?« sagte Badura, betrachtete den Ausweis und legte die Hände aufs Lenkrad.

»Sie sind vorläufig festgenommen wegen des Verdachts der Ermordung von Nele Schubart und der Entführung von Katinka Schubart. Sie haben das Recht, die Aussage zu verweigern und einen Rechtsanwalt hinzuzuziehen, außerdem dürfen Sie Beweiserhebungen beantragen.« Fischer öffnete die Fahrertür. »Steigen Sie bitte aus.«

Einige Sekunden lang umschlossen Baduras Hände krampfhaft das Lenkrad, dann stieg er aus.

»Ich hab nichts getan«, sagte er.

»Drehen Sie sich um, und lehnen Sie sich ans Auto.«

Badura befolgte die Aufforderung, und Fischer tastete ihn ab.

»Wo ist Ihr Ausweis?«

»In meiner Jacke.«

Fischer gab Liz ein Zeichen, und sie rief in der Einsatzzentrale an.

»Was tun Sie hier?« fragte Fischer.

Badura streckte das linke Bein und verzog das Gesicht. »Das alte Leiden. Wenn ich zu lang sitze, wird's schlimm, sehr schlimm.«

»Was tun Sie hier, Herr Badura?«

»Ich wollte das Zimmer des Mannes mieten, der die Nonne ermordet hat, aber es ist versiegelt. Hätt ich mir denken können. Der Mann kannte Katinkas Mutter, das wissen Sie ja.«

»Wo ist Ihre Frau?«

»Zu Hause, wie immer. Was hat sie damit zu tun?«

»Womit?«

»Mit dem hier«, sagte Badura und humpelte zwei Schritte am Auto entlang. »Mit dem Hotel, mit dem Mann und der Nonne.«

»Waren Sie verreist?«

»Ich war verreist, ja.«

»Auf Dienstreise.«

»Ich bin nicht mehr im Dienst«, sagte Badura, blieb stehen und sah zur Kreuzung, wo ein Streifenwagen mit Blaulicht auftauchte. »Meine Frau glaubt, ich wär noch für den Konzern tätig. Das bin ich schon seit dem ersten Januar nicht mehr. Ich werd jetzt reinen Tisch machen und ihr alles sagen.«

»Wo waren Sie?«

»Da und dort, nichts Besonderes.«

»Sie waren mit Katinka Schubart unterwegs.«

»Mit wem?«

»Mit der Tochter der Frau, die Sie in der Wohnung Ihres Freundes Wohlfahrt getroffen haben.«

»Nein«, sagte Badura, beugte sich in den Wagen und nahm seine Wildlederjacke vom Beifahrersitz. »Ich war allein unterwegs.«

»Geben Sie mir die Jacke.«

Badura stutzte, dann hielt er Fischer die Jacke hin. Der Kommissar zog den roten, an den Rändern ausgefransten Paß aus der Innentasche, durchsuchte die Taschen, nahm das Handy heraus und gab Badura die Jacke zurück.

Der Streifenwagen hielt mitten auf der Straße. Mit den Händen am Holster stiegen zwei junge Polizisten aus.

»Ich hab nichts getan«, sagte Badura noch einmal.

Auf dem Bürgersteig blieben immer mehr Passanten stehen.

»Kannten Sie Sebastian Flies?« fragte Fischer.

»Wer ist das?«

»Der Mann, der die Nonne ermordet hat.«

»Nein. Ich wollt nur sein Zimmer sehen. Er soll ein Einzelgänger gewesen sein.«

»So wie Sie?«

»Ich bin kein Einzelgänger, ich bin verheiratet.«

»Das ist Sebastian Flies auch.«

»Aber ich lebe mit meiner Frau zusammen, und ich liebe sie. Ich hab nichts getan.«

Obwohl der Mann nicht den Eindruck erweckte, er würde Widerstand leisten, drehte einer der Polizisten Badura die Hände auf den Rücken und fixierte sie mit einem Hartplastikband.

»Burgstraße«, sagte Fischer.

Plötzlich knurrte sein Magen, sekundenlang. Jemand in der Gruppe der Schaulustigen fing an zu klatschen.

»Stimmt das: Du hast auf offener Straße Beifall gekriegt?« fragte Walter Gabler an seinem Schreibtisch. Fischer hatte ihn in ihrem gemeinsamen Büro von der Tür aus begrüßt. Es war die erste ironische Bemerkung Gablers, an die Fischer sich erinnern konnte; er ging weiter zu Weningstedts Büro.

»Er hat gestanden«, sagte der Leiter der Mordkommission, noch bevor Fischer sich gesetzt hatte. »Wohlfahrt gibt zu, daß sein alter Freund Jonathan Badura regelmäßig die leerstehende Wohnung als Liebesnest benutzt; er ist der einzige, der außer ihm einen Schlüssel hat. Badura trifft sich mit seinen Geliebten, und seine Frau denkt, er ist auf Dienstreise.«

»Er ist arbeitslos«, sagte Fischer. »Das hat er seiner Frau verschwiegen; er fährt durch die Gegend.«

Weningstedt trank aus seiner Allzwecktasse. »Sigi kocht einen lausigen Kaffee. Wenigstens ist er jetzt beim Observieren und setzt keinen neuen auf!« Er stellte die Tasse auf einen Aktendeckel. »Wohlfahrt hat weiter zugegeben, daß er die Wohnung geputzt und Blut abgewischt hat. Angeblich hat Badura ihm gegenüber keine Andeutungen über die Tat gemacht.«

»Das kann man glauben.«

»Ich glaub's ihm. Er wird sich wegen Behinderung von Ermittlungsarbeit und Falschaussage verantworten müssen. Und seine Steuern wird er auch nachzahlen müssen. Er hat fast geweint, als ich ihm erklärt habe, was auf ihn zukommt.«

»Und er muß ins Hotel ziehen«, sagte Fischer. »Seine Wohnung wird versiegelt.«

»Wie du immer sagst: Die Dummheit ist eine Festung.« Weningstedt sah auf die Uhr, stand auf und wählte eine Nummer. »Wie weit bist du mit dem Korrigieren, Valerie? Sehr gut!«

Fischer erhob sich ungern; der alte englische Stuhl mit der hohen Lehne löste bei jedem Besucher den Wunsch nach stundenlangem Verweilen aus.

Im Vorbeigehen klopfte Weningstedt seinem Kollegen auf die Schulter. »Und nun bist du dran. Was ist dein Eindruck?«

»Er wirkt sehr kontrolliert.«

»Nicht mehr lange.«

Sie gingen die Treppe hinunter.

»Er war irritiert, weil seine Frau nicht zu Hause ist. Das hat ihn offensichtlich mehr beschäftigt als alles andere.«

»Sie ist wohl zum Einkaufen in die Innenstadt gefahren. Esther und Micha warten vor dem Haus auf sie. In einer Stunde bräuchte ich einen Zwischenbericht von dir. Um vierzehn Uhr findet die nächste Pressekonferenz statt. Ich habe Linhard schon informiert, er ist begeistert, daß wir innerhalb von vier Tagen den Fall mehr oder weniger abgeschlossen haben. Natürlich hatten wir auch Glück, weil das Mädchen unerwartet zurückgekommen ist.«

»Das ist kein Glück«, sagte Fischer vor der geschlossenen Tür im zweiten Stock. Gegenüber nahm Valerie Roland die Ausdrucke der Vernehmung von Franz Wohlfahrt aus dem Drucker, siebenundvierzig Seiten. »Daß Badura das Mädchen freiwillig zurückgebracht hat und sie unversehrt war, heißt, wir wissen nichts über ihn und seine Motive. Er tötet eine Frau, versteckt die Leiche in einem Schrank, entführt die Tochter und unternimmt nichts, um unerkannt zu bleiben. Er ist der Täter, wir haben alle gerichtsverwertbaren Spuren. Worauf will er mit seinen Lügen hinaus?«

»Du kennst diese Sorte Täter.« Weningstedt trat einen Schritt zur Seite, um Valerie mit ihrem Laptop vorbeizulassen. Liz kam die Treppe herunter. »Sie leben in ihrer eigenen Welt und sind überzeugt, sie wären dort geschützt.«

Fischer öffnete die Tür.

»Viel Glück«, sagte Liz.

Fischer lächelte. »Danke fürs Warten«, sagte er zu den beiden jungen Streifenpolizisten, die Badura bewacht hatten. »Sie können ihm die Fessel abnehmen.«

Nachdem sie gegangen waren und Valerie sich an ihren Platz gesetzt hatte, bat Fischer Badura, sich ebenfalls zu setzen.

»Vorher müssen Sie das Kruzifix abnehmen!«

»Nein«, sagte Fischer. Er wollte sehen, wie der andere reagierte.

»Nehmen Sie das Ding ab!«

»Haben Sie Angst vor dem Gekreuzigten?«

Badura senkte den Kopf. Dann setzte er sich, streckte die Arme, behielt sie waagrecht in der Luft, ruckte mit dem Stuhl und ließ die Hände auf den Holztisch fallen.

»Verdammter Selbstmörder!« sagte er laut und spitzte den Mund, als wolle er ausspucken.

Polonius Fischer legte das Kruzifix auf das Fensterbrett und setzte sich. Er wiederholte die Erklärung, mit der er Badura vor dem Ost-West-Hotel belehrt hatte, und nannte fürs Protokoll den Tag und die Uhrzeit: Mittwoch, erster September, 12.15 Uhr.

Nach einem Schweigen sagte Fischer: »Haben Sie Nele Schubart getötet?«

Badura brüllte: »Nein!«

Er keuchte, zog den Kragen seines weißen Hemdes hoch, klopfte mit der rechten Faust dreimal auf den Tisch. »Ich hab sie nicht getötet! Ich hab sie nicht getötet! Ich hab sie nicht getötet!«

»Ihre Fingerabdrücke sind auf dem Klappstuhl, auf dem Frau Schubart stehen mußte, Ihre Fingerabdrücke sind an mehreren Stellen in der Wohnung Ihres Freundes Wohlfahrt, Ihre Fingerabdrücke sind in der Tiefgarage, wo Sie die Leiche abgelegt haben, Ihre Fingerabdrücke sind in der Wohnung von Frau Schubart. Bestreiten Sie, Nele Schubart am vergangenen Freitag im Hochhaus an der Heiglhofstraße getroffen zu haben?«

»Ich bestreite es nicht! Sie wissen ja gar nicht, was passiert ist! Sie sitzen hier an sicherer Stelle und reden mit mir, als wüßten Sie was. Sie wissen nichts! In der Zeitung stand, Sie sind ein ehemaliger Mönch. Das ist großartig! Das ist ein Glücksfall! Dann sind Sie prädestiniert. Dann haben Sie gar keine Zugangsschwierigkeiten zu den Ereignissen. Oder doch? Sie sind ein Deserteur! Weggelaufen sind Sie! Das tun so viele. Alle wollen weglaufen, alle wollen sich aus der Verantwortung stehlen. So ist unsere Gesellschaft, so ist unsere Zeit. Sie fragen mich, ob ich Frau Schubart getroffen habe. Bestreite ich das? Ich habe sie getroffen, und nicht nur am vergangenen Freitag, aber das spielt keine Rolle. Oder? Alles, was Sie interessiert, ist: Hat der Mann die Tat begangen? Ja! Ja, ich habe die Tat begangen. Ich habe mich verabredet. Hallo, ich bin's, ich hab ein neues Nest für uns, nicht weit von deiner Wohnung. Ist das gut? Und glaubhaft? Früher trafen wir uns in einem Hotel, in einer Absteige, das wollte ich diesmal nicht, diesmal ging es um Wichtigeres als das dumme Körperliche. Diesmal ging es um die kleine Katinka. Ich hab sie befreit aus dem Kerker. Aus der Dunkelheit. Aus ihrem erloschenen Leben. Sieben Jahre alt! Das Kind ist sieben Jahre alt und erlischt! Das lassen Sie zu! Sie wissen nicht einmal was davon. Morde, Verbrechen, daran arbeiten Sie sich ab und sehen nichts. Morde sind praktisch, Sie betrachten die Leiche, Sie untersuchen die Leiche, Sie sammeln Spuren und schalten Ihren Computer an und fragen Leute aus und erfahren nichts. Und drei Wochen später haben Sie Ihren Mörder, er kommt vor Gericht und wird verurteilt, weggesperrt, sehr schön, und der nächste wartet schon. Machen Sie weiter! Sehr schön. Wir zahlen unsere Steuern, damit Sie Ihre Arbeit tun können. Aber was tun Sie wirklich? Darf ich Ihnen das sagen, Ihnen, als ehemaligem Mönch, und ich sag es Ihnen, obwohl ich Sie verachte, weil Sie weggelaufen sind und sich vor der Verantwortung gedrückt haben, ich sag Ihnen, was Sie tun: Sie wischen uns die Augen aus! Damit wir denken, wie sauber und gesittet die Welt aussieht, damit wir beruhigt sind, damit wir uns einbilden, daß wir immer so weitermachen können, bis in alle Ewigkeit. Einen Mord aufklären! Haben Sie den Mord an der kleinen Katinka aufgeklärt? Haben Sie mal geklingelt an der Tür und sich Zugang verschafft? Haben Sie das Verbrechen an dem Mädchen Katinka in Ihrer Kartei, in Ihrem Computer, waren Sie am Tatort? Sie waren nicht da. Das Mädchen ist ermordet worden, und Sie waren nirgends. Wo sind Sie denn? Hier sind Sie! In diesem Raum, in diesem wohlgeordneten Büro, das Ihnen der Staat beheizt. Kann er machen. Und Sie wagen es, ein Kruzifix an die Wand zu hängen! Begreifen Sie nicht, was Sie da tun? Sie preisen einen Selbstmörder! Sie preisen den Selbstmord! Begreifen Sie das? Nein. Weg damit. Sie sind ein elender Deserteur, solche wie Sie sind schuld, daß unsere Welt im Innern verrottet. Aber das Mädchen. Das Mädchen Katinka. Sie wollte sterben. Wissen Sie nicht. Interessiert Sie nicht. Was wollen Sie eigentlich von mir? Ich hab die Frau nicht ermordet. Die Frau hat ihre Tochter ermordet. Sie hat sie ausgesetzt in der Finsternis, und sie ist fast dran krepiert. Sie wollte sterben. Sie wollte sich von der Brücke stürzen, das hat sie mir anvertraut. Sieben Jahre alt und solche Gedanken. Tun Sie da was? Handeln Sie da und verschaffen sich Zugang? Die wahren Morde, die klären Sie niemals auf, und warum? Weil Sie sie nicht wahrnehmen! Weil die, die ermordet werden, weiterleben, und Sie denken, sie leben. Aber sie leben nicht! Sie vegetieren! Sie schleppen bloß ihre Haut mit sich rum, und innen ist alles tot und getötet! Vielleicht verstehen Sie sogar, was ich meine. Aber sicher bin ich mir nicht. Danke, daß Sie das Kruzifix abgenommen haben. Danke. Danke. Leben Ihre Eltern noch? Meine nicht mehr. Mein Vater wurde Opfer eines tragischen Unfalls, meine Mutter starb an einer Krankheit, an welcher, das spielt keine Rolle. Mein Vater war eigentlich Italiener, stellen Sie sich das vor! Sein Vater war Italiener, seine Mutter war halb deutsch, halb italienisch, gemischt. Und? Mein Vater hat versäumt, mir seine Muttersprache beizubringen, stellen Sie sich das vor! Er sprach nicht Italienisch mit mir, oder ich weiß nicht. Jetzt denk ich gerade, kann sein, seine Fäuste sprachen Italienisch, und ich hab sie bloß nicht verstanden. Wenn er sprach, dann fäustlings. Einmal warf er mich aus dem Fenster, war nur der erste Stock, ich platschte auf den Asphalt, Bein hin, Arm hin, Kopf noch ganz. Wichtig. Wissen Sie ja. Sehr wichtig! Der Mörder sollte nach Möglichkeit einen klaren Kopf haben, das vereinfacht Ihre Arbeit. Und die Arbeit des Richters. Meine Jugend verbrachte ich übrigens in einem Gulag.«

»Ihre Kindheit interessiert mich nicht«, sagte Fischer ohne Unterton in der Stimme, ohne Betonung, ohne sich zu bewegen.

In der kurzen Pause, die entstand, schüttelte Valerie ihre Hände aus.

»Meine Kindheit interessiert Sie nicht?« Badura ballte wieder die Fäuste und klopfte auf den Tisch, nicht laut, jedesmal mit einem mickrigen Grinsen. »Gut so! Scheißkindheit! Danke für Ihre Ehrlichkeit. Die Leute machen sich heutzutage so wichtig mit ihrer Kindheit, sie versuchen damit durchzukommen, oder? Wahrscheinlich sind Sie ein Kindheitsexperte. So ein Mörder, der bildet sich doch was ein auf seine mißratene Kindheit, auf seinen Vater, der ihn aus dem Fenster geschmissen hat, auf seine Mutter, die ihn in einen Gulag gesperrt hat, bis er verreckt ist, aber so, daß niemand was merkt, hat weitergetan, ist in der Schule gewesen, hat sich zusammengerissen. Danke für das offene Wort! Schaufeln wir unserer Kindheit ein Grab. Als ich ein Kind war, dachte ich, Eltern wären Laternenanzünder, die machen Lichter an in der Finsternis, und sie achten drauf, daß, wenn eins ausgeht, gleich ein neues anderswo angeht. So dumm bin ich gewesen! So dumm. Eltern sind keine Laternenanzünder, die allerwenigsten bloß. Frau Nele Schubart ist keine Laternenanzünderin, sie ist eine Laternenkaputtmacherin. Ja, das können Sie nicht beweisen, aber ich. Und da war das Mädchen, und ich hab mit ihr auf dem Spielplatz gespielt, und sie hat mir Sachen erzählt, und ich hab ihr Sachen erzählt, und dann haben wir uns gegenseitig versprochen, daß niemand was davon erfährt, nie, nie, niemand, nie! Und ich hab geschworen, daß ich sie hol und mitnehm, und das hab ich getan und mehr nicht. Sie klagen mich wegen Entführung an! Sind Sie dumm? Ich hab das Mädchen nicht entführt, ich bin mit ihr ans Meer gefahren, weil das ihr Glückswunsch war in der Finsternis, Sie feiger Depp! Sie laufen aus dem Kloster weg und klagen mich an, weil ich nicht weggelaufen bin! Schämen Sie sich im Keller! Leben Ihre Eltern noch? Gehen Sie hin, und schämen Sie sich vor ihnen! Aber so funktioniert Ihre Gerechtigkeit: Das Mädchen war weg, und ich hab sie genommen, und das ist strafbar. Wir waren in einer Pension und haben jeden Morgen aufs Meer gesehen, und sie hat endlich keine Angst mehr gehabt, keine Angst, keine Angst. Was wissen Sie von der Angst eines Kindes? Haben Sie ein Kind? Garantiert nicht! Ich will die Antwort gar nicht wissen, ich kenn sie schon. Sie klagen mich an. Frau Nele Schubart hat das Kind in den Schrank gesperrt. Ein Kind in einen Schrank gesperrt! Sperren Sie ein Kind in den Schrank? Wer sperrt ein Kind in den Schrank? Hat Frau Schubart getan. Und den Schlüssel abgezogen. Und ist aus dem Haus und ist fünf Stunden später wiedergekommen. Wissen Sie, was geschieht, wenn Sie ein Kind von vier oder fünf oder sechs oder sieben Jahren in einen Schrank sperren? Wissen Sie, was da geschieht? Nein, Sie Depp! Aber ich: Das Kind kommt nie mehr da raus! Nie mehr. Und wenn Sie es nach fünf Stunden rauslassen, kommt es trotzdem nicht mehr raus, Sie Depp! Das Kind bleibt dann im Schrank, es will nicht mehr raus, weil es weiß, es kommt zurück, lieber will es in der Finsternis bleiben und sterben und sich auflösen in der Finsternis. Und die Frau Nele Schubart hat sich mir hingegeben und das Mädchen derweil in den Schrank gesperrt oder nur in die Wohnung. Dann konnte sie wenigstens rumlaufen. Sie war ja schon so klein geworden, haben Sie das nicht bemerkt? So klein und schattig! Und du sitzt hier. Und du. Mein Vater ist einem Unglück zum Opfer gefallen. Oh. Er ist erschlagen worden. Mit einem Beil. Das lag da rum. Ein Schlag. Ich war acht. Und war Zeuge. Das hat Ihr Kollege damals nie erfahren. Das hat den doch nicht interessiert! Das haben wir doch schon geklärt, was interessant ist für Sie und was nicht. Der Täter ist betrunken gewesen, mein italienischer Vater auch, sie stritten ums Rechthaben, und mein Vater hatte das Beil vorher in der Hand. Erleichterung bei Ihrem Kollegen. Ich hockte hinter dem Fenster im ersten Stock und sah zu, ich sah das Unglück mit eigenen Augen, wie es geheißen hätte, wenn mich jemand bemerkt hätte. Und ich hab auch den letzten Satz gehört, den der Mohrhold Andreas zu meinem Vater gesagt hat. Der Satz war: Du wirst nie wieder deinem Sohn was antun! Dann hat er zugeschlagen und getroffen. Den Satz hab ich gut verstanden, weil das Fenster gekippt war, es war Sommer und niemand sonst im Hof unserer Schreinerei. Mittags haben sie Wein getrunken. Der Andreas war aus dem Norden, er hat seinen zwei Töchtern seine Muttersprache beigebracht. Spielt keine Rolle. Darf ich Ihnen was verraten, Kommissar? Vielleicht hab ich mir den letzten Satz nur eingebildet als Kind. Acht Jahre alt! Kann man nicht wissen. Für den Kommissar gab es keine Zeugen. So funktioniert Wirklichkeit, Sie wissen nichts und klagen an!«

»Haben Sie die Leiche von Nele Schubart deshalb im Schrank abgelegt, weil sie ihre Tochter in den Schrank gesperrt hatte?« fragte Fischer.

»Das hat doch damit nichts zu tun! Wieso verstehen Sie das nicht? Sie können es nicht verstehen. Im Schrank. Der Schrank. Haben Sie meine Frau inzwischen erreicht?«

»Sie ist noch nicht zu Hause«, sagte Fischer. »Zwei Kollegen von mir warten auf sie.«

»Gut. Danke. Gut. Sie ist oft eigensinnig, sie liest viel. Eine Frau namens Günderode. Schwermütige Verse. Das ist ihre Welt. Sie wird kommen, ich muß mit ihr sprechen, ich muß reinen Tisch machen. Hab sie angelogen, wollt sie nicht verstören, wußte nicht, wie ich ihr erklären soll, was geschehen ist.«

»Nachdem Sie das Hochhaus verlassen hatten, holten Sie Katinka aus der Wohnung und fuhren mit ihr noch in derselben Nacht nach Italien, nach Pisa«, sagte Fischer.

»Sofort sind wir losgefahren. Sie nahm ihren Toni mit, und ich packte Sachen für sie ein. Sind wir losgefahren. Ohne Zeugen. Wie immer. Niemand sieht was. Das Kind, das verhungert ist, stand in der Zeitung, hat niemand gesehen. Dafür sehen sie die verhungerten Kinder in Afrika oder Pakistan. Im Fernsehen. Heißt Fernsehen, weil wir fern sehen, ist besser als nah sehen. Spielt keine Rolle. Wollen Sie die Adresse der Pension, in der wir übernachtet haben, Katinka und ich? Ich war mit Elisabeth da, vor zehn Jahren, vor zwölf Jahren, als sie noch gern aus dem Haus ging, mag sie heut nicht mehr, sie bleibt bei sich im stillen. Das respektiere ich sehr. Sie ist meine Frau, ich liebe sie. Da haben die Leute geschaut: der Mann und die neunzehn Jahre ältere Frau, das ist was zum Schauen, oder? Sind Sie verheiratet? Sie haben keine Zeit für die Liebe, Sie rennen dauernd Mördern hinterher. Merkwürdig, daß Sie sie nie rechtzeitig er-

wischen. Und immer die falschen. Wie mich. Mich halten Sie
für einen Mörder und vergeuden Zeit und Steuergeld mit mir,
und draußen bringt schon wieder jemand ein Kind um, das
dann weiterleben muß. Die Frau Nele Schubart ging ins Kino
und brachte gleichzeitig ihre Tochter um. So was nennen Sie ein
Alibi! Perfekt. Wir waren jeden Tag am Strand und haben Eis
gegessen und Spaghetti vongole und zum Nachtisch Dolce, und
deswegen hab ich sie geholt und mitgenommen, weil sonst niemand da war, der die Schranktür aufgemacht hat. Die Frau
Schubart hatte eine Menge Ficker, aber die haben außer Ficken
nichts gekonnt, und wenn Sie es ganz genau wissen wollen: Die
Frau Schubart konnte auch nicht mehr.«

»Sie haben sie erhängt und ihrer Tochter den einzigen Menschen weggenommen, der ihr nahe war«, sagte Fischer.

»Katinka ist jetzt am Leben und nicht mehr tot!« schrie Badura. Valerie zuckte zusammen. »Sie Depp! Sie glauben, ich
hab die Frau in den Schrank gelegt, weil sie ihre Tochter getötet hat? Glauben Sie das allen Ernstes? Sie Weglaufer! Ich hab
die in den Schrank gelegt, damit niemand sie sieht! Damit sie
weg ist! Damit sie ihre Strafe erhält, damit ihr Körper verrottet da unten in der Tiefgarage. Wer sich umbringt, dessen Körper muß bestraft werden! Das müssen Sie doch wissen als
Mönch! Sie kennen doch die Zehn Gebote, oder nicht? Stimmt
das nicht, was in der Zeitung stand? Sind Sie gar kein ehemaliger Mönch? Natürlich nicht! Das ist bloß eine Legende!
Wenn Sie ein ehemaliger Mönch wären, würden Sie mich
nicht fragen, warum ich die Frau in den Schrank gelegt hab!
Und ursprünglich wollt ich sie mitnehmen und im Wald ver-
brennen. Aber dann wollt ich keine Zeit verlieren und endlich mit dem Mädchen losfahren. Sie hat auf mich gewartet,
und ich hab ihr versprochen gehabt, daß ich in der Nacht
komm und sie und den Toni abhol. Davon haben Sie ja keine
Ahnung!«

»Sie behaupten, Nele Schubart habe Selbstmord begangen?« sagte Fischer. »Sie behaupten, sie habe sich freiwillig erhängt?«

»Nein!« Baduras Mund klappte auf und zu. Seine Stirn war schweißbedeckt, auf seinem Hemd bildeten sich dunkle Flekken. »Das behaupt ich nicht! Ich behaupte doch nichts! Sie hat sich erhängt. Als ich im Bad gewesen bin!«

»War der Stuhl umgekippt, als Sie ins Zimmer zurückkamen?«

»Was? Umgekippt? Ja! Der Stuhl war umgekippt, sie hat ihn weggestoßen, als ich draußen war. Ich mußte mein Gesicht waschen, mir war heiß, ich ertrug den Anblick der feigen Frau nicht mehr, noch dazu war sie nackt, sie stand auf dem Stuhl, haben Sie das nicht rekonstruiert? Sie können doch alles nachstellen, oder nicht? Haben Sie eine Kollegin auf den Stuhl gestellt und ihr eine Schlinge um den Hals gelegt? Zu feige. Ich hab sie gezwungen, sich auf den Stuhl zu stellen und zu bereuen. Auf einmal hatte sie Angst, aber sie kapierte nicht, was ich von ihr verlangte. Die Frau, die heimlich ins Kino geht, aber ihre Tochter ermordet, fängt an zu wimmern und weiß nicht mal, wieso. Wieso? Wieso? wimmerte sie. Ich ließ sie wimmern da oben. Ich setzte mich auf den Stuhl, bis es aus ihr heraustropfte, da mußte ich ins Bad gehen und mein Gesicht waschen, Herrgott! Ekelhaft. Ich kam zurück und da hing sie. Hing da! Sie hat sich aufgehängt. Und ich bin hin, und hab sie rumgestoßen, von rechts nach links, von links nach rechts, ihre Beine schlugen gegen das Bettgestell, gegen den Schrank, ich hab sie gestoßen und gestoßen, und dann hab ich sie abgenommen und hätt am liebsten auf sie draufgeschifft aus Strafe. Die Frau ist weggelaufen aus dem Leben! Kennen Sie das fünfte Gebot? Du sollst nicht töten! Und dieses Gebot ist absolut.«

»Das Gebot ist nicht absolut«, sagte Fischer.

»Ich wußte es!« Badura schlug mit der linken Hand durch die Luft. »Sie sind ein Deserteur! In allem! Sie laufen weg vor der Verantwortung, wie so viele, so viele über die Jahrhunderte. Und der erste, der weggelaufen ist, war Jesus!« Er nickte zum Kruzifix auf dem Fensterbrett. »Der geht hin und läßt sich kreuzigen und sie bejubeln ihn und ahmen ihn nach. Das Christentum ist eine Zusammenrottung von Feiglingen!«

»Das fünfte Gebot«, sagte Fischer, »galt nie für Kriege oder die Hinrichtung von Verurteilten. Es war die katholische Kirche, die den Selbstmord ächtete. In den heiligen Schriften ist davon keine Rede.«

»Ha!« rief Badura. »Haben Sie Thomas von Aquin nicht gelesen? Haben Sie Dante nicht gelesen? Sie Depp! Der Selbstmord ist Frevel! Der Selbstmord ist ein Verbrechen am Menschsein. Der Selbstmord ist eine Todsünde gegen Gott. Der Selbstmord ist eine Beleidigung der Schöpfung! Der Selbstmord ist die Ausgeburt des Irrsinns. Das müssen Sie doch wissen! Und der Selbstmörder verliert das Recht auf irdische Geborgenheit für alle Zeit. Man muß seine Leiche hinrichten, man muß sie zerstückeln und verscharren, die Leiche des Selbstmörders ist Dreck! Und wer Selbstmord begeht, ist weniger als Dreck. Verstehen Sie das nicht?«

»Sie leben im Mittelalter, Herr Badura.«

»Sie leben im Mittelalter!« schrie Badura und fuhr sich mit dem Arm übers Gesicht; das Hemd unter seinen Achseln war schwarz von Schweiß. »Sie weigern sich zu glauben! Sie weigern sich, Verantwortung zu übernehmen! Sie flüchten! Sie ducken sich! Natürlich. Sonst säßen Sie jetzt nicht hier, sondern wären in Ihrem Kloster! Sie sind Judas, Sie sind Pilatus, Sie hauen einfach ab, sie sind egoistisch, sie sind selbstverliebt! Und die Selbstverliebtheit ist eine der größten Sünden, die muß am schwersten bestraft werden!«

»Sie haben Nele Schubart bestraft, weil sie ins Kino gegangen ist und ihre Tochter mißachtet hat«, sagte Fischer.

»Ich hab sie zur Rechenschaft gezogen! Rekonstruieren Sie das! Ich hab sie gefesselt, ich hab sie auf den Stuhl gestellt, ich hab ihr die Schlinge um den Hals gelegt, ich hab ihr die Möglichkeit gegeben, Buße zu tun, zu bereuen, den Tod ihres Kindes rückgängig zu machen! Und sie? Sie hat sich davongestohlen. Ich ging ins Bad, ich kam zurück, da hing sie. Ich verachte diese Frau!«

Mit einem Ruck stand er auf, zeigte auf das Kruzifix und schrie: »Und ich verachte Jesus und diese sogenannten Märtyrer und alle, die sich davonstehlen, anstatt das Leben auszuhalten bis zum Ende, allem Schmerz zum Trotz, aller Leiden zum Trotz, allem Elend zum Trotz! Und du und Frau Nele Schubart, ihr laßt euch kreuzigen, ihr erhängt und erdolcht euch, ihr trinkt Gift, oder ihr erschießt euch, und ihr haltet euer Handeln für Freiheit. Aber euer Handeln ist verdammt und zeigt einen schmutzigen Geist, eine verrottete Seele!«

Er hustete und setzte sich wieder.

Valerie nutzte die Unterbrechung, um wieder ihre Hände auszuschütteln und ihre Finger zu kneten.

»Noch nie«, sagte Badura, »hat ein Tier Selbstmord begangen. Denn dem Wesen des Tiers ist der Selbstmord fremd! Nur der Mensch bildet sich ein, sich über sein Wesen erheben zu können, nur der Mensch verachtet sich selbst als göttliches Geschenk, nur wir Menschen sind fähig zur Todsünde! Und Sie besaßen die Frechheit, in einen Orden einzutreten, und Sie erlaubten sich die noch viel schändlichere Frechheit, aus dem Orden wegzulaufen! Und jetzt besteht Ihr Glauben aus Paragraphen und Fingerabdrücken und medizinischen Apparaten, Sie haben Ihre Existenz delegiert, und Sie begreifen es nicht mal. Vielleicht waren Sie auf dem Weg zum reinen Glauben, aber Sie haben nicht durchgehalten, Sie sind gescheitert.

Weil Sie schwach waren, weil Sie schwach sein wollten! Als ich erkannt hatte, daß Jesus nicht heroisch, sondern feige gehandelt hat, hab ich die Kirche verlassen, da war ich neunzehn Jahre alt. Aber nach zwei Jahren kehrte ich zurück, weil ich das eigentliche Wesen der katholischen Kirche erkannt hatte, und dafür werd ich Gott danken bis zum Tod und darüber hinaus. Und ich hab die Frau Schubart nicht getötet, und es ist nicht meine Aufgabe, Ihnen das zu beweisen! Es spielt nämlich keine Rolle. Ich sage Ihnen, ich wollt sie auf den rechten Weg zurückweisen, und sie hat sich entzogen. Und ich betone ausdrücklich: Wenn das Kind nicht auf mich gewartet hätt und kein Kind gewesen wär, das bis zu dieser Nacht und allen Qualen und Enttäuschungen und Erniedrigungen zum Trotz immer noch darauf gehofft hatte, daß aus ihrer Mutter eine Laternenanzünderin würd, hätt ich die Leiche der Frau Schubart in den Wald gebracht und verstümmelt und angezündet, und dann wär ich nach Hause gefahren und hätt meiner Frau gestanden, daß ich seit dem ersten Januar arbeitslos bin. Du sollst nicht töten. Und dieses Gebot, Sie niederträchtiger und verdammungswürdiger Feigling, gilt absolut! Für alle Ewigkeit! Was denken Sie? Halten Sie mich für einen Idioten? Halten Sie mich für einen Fanatiker? Nein. Sie halten mich für einen Mörder, für einen Kindesentführer, Sie können Ihre Haltung sogar beweisen, vermute ich. Wenn Sie meine Akte geschlossen haben, wartet schon Ihr nächster sogenannter Fall auf Sie. Sie wissen immer, was zu tun ist, Sie kennen sich aus, Sie durchschauen jeden Lügner, das seh ich Ihnen an! Bestimmt sind Sie ein besonderer Kriminalist, bei Ihnen bleibt kein Mord ungeklärt, kein Verbrecher entkommt ungestraft, die Leute fürchten sich vor Ihnen. Ich nicht. Und je länger ich Sie anseh, desto mehr bedauere ich, daß ich die Frau Nele Schubart nicht doch in den Wald gebracht und erst dann das Mädchen geholt hab. Wenn ich gewußt hätt, daß ich auf einen

Menschen wie Sie treff, dann hätt ich die Tat zu Ende ausgeführt, denn das wär Ihnen und Ihrer Gesinnung angemessen gewesen. So haben Sie es leicht mit mir. Und auch mit dem Mann, der die Nonne erwürgt hat. Warum hat er das getan? Ich hab alle Zeitungen gelesen, sie schreiben, er behauptet, die Nonne habe ihn dazu gezwungen. Wählte die Nonne den Freitod wie Frau Nele Schubart? Dann kommen Sie diesmal ja reibungslos voran! Der Mann ein Mörder, ich ein Mörder. Die Wahrheit wär der Welt nicht zuzumuten. Eine Bitte hab ich: Bevor Sie mich einsperren, möcht ich mich gern von meiner Frau verabschieden und ihr gestehen, daß ich sie angelogen hab, und sie um Verzeihung bitten. Bestimmt verzeiht sie mir, sie ist ein barmherziger Mensch, und die Barmherzigkeit, die hab ich in all den Jahren, in denen sie ihr Leben mit mir teilt, von ihr gelernt. Sie lehrte mich, vergeben zu können, und das hab ich versucht. Auch bei Frau Nele Schubart, das schwör ich Ihnen!«

»Sie haben ihr einen Filzball in den Mund gesteckt«, sagte Fischer. »Wie hätte Nele Schubart um Vergebung bitten sollen, wenn sie nicht sprechen konnte?«

»Oh, das wär leicht gewesen! Sie hätt mir ein Zeichen geben können. Zudem wollte sie schreien, das ertrag ich nicht! Das hat sie gewußt, ja: Ich mag nicht, wenn jemand schreit. Auch in der Absteige, wo wir uns getroffen haben, wollte sie schreien, und ich mußte ihr den Mund zuhalten. Sie hätt mir ein Zeichen geben können, ich hab darauf gewartet. Hat sie nicht getan!«

»Haben Sie die Bergpredigt gelesen?«

»Alles gefälscht!«

»Bitte?«

Badura betrachtete mit verächtlichem Gesichtsausdruck seine langen, rissigen Fingernägel. »Diese Dinge wurden später geschrieben, sie haben keine Bedeutung. Selig, die arm sind, weil ihnen gehört angeblich das Himmelreich. Lassen Sie mich in Ruhe!«

»Denn wie ihr richtet«, sagte Fischer, »so werdet ihr gerichtet werden. Warum siehst du den Splitter im Auge deines Bruders, aber den Balken in deinem Auge bemerkst du nicht? Das sind Worte aus der Bergpredigt. Sie fielen mir ein, weil Sie erklärt haben, Sie wollten Nele Schubart zur Rechenschaft ziehen.«

Badura sah ihn an, nickte und verschränkte die Arme vor der Brust.

»Haben Sie das Kellerschloß in der Tiefgarage aufgebrochen?« fragte Fischer.

»Mit meiner persönlichen Beißzange, dann weggeschmissen.« Badura redete mit gesenktem Kopf und gelangweilter Stimme.

»Was haben Sie mit dem Handy von Frau Schubart gemacht?«

»Nichts Besonderes«, sagte Badura. »Ich hab es mit meinem persönlichen Hammer zertrümmert, dann in den Mülleimer geworfen.«

»Wo war das?«

»Auf einem Rastplatz. Ich zeig Ihnen die Stelle auf der Landkarte. Ich versteh genau, warum diese Dinge wichtig für Sie sind. Ihr Bild muß stimmen, Ihr Bild von dem, was Sie für die Wahrheit halten. Weiße Stellen in Ihrer Polizeiakte sind für alle Beteiligten die Hölle. Das versteh ich. Sie verwalten das alles, was Leute wie ich Ihnen zumuten. Muß so sein. Gewähren Sie mir eine Bitte?« Er hob den Kopf, blickte mit starrem Blick zum Fenster und wandte sich dann an den Kommissar. »Darf ich meine Frau noch einmal sehen?«

23

Die Ermordung Gottes

Sigi Nick schenkte in der Runde Kaffee nach, humpelte zu seinem Platz, setzte sich und sah Esther an, die neben ihm saß; sie sagte ebenso kein Wort wie die übrigen acht *Apostel*. Jeder von ihnen hatte eine dreiundzwanzigseitige, am linken Rand zusammengeheftete Akte vor sich liegen, einen Kugelschreiber und einen Notizblock, und alle hatten die Protokolle mit Anmerkungen versehen.

»Lies eine Stelle«, sagte Silvester Weningstedt, der als einziger sein Sakko nicht ausgezogen hatte, »auch wenn wir nicht beim Essen sind.«

Im Büro war es warm, aber sie hatten die Fenster geschlossen, weil es aussah, als würde es jeden Moment zu regnen anfangen.

Fischer nahm das Buch, auf das er die Akte gelegt hatte.

»Die Buddhisten würden sagen: Alle Dinge wären in Ordnung, wenn die Menschen nur dem edlen achtfachen Pfad des Dharma folgen würden und wahre Einsicht in das Selbst hätten. Der Christ sagt uns, wenn wir nur an Gott glaubten, hätten wir eine bessere Welt. Der Vernunftmensch behauptet, wenn die Menschen intelligent und vernünftig wären, könnten alle unsere Probleme gelöst werden. Das Verdrießliche ist, daß niemand von diesen allen die Probleme selbst lösen kann. Christen fragen oft, warum Gott nicht zu ihnen spreche, wie er es in früheren Zeiten getan haben soll. Wenn ich solche Fragen höre, denke ich immer an den Rabbi, der gefragt wurde, wie es komme, daß Gott sich früher den Menschen so oft gezeigt habe, ihn heutzutage aber niemand mehr zu sehen bekomme. Der Rabbi antwortete: Heutzutage gibt es niemanden mehr, der sich tief genug bücken kann.«

Fischer legte das schmale, mit Hieroglyphen bedruckte Lesezeichen zwischen die Seiten, schlug das Buch zu und legte die Akte darauf, das Protokoll seiner Vernehmung.

Mit einem Blick in den Kreis seiner Kollegen schlug Weningstedt die erste Seite um und nahm seinen Kugelschreiber. »Für Dr. Dornkamm wurde die Frau erhängt. Er kann keine gerichtsverwertbaren Beweise für eine Selbsttötung erbringen. Ein Suizid ist nicht nachzuweisen.«

»Schließt Dornkamm ihn aus?« fragte Fischer.

»Das kann er nicht. Aber wir werden uns hier nicht in die Sphäre einer metaphysischen Beweiserhebung begeben. Ich lese die Aussagen des Täters, er gibt vor, die Wahrheit zu sagen, aber er lügt, und wir wissen es. Er hat die Frau entführt, gefesselt und geknebelt und ihr einen Strick um den Hals gelegt, angeblich um sie zur Reue zu zwingen, wie er sich ausdrückt. Er hat ihren Tod willentlich in Kauf genommen, vermutlich hat ihn ihre Nacktheit erregt. Er hat sich auf den Stuhl gesetzt. Zwischen ihre Beine, mit denen sie auf der Lehne stand. Der Mann hat den Mord kaltblütig geplant. Und wenn er gemordet hat, weil er sich als alttestamentarischer Rächer fühlt, wird ihm das vor Gericht nichts nützen, eher im Gegenteil.«

»Sein Anwalt hat schon einen Psychologen beauftragt«, sagte Emanuel Feldkirch. »Wir werden uns noch wundern. Am Ende geht es nicht mehr um Baduras religiöse Verirrung, sondern um seinen liebevollen Umgang mit dem Kind, das er aus den Klauen der bösen Mutter befreien wollte. Wir leben in Zeiten des Täter- und nicht den Opferschutzes.«

»Und warum können wir das nicht verhindern?« fragte Liz.

»Weil es nicht unser Job ist!« sagte Micha Schell und fing an, das Deckblatt der Akte mit seinem Kugelschreiber zu bekritzeln, bis keine Nummer und kein Name mehr zu lesen waren. »Weil die Wahrheit nicht mehr das ist, was wir rausfinden, sondern das, was ein Anwalt samt seinem Psychogräber ausbuddelt. Das liest sich besser, das verkauft sich besser, das will jeder wissen. Aber ich will das nicht wissen! Ich will, daß ein Drecksack, der eine Frau zwingt, sich nackt auszuziehen und auf einen Stuhl zu steigen, und ihr eine Schlinge um den Hals legt und sie aufhängt, weil er sich dringend einen runterholen muß, den Rest seines Scheißlebens in einer Zelle verbringt, und es ist mir scheißegal, ob der in seiner Kindheit Probleme mit seinem Vater oder mit seiner Mutter oder mit seinem Hund gehabt hat! Soll ich euch mal was sagen?«

»Ein andermal, Micha, bitte«, sagte Weningstedt.

»Ich sag euch mal was: Ein Anwalt oder ein Psychiater, der so einen wie den Badura oder diesen Flies, wer solche Leute verteidigt und in Schutz nimmt, der fickt unsere Gesellschaft und der verspottet die Opfer und der verarscht uns, die Polizei. Und wir sind machtlos und wir bleiben machtlos und wir werden immer noch machtloser, liebe Liz. Willkommen in der Mordkommission.«

»Du bist ungerecht«, sagte Gabler.

»Ist nicht mein Job!« Schell warf den Kugelschreiber auf den Tisch. »Gerechtigkeit! Ich bin zuständig für Formulare, ich numeriere Leichenteile, ich kenn mich aus mit Zahnschemen. Was hat das mit Gerechtigkeit zu tun? Alles okay, Linhard hat uns gelobt, schnelle Truppe! Tut mir leid, daß ich dich aufgehalten hab, Silvester.« Er hob die Arme und versank in Schweigen.

Weningstedt richtete seinen Blick auf die Akte. »Sebastian Flies, ja, der wird vermutlich wegen Totschlags verurteilt. In diese Richtung läuft unsere Beweiserhebung. Vorsätzlicher Mord ist ihm nicht nachzuweisen, auch wenn ich aus den Protokollen den Eindruck gewinne, daß er die Tat durchaus nicht nur im Affekt begangen hat.«

»Er wollte töten«, sagte Fischer.

Zum Erstaunen seiner Kollegen war er vor einer Stunde in seinem Büro verschwunden und hatte die Tür hinter sich geschlossen, was er gewöhnlich nicht tat, nicht einmal wenn er einen Zeugen befragte oder über den Boden kroch, um sein Zettelchaos zu studieren. Als er wieder herauskam, wirkte er nach Meinung von Liz abweisend und angespannt. Während der Konferenz schien seine Stimmung sich zu normalisieren.

»Der Augenblick kam, und er nutzte ihn. Und für sie, Ines Gebirg, bot sich die Gelegenheit zu sterben, und sie nutzte sie. Und Nele Schubart könnte sich erhängt haben, weil sie tatsächlich bereute, aber begriffen hat, daß es zu spät war, daß sie ihr Kind schon verloren hatte und Katinka bei ihr schon lange kein Obdach mehr fand.«

Schell schüttelte den Kopf.

»Das alles können wir nicht ausschließen«, sagte Fischer. »Doch wenn wir es in die Akten schreiben, lacht uns nicht nur die Staatsanwaltschaft aus, sondern die Welt.«

»Warum denn?« sagte Liz. »Wir sind verpflichtet, in alle Richtungen zu ermitteln.«

Fischer lächelte, kurz und wie aus Versehen.

»Der Mann, Badura, ist weggelaufen«, sagte Weningstedt und pochte mit der Spitze des Kugelschreibers aufs Papier. »Er hat das getan, was er dir, P-F, und der halben Menschheit vorwirft: Er hat sich geduckt und ist geflüchtet, und als Alibi hat er das Mädchen mitgenommen. Um ihr angeblich das Meer zu zeigen.«

»Das Mädchen hat seine Aussage bestätigt«, sagte Liz.

»Weiß ich. Wenn schon! In unserer Akte steht, er ist nach der Tat und dem abscheulichen Akt des Versteckens der Leiche ins Ausland geflüchtet.«

»Immerhin: freiwillig zurückgekommen«, sagte Georg Ohnmus.

»Und was hat er dann getan?« Weningstedt bohrte den Stift in das oberste Blatt. »Er hat sich wieder versteckt! Er ist nicht zu seiner Frau. Er hat sie am Telefon weiter angelogen. Der Mann lügt, der Mann mordet aus niederen Beweggründen, auch das werden wir in die Akte schreiben. Denn ich bin, wie Micha gerade gesagt hat, fest davon überzeugt, daß es vor allem um einen Akt sexueller Erniedrigung ging und um nichts anderes. Dieses Gerede vom fünften Gebot! Und daß sogar Jesus Christus gegen das Verbot verstoßen haben soll. Er hat sich umgebracht! Hängen Sie das Kruzifix ab, Herr Kommissar, ich kann den Anblick dieses Feiglings nicht ertragen! Nein, das ist das falsche Wort. Wie hat er Jesus genannt?«

Zornig schlug er die Akte auf. »Einen verdammten Selbstmörder! Wenn ich dran denke, daß er diese ganze lebensverachtende Selbstgefälligkeit vor Gericht noch einmal zur Schau tragen wird, könnte ich mich übergeben. Leute, die sich auf Gott berufen und in seinem Namen morden! Ich weiß schon, warum ich vor über dreißig Jahren aus der Kirche ausgetreten bin.«

»Das hab ich gar nicht gewußt!« sagte Walter Gabler. »Auf mich machst du immer einen so ... katholischen Eindruck.«

»Was meinst du damit?«

»Katholisch. Gläubig. Ich hätte nie gedacht, daß du so einen Schritt wagen würdest.«

»Ich war Anfang Zwanzig«, sagte Weningstedt. »Aber meine Meinung habe ich nicht geändert.«

Feldkirch räusperte sich. »Da habe ich noch nie drüber nachgedacht, daß Jesus tatsächlich freiwillig zum Kreuz ging.« Er blickte in die Runde, ohne jemanden anzusehen. »Aber er tat es für die Menschheit. Oder nicht? Er hat sich geopfert, heißt es in der Bibel. Ist das Selbstmord? Ja. Auch. Oder?« Entschuldigend hob er die Hand. »Ich wollte dich nicht unterbrechen«, sagte er zu Weningstedt.

Der Erste Hauptkommissar dachte nach, dann schüttelte er den Kopf und sah Fischer an. »Ich möchte mich bei dir als Sachbearbeiter für die schnelle Aufklärung bedanken. Ich hab einen Blick in den Dienstplan geworfen, in den nächsten zwei Wochen sind alle Kollegen anwesend. Wenn du willst, kannst du ein paar Tage Urlaub nehmen und Überstunden abbauen, du hast noch genau einhundertachtunddreißig.«

»Ich werde Ann-Kristin fragen.« Fischer wandte sich an seine Kollegen. »Danke an euch alle. Ich bringe Badura ins Untersuchungsgefängnis und vorher kurz zu seiner Frau, damit er sich von ihr verabschieden kann.«

Sie klopften mit den Fäusten auf den Tisch. Weningstedt wollte einen letzten Schluck trinken, schob die Tasse aber mit einem Schaudern beiseite.

»Schmeckt dir der Kaffee nicht?« fragte Sigi Nick quer über den Tisch.

»Ist kalt geworden«, sagte sein Chef.

»Warte!« rief Liz.

Sie rannte durch den strömenden Regen, der plötzlich eingesetzt hatte, hinter dem Mann mit dem ausladenden gelben Schirm her und hakte sich außer Atem bei ihm unter. »Ich muß dich dringend was fragen. Oder möchtest du lieber allein zum Präsidium gehen?«

»Red nicht, frag«, sagte Fischer.

»Deine Meinung ist doch, man soll das Leben nicht allzu persönlich nehmen.«

»Nicht *das* Leben«, sagte Fischer, »sondern man sollte *sein* Leben nicht allzu persönlich nehmen. Das ist ein wesentlicher Unterschied.«

Liz dachte nach. Der Regen trommelte auf die Bespannung, die Passanten drängten sich in überdachten Hauseingängen aneinander. Dann sagte sie: »Man soll sein Leben nicht

allzu persönlich nehmen, weil das Leben auch ohne uns aus-
käme, weil die Schöpfung keine Namen verteilt, weil wir als
Person nur ein Teil des Lebens sind, das wir führen, und vielleicht nicht einmal der wichtigste und beste Teil. So richtig
zitiert?«

»Ungefähr«, sagte Fischer, auf unerwartete Weise erleichtert über den Regenguß und die kühle Luft und die überraschende Anwesenheit seiner jungen Kollegin, die sich ein wenig anstrengen mußte, um mit ihm Schritt zu halten.

»Aber Menschen, die sich umbringen«, sagte Liz, »nehmen
ihr Leben sehr persönlich. Machst du Selbstmördern deswegen einen Vorwurf? Verurteilst du sie?«

»Nein«, sagte Fischer. Liz hielt seinen Arm mit beiden
Händen fest. »Der Selbstmord ist Teil der menschlichen Natur, und ich würde mich nie über so eine Entscheidung erheben.«

»Respektierst du sie?«

»Ja.«

»Obwohl diese Leute das Leben sehr persönlich nehmen.«

»Eben nicht«, sagte Fischer.

Sie erreichten den Frauenplatz auf der Rückseite des Polizeipräsidiums und beobachteten, wie Touristen die Stufen zum
dunkel in den Himmel ragenden neugotischen Backsteinbau
des Doms hinaufrannten.

Vor dem bronzenen Stadtplan mit den eingearbeiteten
Punkten für Blinde verlangsamte Fischer seinen Schritt. Liz
keuchte. »Selbstmörder überwinden das persönliche Leben,
sie legen es ab wie ein Kleid. Ihr Leben lang kamen sie sich vor
wie eingenäht in eine falsche Haut, und eines Tages schaffen
sie es herauszuschlüpfen. Für mich ist der Selbstmord ein Ausdruck des größtmöglichen freien Willens.«

Liz strich über die regennassen Miniaturgebäude auf dem
steinernen Sockel. »Aber viele Selbstmörder sind depressiv, sie

sind krank, sie haben vielleicht keinen freien Willen mehr, sie handeln vielleicht aus Überdruß, sie wissen vielleicht gar nicht wirklich, was sie tun.«

»Sie wissen es«, sagte Fischer. »Kurz, bevor sie es tun, wird ihnen die Tragödie ihres Lebens bewußt, und sie wollen nicht zurück.«

»Und warum verschweigen wir, die Polizei, und die städtischen Behörden so oft, daß jemand sich umgebracht hat, und sprechen statt dessen von einem Unfall? Es ist doch nicht mehr verboten, wie im Mittelalter, sich umzubringen.«

»Es ist nicht mehr verboten«, sagte Fischer. »Aber die Gesellschaft erträgt Selbstmörder schwer. Sie sind wie ein Spiegel, wir erkennen ihren Schatten und fürchten uns davor.«

»Schonschon, aber warum? Wenn, wie du sagst, der Selbstmord ein Teil der menschlichen Natur ist?«

Er lächelte sie an, und einen Moment lang dachte sie an etwas Bestimmtes; dann ließ sie seinen Arm los und nahm seine Hand.

»Auch die Feigheit ist Teil der menschlichen Natur«, sagte Fischer. »Und die Lüge und die Dummheit und der Selbstbetrug.«

»Glaubst du wirklich, daß die Nonne den Mann aufgefordert hat, sie zu töten? Und glaubst du, daß Nele Schubart sich erhängt hat?«

»Ich war ein hörender Mönch«, sagte Fischer. »Wenn wir uns vor dem Gebet die Kapuze über den Kopf gezogen haben, versanken wir in einer inneren Stille. Wir beteten stumm und horchten, ob Gott uns antwortete. Das hat er getan. Wenigstens eine Zeitlang, bei mir. Und wenn du mich fragst, ob ich der Nonne glaube – vorausgesetzt, wir halten die Aussagen von Sebastian Flies und auch die ihres Vaters für wahr –, dann bejahe ich deine Frage. Ich glaube es. Ich glaube, daß Menschen zu einer Finsternis in sich vordringen können, die für andere unvorstellbar ist, und daß sie nichts sehnlicher erhoffen, als davon erlöst zu werden. Und ich glaube – auch wenn es mich anwidert, auch nur einen Teil von Jonathan Baduras Selbstverherrlichung zu bestätigen –, daß Nele Schubart, als sie gefesselt auf dem Stuhl stand und dieser Mann sie mit dem Leben ihrer Tochter konfrontierte, abgründig mutlos wurde und jede Zuversicht verlor. Auf einmal wurde ihr bewußt, was sie ihrem Kind angetan und wie gleichgültig und bösartig sie sich verhalten hat und daß sie nicht im geringsten fähig sein würde, sich zu ändern. In diesen Minuten, in dieser Stunde als Gefangene in einem Zimmer, in dem sie nie vorher war, begriff sie, wer sie ist und welches Ausmaß an Verachtung und Kälte seit jeher ihr Handeln und Empfinden bestimmt. Und ich glaube, ihr vernichtendster Gedanke galt ihrem Kind: daß sie nämlich Katinka bis zu diesem Freitag im August in keiner einzigen Sekunde verziehen hat, auf der Welt zu sein. Ich glaube, Nele Schubart hat mit ihrem Leben abgeschlossen, weil sie sich in heilloser Not eingestehen mußte, daß sie die Geburt ihres Kindes von Anfang an für ein Todesurteil und nicht für ein Geschenk gehalten hatte. Unter einer solchen Erkenntnis zerbricht jede Mutter. Und Nele Schubart erkannte den Moment und nutzte ihn.«

»Oder der Stuhl hat gewackelt und ist umgekippt, und sie hat sich erdrosselt«, sagte Liz. »Oder der irre Badura hat den Stuhl umgestoßen, wovon wir schließlich ausgehen müssen.«

»Ich glaube nicht, daß er töten wollte. Nur jemand, der so fundamentalistisch vom fünften Gebot überzeugt ist wie er, reagiert auf einen Selbstmord derart haßverzurrt und ichbesessen.«

Liz schwieg lange, drückte Fischers Hand fester, ließ sie los und nahm sie wieder. »Und das alles glaubst du, weil du ein hörender Mönch gewesen bist.«

»Wenn Gott nicht sprach, was, wie du weißt, immer häufiger passiert ist, habe ich andere Stimmen gehört. Wenn ich lange genug still bin, ist es, als brächen alle Wände, als wäre ich im Innern eines gewaltigen Murmelns, in dem unzählige Leben verhandelt werden, und ich bin gezwungen zuzuhören, und zwar auch dann noch, wenn meine Stille schon lange vorbei und der gewöhnliche Lärm zurückgekehrt ist.«

»Ich weiß nicht«, sagte Liz und ließ seine Hand endgültig los, als brauche sie etwas Abstand von ihm, »ob ich das aushalten könnt. Das totale Stillsein und das Fürmichsein ganz allein. Ich find auch nicht, daß man sich umbringen darf. Außer vielleicht, man ist schwer krank und nichts und niemand kann einem mehr helfen. Vielleicht dann. Ich find, das Leben ist was wert und man muß es verteidigen. Immer, mit aller Macht. Weil es was Besonderes, was Einmaliges ist. Wenn ich nicht so denken würd, hätt ich gar nicht zur Polizei gehen können. Glaub ich. Und ich weiß nicht genau, ob du recht hast, daß die Möglichkeit zum Selbstmord in uns allen steckt. Und daß wir alle im Grunde Lügner sind. Kann sein. Lügen ist so leicht.«

Sie rieb sich das Handgelenk. Dann vergrub sie die Hände hastig in den Hosentaschen. »Aber ich glaub«, fuhr sie mit leiserer Stimme fort, »ich fang langsam an, deinen Blick auf die Menschen zu begreifen, und ich bewunder dich dafür. Und ich würd mir gern was abschauen von deinem Blick. Bist du einverstanden, P-F?«

»Nenn mich Polonius«, sagte er.

»Mach ich. Warum ...« Sie hielt inne, wich seinem Blick aus und zwang sich zu einem sachlichen Ton. »Trotzdem: Die beiden Männer werden wegen Mordes oder Totschlags angeklagt, und die wahren Umstände – so wie du sie siehst – bleiben jedem Richter verborgen.«

»Unser Job ist es, Beweise für eine solide Anklage zu beschaffen, und nicht, die Welt zu erklären oder den Menschen. In diesem Sinn hat Micha recht.«

»Find ich nicht.«

»Nein?« sagte Fischer.

Nachdem sie eine Zeitlang mit beiden Händen über die Stadt aus Bronze gestrichen und die unzähligen Erhebungen und rauhen Punkte gefühlt hatte, sagte sie noch einmal: »Nein.«

Fischer beugte sich zu ihr hinunter und küßte sie auf den Mund. Sie starrte seine Krawatte an und fragte mit zittriger Stimme: »Was heißt eigentlich Dharma?«

Lieber Jonathan, Du liebster Mensch. Auf dem Wohnzimmertisch liegen drei Mappen mit Versicherungsunterlagen und Dokumenten für das Haus und einige Fotografien, von denen ich weiß, daß sie Dir viel bedeutet haben, mir weniger, aber es ist jetzt Deine freie Entscheidung, ob Du sie aufbewahrst. Das gilt auch für die neun schwarzen Hefte, meine Tagebücher, die zu schreiben mir manchmal ein wenig Erleichterung verschafft hat. Du weißt, das Leichte war eine Last für mich, und ich habe Dich um Deine Unbeschwertheit in vielem beneidet. Wenn Du die Tagebücher aufdringlich findest, entsorge sie mit den Plastiktüten, die voller alter Zeitungen und Illustrierten sind und die ich nicht mehr in den Container bringen konnte, weil es mir nicht gelang, das Haus zu verlassen. Wo ist meine schwarze Einkaufstasche mit dem schönen Leder? Ich habe sie überall gesucht. Ich kann doch Plastiktüten nicht ausstehen. Verzeih mir, daß ich in den vergangenen Jahren so stubenhokkerig gewesen bin und Dich nirgendwohin begleitet habe. Ich hatte die Kraft nicht, und ich wollte auch nicht, daß die Leute eine alte Frau neben Dir sehen. Du hast mir versichert, mein Alter sei niemals ein Problem für Dich und es sei Dir gleichgültig, was die Leute hinter unserem Rücken über uns reden. Dafür habe ich Dich sehr geliebt. Ich aber, Liebster, habe mich jeden Tag geniert, wenn ich in den Spiegel sah oder wenn ich uns beide im Spiegel sah oder wenn wir im Bett lagen. Du warst aufrichtig und fein mit mir, und ich küsse Dich in diesem Moment. Es ist nicht wichtig, wie viele Geliebte Du hattest und was Du getan hast, während Du unterwegs warst und die Zeit herumbringen mußtest. Schon lange weiß ich, daß Du nicht mehr bei der Kosmetikfirma arbeitest. Warum man Dich entlassen hat, obwohl Du jahrelang einen schnittigen Umsatz für sie gemacht hast, darüber könnte ich spekulieren, aber das möchte ich nicht. Du wolltest mich schonen, Du warst rücksichtsvoll und behutsam und hattest Angst, ich würde mich zu sehr aufregen oder Deine Arbeitslosigkeit würde mich deprimieren. Ach Liebster, nichts, was Dich angeht, hätte mich jemals deprimieren können, meine Liebe zu Dir war nicht zu erschüttern in diesem Leben. Manchmal habe ich Dich vermißt, das muß ich gestehen, und manchmal war ich zornig und habe wegen Dir Wein getrunken. Aber ich sage Dir aus tiefer Seele: An meinem Trinken bist Du nicht schuld gewesen, sondern ich selber und meine Furcht und mein Gequältsein und mein verschrumpeltes Empfinden. Das ist nun vorüber. Ich bitte Dich, mir zu vergeben, daß ich Dich nicht mehr angerufen habe, aber was hättest Du mir sagen sollen? Auf Deine Anrufe zu warten war in den vergangenen Jahren mein Glück, und wenn Du von Deinen Reisen zurückkamst, zehrte ich lange von Deiner Umarmung an der Tür. Das ist alles richtig gewesen. Im Kühlschrank stehen zwei Flaschen Weißwein, die Butter hält noch bis zum nächsten Monat, den Käse mußt Du bald wegwerfen. Der Rote-Bete-Saft ist viel zu gesund, schütte ihn in den Ausguß, Du bist ja gesund. Die Lilien wegzuwerfen habe ich nicht übers Herz gebracht, ich weiß, Du kannst den Geruch nicht ertragen, verzeih mir. Und das ist alles, was ich mir von Dir wünsche: Sei barmherzig, verurteile mich nicht für das, was ich getan habe, denke, es ist mir so schwer gefallen wie nichts auf der Welt, und doch hatte ich keine Wahl. Die Tabletten, die mir der Dr. Roth verschrieben hat, habe ich heimlich gesammelt, das gestehe ich, und er hat mir immer wieder neue verschrieben. Er hat keine Schuld. Er wußte nichts von meinem Entschluß. Sag ihm, er möge sich keine Vorwürfe machen, er hatte immer Zeit für mich und immer ein schönes Wort. Im Sekretär findest Du zwei Inserate von Beerdigungsinstituten, die nicht allzu teuer sind, das eine ist nicht weit von hier entfernt, ich habe zu beiden Vertrauen. Meine Leiche muß verbrannt werden, und ich möchte das grüne Kleid tragen, das ich jetzt anhabe, es ist seidig und wie neu. Ich habe es gekauft am Tag, als wir zum erstenmal im Nymphenburger Park spazierengegangen sind. Damals war ich fast noch jung und Du ein Jüngling. Liebster Jonathan, von der Dichterin Günderode stammen diese Verse:

Du innig Rot,
Bis an den Tod
Soll meine Lieb Dir gleichen,
Soll nimmer bleichen,
Bis an den Tod,
Du glühend Rot,
Soll sie Dir gleichen.

Ich gehe von Dir fort in der Gewißheit, daß das Leben, das meine Mutter mir gab, nicht für mich bestimmt war, aber die Liebe, die Du mir schenktest, einzig für mich war und meine Zuflucht in den fürchterlichen Nächten, wenn die Hyänen mich fraßen in diesem schönen Haus, das Du für uns hast bauen lassen. Geh nicht fort von hier, bewahre das Haus, und sei immer ein so heiterer Gastgeber wie der, den ich in Erinnerung habe. In Liebe, Deine Elisabeth.

»Meine eigene Frau hat mich verraten«, sagte Jonathan Badura. »Sehen Sie, wie sie daliegt, mit der häßlichen Lilie zwischen den Fingern! Die Tagebücher schenk ich Ihnen, die will ich nicht. Und jetzt muß ich das Fenster aufreißen, sonst erstick ich!«

»Sie bleiben hier stehen«, sagte Fischer. »Sie rühren sich keinen Millimeter von der Stelle!«

Er lag neben dem niedrigen Bett auf dem Boden. Sie hatten ihm verboten, unters Bett zu kriechen, und ihn in eine Zelle gebracht, in der das nicht möglich war. Er verachtete diese Leute.

Worüber er sich wunderte, war, daß es ihm immer weniger ausmachte, eingesperrt zu sein. Dann hörte er auf, sich darüber zu wundern.

Neulich hatte ein Polizist ihn aufgefordert, mitzukommen. Seine Frau und sein Sohn seien zu Besuch. Er erklärte ihm, er müsse allein sein, und schickte ihn weg.

Er lag da, Tag um Tag, und überlegte, ob er die Nonne nicht hätte erwürgen sollen.

Falls er ein Buch über die Ereignisse schreiben würde, dann unter dem Namen Tizian Seiler. *Die Ermordung Gottes* wäre ein guter Titel. Aber er wollte sich noch nicht festlegen.

»Hab keine Angst«, flüsterte sie, »hier ist es ganz still. So was wie dem Rudi passiert dir bestimmt nicht.«

»Wenn du mich festhältst«, sagte Toni, »dann schlägt mein Herz nicht mehr so wild.«

Katinka drückte den Elch an sich und stellte sich vor, sie laufe barfuß übers Meer wie über eine kitzlige Wiese. Und alle ihre Freundinnen schauen und staunen.

Epilog

Der kleine Junge rannte und rannte. Seine Faust umschloß die senkrecht nach oben steigende Schnur. Seine nackten Füße wirbelten Sand auf, er warf den Kopf in den Nacken und zerrte fester an der Schnur. Obwohl kaum ein Hauch zu spüren war, sprang der billige blaue Drachen mit flatterndem Schweif durch die Luft.

Von der Holztreppe aus, die von der Düne hinunter zum Strand führte, sah das Paar dem Jungen zu, wie er um die Strandkörbe kurvte und sich vor seinen Eltern hinfallen ließ, ohne die Schnur loszulassen, und in den Himmel hinauflachte.

Der Drachen winkt dem fernen Wind, dachte der große Mann auf der Treppe und leckte Salz aus der Luft.

Eine halbe Stunde standen sie so da.

Eine Stunde.

Stimmengetümmel um ihr Schweigen.

»Du hast die Akten immer noch nicht geschlossen«, sagte sie dann.

»Doch.«

»Du hast zwei Täter überführt, und du kannst ihre Taten beweisen.«

»Ich beweise die Dinge, die ich beweisen kann.«

»Das ist immer so«, sagte sie. »Und du bist kein Richter.«

»Ich richte schon. Aber ich urteile nicht.«

»Nur im stillen.«

»Nicht einmal im stillen«, sagte er. »Niemals.«

»Warum quälst du dich dann so?«

Er traute sich nicht, dem Drachen zu winken.

Nach Sonnenuntergang, als von der Wattseite her der Wind über die Reetdächer blies, betraten sie die Terrasse der kleinen Dünenkneipe, in der sie jeden ihrer Abende verbrachten.

Vor der Tür sagte er: »Du hast eine Laubfrisur.«

Sie tastete ihren Kopf auf der Suche nach Blättern ab, bevor er mit den Fingern behutsam ihre vom Wind zerzausten Haare kämmte.

Drinnen setzten sie sich an ihren bevorzugten Tisch in der Nische nebeneinander. Zur Vorspeise bestellten sie Schälchen mit eingelegtem Gemüse, Sardinen, Flußkrebsen, Oliven, Tomaten und kanarischen Kartoffeln und dazu Bier; als Hauptspeise, die sie sich teilten, nahmen sie Haifischsteak mit Salat und Pommes frites, dazu eine Flasche Rioja und eine Karaffe Wasser.

Er schlug das schwarze Heft auf, das er mitgebracht hatte.

Die Schrift war schnörkellos und groß, jede Seite eng beschrieben und numeriert. Es gab keine Satzzeichen außer Punkte.

Sie begannen beide zu lesen und unterbrachen die Lektüre während des Essens. Der Wirt öffnete eine zweite Flasche Rotwein. Als er eingeschenkt hatte und das schwarze Heft bemerkte, fragte er: »Soll ich die Lampe hinter Ihnen heller drehen?«

Und Polonius Nikolai Maria Fischer, der ausnahmsweise kein Hemd, keine Krawatte und keine gebügelte Hose trug, sondern ein weißes Sweatshirt und verwaschene Bluejeans, legte die linke Hand an die Wange seiner Freundin Ann-Kristin und erwiderte: »Was brauche ich Licht, wenn ich neben der Sonne sitze?«

»Kriminalromane sind Bücher über Menschen in Not.«

Friedrich Ani

Cornelius Mora, ein kleiner Ladenbesitzer, ist tot. Er hängt gefesselt und blutig an einem Kreuz. Das Kreuz steht im Hinterzimmer eines kleinen Klubs in der Vorstadt, der für einschlägige Praktiken wohlbekannt ist. Polonius Fischer, Hauptkommissar bei der Münchner Mordkommission, steht vor seinem zweiten Fall und der Frage: Handelt es sich hier wirklich nur um einen Unfall? Wieder lotet Friedrich Ani die schmalen Grenzen aus, die den durchschnittlichen Alltag von einem ständig drohenden Schrecken trennen.

320 Seiten. Gebunden

Zsolnay Z Verlag

www.friedrich-ani.de